Cómo guiar a los adolescentes hacia la libertad en Cristo

EDITORIAL UNILIT

Neil T. Anderson
y Rich Miller

Cómo guiar a los adolescentes hacia la libertad en Cristo

CÓMO GANAR LA BATALLA POR NUESTROS JÓVENES

Publicado por
Editorial Unilit
Miami, Fl 33172

Primera edición 1999

Originalmente publicado en inglés con el título:
Leading Teens to Freedom in Christ por Regal Book,
una división de Gospel Light
Ventura, California U.S.A

Traducido al español por: Nellyda Pablovsky

Producto 495020
ISBN 0-7899-0451-9
Impreso en Colombia
Printed in Colombia

Contenido

Apéndices

Introducción

Un grito pidiendo amor

Lo más duro fue el velorio. Ver a mi hermano tirado ahí, y decirle mis últimas palabras. Eso es lo que me dijeron que debía hacer”.

Nueve días antes de mi (de Rich) conversación con Enrique, su hermano menor, Martín se había suicidado: un tiro fatal en la cabeza.

Esta vez Martín había querido asegurarse bien. Seis meses antes había sobrevivido a su primer intento de suicidio: cortarse las venas. Se necesitaron más de 80 puntos para que se recuperara en aquella ocasión. Fue un grito pidiendo socorro, un grito pidiendo amor. Sin embargo, en esta ocasión, todos los caballos del rey y todos los hombres del rey

> Según el Centro Nacional de Prevención del Suicidio Juvenil, de Washington D.C., cada hora de cada día en los Estados Unidos de Norteamérica hay aproximadamente 228 adolescentes que intentan suicidarse. Eso se aproxima a los 2 millones por año.

Tenía solamente 18 años. Muchacho callado, introvertido pero en absoluto tímido. Atado al alcohol desde los 15, Martín se metía mucho en peleas. Con más de seis pies de altura (más de 1,80 m) y unas 200 libras (casi 100 kg.) de peso, no eran muchas las batallas que perdía pero, trágicamente, perdió la lucha por su vida.

Siempre trataba de estar a la altura de Enrique, su hermano mayor, más extrovertido. El alcohol le ayudaba a ser más sociable y eso era lo que lo enganchaba. Precisamente no parecía estar contento si no estaba borracho o, por lo menos, excitado en una pelea.

> Según la Enciclopedia de Estudios de la Juventud, en los Estados Unidos de Norteamérica hay 3 millones 300 mil jóvenes de 13 a 17 años de edad que tienen problemas graves con el alcohol[1]. Un artículo publicado por el Instituto Nacional del Abuso de Drogas (NIDA, por la sigla en inglés) dice que el 41% de los alumnos del último curso de la escuela secundaria han consumido marihuana[2]. Una encuesta reciente, co-patrocinada por NIDA, demuestra que el uso de la marihuana, entre las drogas ilegales, es el de aumento más veloz entre los estudiantes del último curso de la escuela secundaria[3].

Martín se había tomado una fotografía instantánea y había escrito sobre el retrato, "¡te odio; te odio, te odio!". Un año antes de suicidarse, había dibujado una cabeza con un revólver apuntándole. Debajo decía "la vida apesta".

Su poema, titulado "Un Buen Día" relata la historia de buscar la gratificación sin satisfacción duradera, que Martín, como tantos otros adolescentes experimentaba:

> Cerveza bien fría, cerveza liviana, chicas y peleas
> ¡Oh, Dios mío, qué golpetazo!
> Árboles, pasto y el azul brillante de sol
> Ahora mírenme, ¡el mundo es mío!
> Caminando sobre el agua, parado en el aire,
> Haz esas cosas y la gente te mira fijo
> Pues este poema así me lo dice.
> A veces uno se siente como un 'pu' [prostituto/a]
> Siempre manejas como loco
> Cuando llegas a casa empiezas a asquearte.
> Finalmente te arrastras a la cama
> Entonces el dolor llega a tu cabeza.
> Cuando te despiertas de tu adormecimiento,
> Tienes otro día que perder.

Varios meses antes de suicidarse, Martín escribió en su diario:

> Yo sé que hay gente que se interesa por mí, así que no quiero herir a esas personas matándome. Tengo la esperanza de que Dios haga que mi vida mejore. No sé que voy a hacer conmigo mismo si esta gente muere.

Lamentablemente Martín nunca descubrió el camino a la libertad que Dios había planeado para él. Nosotros tenemos la esperanza de que ahora la haya encontrado en los brazos de Jesús.

Como Martín, muchos son los adolescentes de hoy que se sienten atrapados en lo que podría llamarse la Confusión del "Sin". Se sienten sin utilidad, sin valor, sin ayuda, sin propósito y sin esperanza. En muchos casos la desesperanza les ha robado su idealismo, energía y creatividad juvenil. El ladrón no viene sino para hurtar y matar y destruir (Juan 10:10).

Otro incidente triste deja al descubierto la sensación de estar sin socorro ni esperanza que tienen hoy demasiados jóvenes. Un pastor amigo mío (de Rich) me contó la conversación que tuvo con la madre de un muchacho que acababa de morir de SIDA. Ella le contó de una charla de corazón a corazón que tuvo con su hijo justo antes de que éste muriera.

—¿Mamá, crees que me iré al infierno por las cosas que hice?" El joven moribundo miraba hacia arriba, esperando una seguridad. Otro grito pidiendo amor.

—No sé, querido, pero apuesto que un pastor sabría. Un pastor podría contestar esa pregunta, ¿quieres que llame uno?"

El muchacho, desanimado, negó con su cabeza. —No, mami, estoy seguro de que ningún ministro querría hablar con alguien como yo.

Dos semanas demasiado tarde, mi amigo pastor supo de la muerte del joven. Trágicamente, sé que este pastor (y la mayoría de los demás también) *hubiera* querido hablar con él: llevarle la buena nueva de la salvación y la esperanza de la vida eterna aun frente a la muerte.

No sólo los "de bajo logro" como Martín o las víctimas del SIDA corren peligro. La "crema de la crema" de los adolescentes, asimismo, están encerrados en una lucha de vida o muerte por sobrevivir.

Una encuesta del "Quién Es Quién Entre los Estudiantes Estadounidenses de Enseñanza Secundaria" descubrió que el 30% habían pensado en suicidarse y que el 4% habían hecho efectivamente un intento de quitarse la vida.

¿Por qué? ¿Por qué los muchachos y las muchachas a los cuales pareciera que todo les sale muy bien y que tienen un futuro brillante por delante, pensarían en terminar todo? Créalo o no, el 86% se sentía sin valor, el 71% se sentía presionado para triunfar y el 65% tenía miedo de fallar[4].

Desdichadamente son demasiados los adolescentes que no tienen ni idea de la real esperanza de vivir y ser libres en Jesús y la Iglesia. Lamentablemente, el evangelio sigue siendo uno de los secretos mejor guardados en nuestra nación.

Un estudio hecho por los ministerios de Josh McDowell descubrió que, en 1960, las influencias más grandes de los adolescentes de 13 a 19 años de edad fueron, en este orden: la familia, la escuela, las amistades y los pares de su misma edad, la Iglesia. Veinte años después los cambios eran profundos. Las primeras cuatro influencias eran en este orden: las amistades y los pares de su misma edad, la familia, los medios de comunicación masivos, la escuela. La Iglesia desapareció totalmente del rango de los primeros cuatro.

Los adolescentes de hoy han sido atrapados en gran medida por el sistema de valores (o la falta de ellos) del dios de este mundo. Unirse a la misión del Señor Jesucristo para rescatar a esta generación es responsabilidad de las familias cristianas y de la Iglesia. No hay otra esperanza.

Las palabras de Jesús, en Juan 8:31,32, sacudieron las almas de un grupo de creyentes judíos. Esas mismas palabras están concebidas también para sacarnos las escamas de nuestros ojos. Tomemos un momento y espiemos esa conversación que abre los ojos:

> Entonces Jesús decía a los judíos que habían creído en Él: Si vosotros permanecéis en mi palabra, verdaderamente sois mis discípulos; y conoceréis la verdad, y la verdad os hará libres.

¿Lo captó? La *verdad* le hará libre. No un programa. No un libro. No un consejero. La verdad. A partir del contexto de las palabras de

Jesús queda claro que la verdad a que Él se refiere es la Palabra de Dios.

Sin embargo, algunos de los que escuchaban, se ofendieron por lo que Jesús había dicho, como lo registró para nosotros Juan:

> Ellos le contestaron: Somos descendientes de Abraham y nunca hemos sido esclavos de nadie ¿Cómo dices tú: "Seréis libres"? (versículo 33).

La respuesta de Jesús llegó cortante a sus corazones y también a los nuestros:

> Jesús les respondió: En verdad, en verdad os digo que todo el que comete pecado es esclavo del pecado; y el esclavo no queda en la casa para siempre; el hijo sí permanece para siempre. Así que, si el Hijo os hace libres, seréis realmente libres" (Juan 8:34-36).

El mensaje de Jesús es simple y claro: El pecado acarrea esclavitud. La verdad libera. Y Aquel que usa la verdad de la Palabra de Dios para hacernos libres es el Hijo de Dios, Jesús. Él es "la Verdad" (Juan 14:6) y la Palabra de Dios encarnada (Juan 1:14). Él es el "Admirable Consejero" (Isaías 9:6), no nosotros.

Lo que la juventud esclavizada necesita, no es en absoluto un "qué"; es un "Quién". Es Jesús. Él es quien rompe las cadenas. El encuentro con la verdad: realmente el encuentro con la Verdad (Jesús) hace libres a los cautivos. La misión del Mesías, el Señor Jesucristo, fue deletreada con claridad de cristal por el profeta Isaías:

> El Espíritu del Señor Dios está sobre mí, porque me ha ungido el Señor para traer buenas nuevas a los afligidos; me ha enviado para vendar a los quebrantados de corazón, para proclamar libertad a los cautivos y liberación a los prisioneros; para proclamar el año favorable del Señor, y el día de venganza de nuestro Dios; para consolar a todos los que lloran, para conceder a los que lloran en Sion que se les dé diadema en vez de ceniza. Aceite de alegría en vez de luto, manto de alabanza en

> vez de espíritu abatido; para que sean llamados robles de justicia, plantío del Señor, para que Él sea glorificado (Isaías 61:1-3).

Pobres, Quebrantados de corazón, Cautivos, Tinieblas, Prisioneros, Luto, Abatimiento, Desesperación. ¿Esto no describe el estado de muchos jóvenes de hoy? ¿No describe esto el estado de muchos jóvenes *cristianos* de hoy? Es cierto que pueden verse felices por fuera pero... ¿qué pasa por dentro donde solo Dios ve?

Yo (Neil) quería saber qué estaba pasando en la vida de los jóvenes porque la gran mayoría de los problemas de los adultos se originaron cuando ellos eran jóvenes. Así que, con Steve Russo, encuestamos a más de 1700 estudiantes de enseñanza secundaria y primaria para nuestro libro *The Seduction of Our Children (La Seducción de Nuestros Hijos)*. Descubrimos que el 71% de los jóvenes cristianos profesantes estaban oyendo voces o luchando con malos pensamientos[5].

¿Creemos que 7 de cada 10 jóvenes evangélicos son esquizofrénicos paranoicos o psicóticos (como los diagnosticarían muchos consejeros)? ¡No, no lo creemos! sino que estamos de acuerdo con 1 Timoteo 4:1.

> El Espíritu dice claramente que en los postreros tiempos algunos apostatarán de la fe, escuchando a espíritus engañadores y a doctrinas de demonios.

¿Está pasando eso? ¡Sí, está pasando en todo el mundo! Gran parte de lo que se considera enfermedad mental no es más que una batalla para ganar la mente.

Igualmente perturbador para nosotros es el 72% de adolescentes encuestados que dijeron que eran diferentes de los otros muchachos: esto es, ¡el cristianismo funciona para otros pero no para ellos![6] ¿Es eso verdad? Por supuesto que no. Cada uno de los hijos de Dios ha recibido todo lo necesario para la vida y la santidad (2 Pedro 1:3). Si creen que son diferentes o que no tienen esperanza ni arreglo o que son malos o sucios, ¿afectará eso, sin embargo, la manera en que tratan de vivir su vida cristiana? ¡Absolutamente sí!

Entonces, ¿qué está mal con nuestra juventud cristiana? ¿Qué está mal con nuestras familias cristianas? ¿Qué está mal con nuestras iglesias?

¿No dice la Biblia que somos "más que vencedores por medio de Aquel que nos amó" (Romanos 8:37) y que "todo lo puedo en Cristo que me fortalece" (Filipenses 4:13)? Ciertamente las páginas del Nuevo Testamento dan mucha más esperanza de victoria que la que vemos en los bancos de la iglesia típica. ¿Por qué es así?

Desdichadamente con demasiada frecuencia la fe cristiana se ha vuelto un deporte de espectadores de un día por semana más que una relación dinámica e íntima con el Señor vivo y Su Cuerpo. Con demasiada frecuencia la educación cristiana envuelve un mero reparto de hechos e información más que el desarrollo del carácter amoroso. Con demasiada frecuencia la consejería cristiana depende de la última técnica en lugar de depender de la guía del Espíritu Santo.

En muchos casos la buena nueva del evangelio ha sido castrada por una liturgia legalista de "síes y noes" o, simplemente, por una búsqueda intelectual de conocimiento que no logra tocar el corazón.

Los jóvenes pueden pecar e irse cuesta abajo por el camino equivocado de la vida en millones de modos pero el camino a casa siempre es el mismo: "el del arrepentimiento para con Dios y la fe en nuestro Señor Jesucristo" (Hechos 20:21). Un adolescente puede haber sido maltratado en muchas formas pero aun tendrá que perdonar a quien lo maltrató, si quiere ser libre en Cristo (Mateo 18:32-35).

Miles de grupos y programas de autoayuda, consejeros y modelos psicológicos están a disposición para elegir, pero la única respuesta es "Cristo en vosotros, la esperanza de gloria" (Colosenses 1:27). ¿*Realmente* creemos eso? ¿Estamos convencidos en realidad de que alejados de Cristo *nada* podemos hacer? (Juan 15:5).

A través de mí (Neil) estudio de las Escrituras y la relación con gente herida, he podido señalar siete áreas importantes en las que, típicamente, la gente lucha en su caminar con Cristo. Dave Park y Rich Miller 'adaptaron al nivel secundario' eso que, desde entonces, se ha llamado los "Pasos hacia la Libertad en Cristo". Esas siete áreas son las siguientes:

1. Falso Contra Real
2. Engaño Contra Verdad

3. Rencor Contra Perdón
4. Rebelión Contra Sumisión
5. Orgullo Contra Humildad
6. Esclavitud Contra Libertad
7. Maldiciones Contra Bendiciones

Lo que descubrimos en las personas que pasaron por este cabal cuestionario espiritual es que nuestras "citas con la libertad" son, primera y principalmente, encuentros con Dios. Esta herramienta de ministerio —los Pasos hacia la Libertad en Cristo— sencillamente dan una estructura por la cual obra el Espíritu Santo. Son una *guía*, no son *dios*.

Que el 'exhortador' (consejero) dependa del Espíritu Santo es crucial para el éxito del encuentro. De igual importancia es la disposición del aconsejado para enfrentar honestamente y elaborar los asuntos de su vida. Ambos factores serán estudiados más adelante en este libro.

Creemos que los Pasos hacia la Libertad en Cristo son suficientemente sencillos como para que cualquier cristiano interesado y espiritualmente orientado pueda ser entrenado para usarlos efectivamente. Sin embargo, reconocemos que no nos atrevemos a ser simplistas en nuestro enfoque. El corazón y el cuerpo humanos son extremadamente complejos.

Agradecemos a Dios por los médicos, nutricionistas y fisioterapeutas competentes que nos ayudan a cuidar nuestro cuerpo físico. Vivimos en un mundo tanto físico como espiritual y fue Dios quien creó ambos. Necesitamos el hospital a la vez que la Iglesia porque somos seres físicos a la vez que espirituales.

Sin embargo, si no creemos que Dios habla autorizadamente a las necesidades espirituales, emocionales y mentales de la gente, estamos condenados a hundirnos en el fango de la última moda o técnica de consejería. Si no creemos en la realidad del mundo sobrenatural y si no tenemos un concepto claro de su interacción con nosotros como creyentes, estamos limitados a ayudar a la gente para que apenas *se las arregle* con los problemas de su vida más que *vencerlos* en Cristo.

Afortunadamente tenemos un Dios completo y un evangelio completo que interactúan con la persona completa: cuerpo, alma y espíritu.

De qué se trata este libro

En este libro queremos compartir con usted, sea padre, madre de adolescentes, líder juvenil o sólo un amigo interesado de un o una joven en apuros, lo que aprendimos acerca de cómo ayudar a la juventud a que halle su libertad en Cristo. En la primera parte del libro nos enfocaremos en las siguientes áreas:

- Veremos algunos de los asuntos que hacen tan explosivos a los años de la adolescencia;
- Hablaremos de cómo los adultos podemos dejar que los jóvenes sepan que estamos de parte de ellos;
- Examinaremos el papel del Espíritu Santo y el poder de la oración de intercesión para ver que los adolescentes encuentren libertad en Cristo;
- Veremos qué se necesita para ser usado por Dios para ayudar a los adolescentes heridos;
- Discutiremos la diferencia que existe entre *libertad* y *madurez*.

Luego, en la segunda parte del libro le llevaremos paso a paso por el proceso de conducir a un joven por los Pasos hacia la Libertad en Cristo. Veremos cómo hacer y empezar la cita, qué esperar en cada uno de los siete Pasos como, también, la manera de terminar el tiempo juntos y dar ánimo para seguir creciendo.

En los capítulos que siguen echaremos un vistazo a algunos de los temas difíciles de la consejería hacia los jóvenes: maltrato, ataduras con el ocultismo, trastornos de la alimentación y rebeldía.

Si usted desea una explicación más completa de la teología, filosofía y metodología de la consejería discipuladora para adultos, le recomendamos que lea el libro de Neil, *Helping Others Find Freedom in Christ (Ayudando a Otros a Hallar Libertad en Cristo).*

Nuestro deseo y oración es que este libro sea un recurso de esperanza para usted. Quizá usted sea un cristiano sincero que es padre o madre de un adolescente que está apático o rebelde para con Dios. Quizá usted sea un líder juvenil que anhela ayudar a un adolescente deprimido de su grupo de jóvenes. Quizá usted sienta pena por una sobrina, un sobrino, un nieto o nieta que está metido en el ocultismo.

Cualquiera sea su motivo para leer este libro, anímese por dolerse por los jóvenes y buscar ayuda para los que le rodeen. Cualquiera sea su edad, temperamento, nivel de madurez espiritual, experiencia (o falta de experiencia) con los adolescentes, Dios puede usarlo para que tenga una influencia importante sobre los jóvenes.

No tiene que ser un cómico para atraer la atención de los adolescentes. No tiene que ser un atleta grandioso ni estar al tanto de lo último en cuanto a la música, programas televisivos, películas o juegos de video para conseguir que lo escuchen. No tiene que ser "un tipo loco y salvaje" para influir profundamente en la vida de una persona joven.

Lo que los adolescentes buscan son adultos que sean reales con ellos y que los amen y acepten y se queden con ellos a pesar de sus oscilaciones de ánimo, sus exigencias, sus fracasos, sus luchas y sus pecados.

Pobres, Quebrantados de corazón, Cautivos, Tinieblas, Prisioneros, De luto, Afligidos, Desesperados, La juventud cristiana está herida. A *Quién* necesitan es a Cristo. *Qué* necesitan es a nosotros para que seamos como una luz que les señale a Cristo, y para ver que todas sus conductas realmente expresan una desesperada y profunda y entrañable necesidad de atención y afirmación.

En definitiva, es un grito pidiendo por Dios. Es un grito pidiendo amor.

Cristo responderá ese grito trayendo buenas nuevas al pobre, vendando al quebrantado de corazón, proclamando libertad a los cautivos y liberando a los prisioneros de las tinieblas.

Él consolará a los que están de luto y traerá una corona de belleza a los afligidos y un manto de alabanza a los que están desesperados.

¿Cuál será el resultado en la vida de aquellos a quienes el Mesías ministre de esta manera? Dejemos que Isaías termine su profecía:

> Para que sean llamados robles de justicia, plantío del Señor, para que Él sea glorificado. Entonces reedificarán las ruinas antiguas, levantarán los lugares devastados de antaño, y restaurarán las ciudades arruinadas, los lugares devastados de muchas generaciones (Isaías 61:3,4).

¿Cree usted que su hijo o hija, miembro del grupo de jóvenes, amigo, amiga, vecino, vecina, sobrina, sobrino, nieto o nieta puede llegar a ser un "roble de justicia"? ¿Podría el Dios Todopoderoso tomar a los adolescentes en lucha que usted conoce y usarlos para *reedificar, restaurar* y *renovar* esta tierra trastornada?

Todo empieza con la libertad. Todo empieza con la verdad. Todo empieza con Jesucristo.

Parte Uno

Entendiendo a nuestros adolescentes

Capítulo uno

¡Adolescentes! ¿Qué los hace funcionar de ese modo?

Se cita a Mark Twain, el célebre escritor estadounidense, por decir: "Cuando un niño cumple los doce, usted debe meterlo en un barril, clavar bien la tapa, y alimentarlo por un hoyo hecho en la madera. Cuando cumpla los dieciséis, tape el hoyo".[1] Si usted es el padre o la madre de un adolescente, puede estar pensando: *¡mmm el viejo ése tenía muchísima razón ahí!*. Habiendo pasado hace mucho los días en que uno era capaz de predecir razonablemente la conducta de su hijo, probablemente usted ya se haya resignado a tener por delante seis o siete años de ¡predecible impredecibilidad!

Un día sus muchachos piensan que usted puso la luna en el cielo y al día siguiente se preguntan si usted tiene la suficiente inteligencia ¡para colgar la ropa! Hubo un momento en que querían que usted los tomara en brazos, los abrazara y los acunara y, ahora, de repente, huyen de su lado y gritando: ¡leproso! ¡leproso!

Quizá usted haya descubierto las siguientes tres grandes verdades de los adolescentes, luego de que ingenuamente trató de hallar *algo* que hayan querido hacer:

> Lo que prefieren hacer: *Nada*.
> Su lugar preferido: *Ninguna parte*.
> La respuesta preferida a cualquier otra pregunta: *No sé*.

Quizás usted también pueda relacionarse con los siguientes clamores comunes y honestos de frustración de padres de adolescentes:

> ¿Qué tengo que hacer para poder entender a este muchacho, esta muchacha?
> ¿Qué le pasó a mi niñita? ¡Ya no está nunca en casa!
> ¿Qué hicimos mal? ¡Hicimos lo mejor posible! ¿Por qué salió [él o ella] así?

Naturalmente, nuestros comentarios sobre los adolescentes son generalizaciones pero, permítanos empezar expresando lo obvio. Los años de la adolescencia son un tiempo de cambio explosivo (a propósito, Dios diseñó el cambio), que lleva a una persona desde la infancia a la adultez.

En lo físico, a los adolescentes les brota el pelo y desarrollan los músculos (¡y la grasa!) donde antes no había. La voz cambia, los cuerpos crecen y las hormonas corren por las venas como torrente relampagueante. Se pasan horas interminables frente al espejo, haciendo cirugía mayor en las espinillas que, probablemente, nadie más nota. Es comprensible, pues este es un tiempo de enorme confusión, anticipación, ansiedad y vulnerabilidad para los adolescentes.

A ese hirviente caldero de cambios, agregue el impulso sexual que saltó de neutro a "toda máquina". Eche un creciente deseo de ser independiente de los padres. Ponga una habilidad cognitiva en desarrollo para objetar, pensar, volver a pensar y decidir, y tiene una bomba de tiempo emocional controlada por un impulsivo.

Trate de decir algo a sus adolescentes y le acusarán de *aullarles*. Ofrézcale ayuda por algún problema y probablemente le reprendan por *tratarlos como bebés*. Si usted llega a ser tan atrevido y audaz para preguntar algo de sus amistades o actividades, rápidamente le critican por *invadir su privacidad*.

Como le dirá cualquiera que haya criado adolescentes o trabajado con ellos por algún tiempo, sin embargo, tienen también un increíble potencial para el bien. No sólo "cuando crezcan", ahora mismo.

En mis 20 años de ministerio con los jóvenes (Rich) he visto adolescentes que reunieron miles de dólares para viajar a proyectos misioneros en el extranjero. Los he visto pararse al frente de grandes grupos de compañeros de escuela y proclamar osadamente el evangelio. Los he visto rodear, abrazar y orar compasivamente por un amigo afligido. He visto a Jesús brillar a través de la vida de adolescentes y, como resultado, glorificar a su Padre celestial. Al criar o trabajar con adolescentes, resulta crucial que lleguemos al punto de ser capaces de ver la vida (por lo menos, en las áreas centrales) desde el punto de vista de ellos. Retroceda por un momento a los días de la montaña rusa emocional de su propia adolescencia.

¿Recuerda el intenso anhelo de encajar cuando se sentía como si estuviera salido para afuera? ¿Puede acordarse de la frustración producida porque se esperaba que usted actuara como adulto mientras que le trataban como niño? ¿Recuerda el creciente deseo de independencia mientras, secretamente, esperaba que sus padres lo amaran lo bastante para seguir estableciéndole límites (¡realistas!)?

Trate de ponerse en las Nike de la juventud de hoy mientras hablamos de, quizá, el área más critica de los adolescentes. También sucede que es el área más crítica para, asimismo, hallar libertad en Cristo: *la búsqueda de identidad.*

La búsqueda de identidad

"Crisis de identidad", frase acuñada por Erik Erikson durante la segunda guerra mundial. Fue usada para describir la confusión que experimentaban algunos soldados impactados por proyectiles en el fragor de la batalla. Muchos no lograban siquiera recordar sus nombres[2].

. . . . Mirando en retrospectiva a todo lo que pasé desde mis 12 a 14 años (Rich), sólo puedo decir que yo estaba convencido de que la pubertad era ¡una enfermedad terminal!

Dándose cuenta de que los adolescentes pasan por una "crisis de identidad" totalmente propia, el doctor Les Parrott dedicó al tema "Una Lucha por la Identidad", el primer capítulo de su libro *Helping the Struggling Adolescent*. Algunos de sus comentarios iniciales son dignos de citarse:

> Lograr el sentido de identidad es la tarea más grande del desarrollo de los adolescentes. Como un soldado estupefacto en estado de confusión, tarde o temprano, la gente joven es golpeada por una bomba más poderosa que la dinamita: la pubertad. En alguna parte entre la infancia y la madurez, sus cuerpos saltan a toda máquina y encienden cambios a velocidad alarmante. Con la aceleración del crecimiento físico y emocional, se vuelven extraños para sí mismos. Atacados por un arsenal de hormonas vehementes, la persona joven perpleja empieza a preguntarse "¿quién soy yo?"[3]

Todos sabemos a qué se refiere el doctor Parrott. Los primeros años de adolescencia suelen ser los más traumáticos de nuestra vida. Mirando atrás a lo que yo (Rich) pasé desde los 12 a los 14 años, sólo puedo decir que estaba convencido de que la pubertad era ¡una enfermedad terminal! Mi búsqueda de identidad por la cual pudiera hallar *respeto propio, dignidad, aceptación de los demás, la sensación de pertenecer y la felicidad*, se estrellaba con una pared de ladrillos.

En mis primeros años de escuela secundaria, el diario mensual imprimía la columna más increíblemente insensible que haya visto jamás. Se llamaba "Niño Perfecto, Niña Perfecta". Cada mes salía alguien por ahí y juzgaba al cuerpo de estudiantes por las siguientes categorías: pelo, aspecto, sonrisa, ojos, nariz, físico/figura, habilidad atlética, personalidad y cerebro. Era espantoso.

Cada mes yo anhelaba aparecer en esa lista. Cada mes cerraba, enojado, el diario, convencido nuevamente de que nunca estaría a esa altura. Hasta que un mes lo conseguí: fue por "Cerebro Perfecto".

Ahora bien, no quiero en forma alguna disminuir la importancia de la inteligencia, don precioso de Dios por el cual me he regocijado muchas veces desde entonces.

Sin embargo, para un muchacho de 13 ó 14 años que trata de salir adelante en una escuela orientada al deporte, eso fue como una sentencia de muerte. Ellos bien hubiesen podido poner mi nombre en la categoría de "*Idiota* Perfecto" por lo que a mí concernía.

Casi 30 años después, puedo reírme de eso pero, en aquel momento, mi delgadez, mi acné, mis frenillos y mi caspa se sintieron como una prisión de la cual nunca escaparía. El dolor fue casi insoportable: me sentí como un inadaptado, preguntándome si alguien llegaría a aceptarme alguna vez. Recuerdo que una vez lloré, en mi corazón, clamando a quien pudiera oírme, "¡sólo quiero ser normal!"

¿Traducción? Sólo quiero encajar y pertenecer.

Quizá usted pueda entender el dolor que viví. Quizá no. Quizá usted fue como esos de la escuela que yo envidiaba: de buen parecer, atlético, popular y seguro, por lo menos por fuera. Todos los adolescentes, sin que importe que estén "ganándosela al sistema", "siendo vencidos por el sistema" o "diciéndole al sistema que ¡golpee!" están pasando por una lucha por la identidad.

Como adultos necesitamos una gran dosis de compasión por los adolescentes. Resulta fácil olvidar el dolor que sentimos en la adolescencia y, por tanto, minimizar las luchas de la gente joven que conocemos y amamos.

Cuando yo, (Rich) fui a un médico para ver si podía conseguir algo de ayuda para aumentar de peso, el médico calvo y gordo, se inclinó delante mío y, divertido, comentó: "¡alégrate de no ser gordo!" No me dio ánimo para nada. Recuerde que el doctor Parrott dijo: "Los adolescentes están en guerra". Sin embargo, no se trata sencillamente de una batalla con las hormonas. Es una batalla desesperada contra el mundo, la carne, y el diablo. Primordialmente, se trata de una batalla espiritual y los adolescentes cristianos están justamente en medio de eso.

Buscando aceptación, seguridad y significado

Todos nosotros, incluyendo los adolescentes cristianos, tenemos la necesidad inherente de *aceptación, seguridad y significado.* En otras palabras, tenemos que saber que somos amados y que pertenecemos. Anhelamos sentirnos seguros y, de alguna manera, tener la sensación de que nos cuidan. Todos anhelamos desesperadamente saber que nuestra vida significa algo y que, de alguna manera, somos importantes.

Como niño esas tres áreas criticas de necesidad son predominantemente satisfechas por la familia aunque, trágica y muy frecuentemente, no siempre esto es así. Entonces, los niños suelen verse forzados a buscar en otra parte. ¿Cuántos niños (y adolescentes) se van de la casa esperando encontrar la vida y el amor que nunca hallaron en sus hogares? Desdichadamente, la cara sonriente y acogedora del "mundo de afuera" demasiado a menudo esconde un juego de feroces colmillos listos para devorar al ingenuo o rebelde.

Los satanistas que andan buscando reclutar jóvenes para meterlos en el tenebroso mundo del ocultismo, suelen poner su mira en los adolescentes y púberes que andan de allá para acá en la vida, desprovistos de toda identidad significativa. Estos muchachos "del grupo marginal" suelen ser muy inteligentes y creativos y tener imaginaciones vívidas. Con la carnada apropiada, tal como jugar un juego de "Dungeons & Dragons"® (Fosos y Dragones) con un grupo de pares/adultos, a estos jóvenes puede darles un falso sentido de pertenecer. Además, se puede despertar la curiosidad enfermiza y la lujuria del poder y saber acerca del mal. Sin embargo, el plan de Dios para los adolescentes es que aprendan a buscar su aceptación, seguridad y significado *en* Cristo, lo cual es opuesto a todo lo que hay en el mundo o en la carne. Este es, tristemente, un distanciamiento radical de la manera en que viven la mayoría de los adolescentes cristianos y gran parte de la culpa tiene que caer en los hombros de los adultos cristianos. ¿Cuántas veces ha leído (¡o escrito!) esos boletines anuales de noticias de la familia que se esconden en las tarjetas de Navidad? Habitualmente dirán algo así:

> Jorge sigue muy ocupado en el trabajo y como diácono en la iglesia, mientras que yo estoy muy atareada con la casa y haciendo de chofer para los muchachos, llevándolos de aquí para allá a sus juegos y prácticas; Jasón entró este año al equipo de fútbol "Todas Estrellas" y Rebeca tiene gimnasia cinco días a la semana. A Miguel le gusta realmente caminar alrededor de la casa meciendo la raqueta de tenis, igual que su papá.

¿Qué tiene de malo ese retrato? Suena tan normal, tan sano, tan estadounidense, Por cierto que no hay nada malo inherente en los trabajos, las responsabilidades de la iglesia, la casa y los deportes. Son parte de la vida pero ¿cuál es el mensaje que comunicamos sutilmente a los demás? ¿Cuál es el mensaje que los hijos de las familias cristianas captan de los adultos? Dice algo así:

> Serás feliz en la vida si tienes buen aspecto, te desempeñas bien en la escuela, los deportes u otras actividades y te consigues un buen trabajo y vas a la iglesia.

Esa es la filosofía básica de la generación de la explosión demográfica de los Estados Unidos de Norteamérica y es la manera en que viven muchas familias cristianas. Sin embargo, hay un creciente número de gente de la generación de la disminución demográfica de los Estados Unidos de Norteamérica, conocida como "generación X", que no se tragan eso.

Naturalmente, hay algunos adolescentes que en su corazón son realmente de la generación de la explosión demográfica y que encuentran su identidad en cosas como dinero, deportes, vestidos apropiados de personas de clase adinerada, etc.

Quizás su adolescente no sea así. Quizás quiera estar sentado todo el día con los audífonos puestos y tocando su guitarra. Quizás quiera comprar todo en la tienda que vende cosas de caridad y usa colores que hacen que los uniformes de fajina de los soldados parezcan brillantes. Creemos que los adolescentes de hoy andan buscando una realidad más profunda en la vida que sólo actividades y cosas. Pueden entusiasmarse trabajando juntos para limpiar una playa o empezar una campaña de reciclaje de basura.

¿Por qué importa tanto saber quién es usted como hijo de Dios? Porque siempre terminamos viviendo de acuerdo a la manera en que nos vemos.

Ellos pueden entusiasmarse mucho construyendo una casa para una familia pobre en el centro de la ciudad. En verdad andan buscando una vida que tenga sentido. Desdichadamente, muchos de los adolescentes de hoy ven poca esperanza en el sentido duradero de la vida. Muchos vienen de hogares rotos o enfermos, por lo que tiene serias dudas del valor del matrimonio y de la familia. Mirando el estado de la economía y la política de nuestra nación, sospechan que nunca vivirán el sueño americano. La desesperanza del futuro puede conducir a una búsqueda frenética de emoción y realización en la música, las películas, los juegos de video y computadora, el alcohol, las drogas, el sexo, los delitos y otras actividades peligrosas. La pesadilla americana. Todo eso es un grito pidiendo amor. Puede que los adolescentes no se den cuenta pero es un grito pidiendo por Dios. Así que, más que nunca antes, los adolescentes están abiertos al evangelio pues solamente en Cristo la vida tiene un significado definitivo. Por eso es crítico que los adolescentes cristianos se arraiguen y fundamenten firmemente en su verdadera identidad de hijos de Dios. Su *verdadera identidad* (quiénes son en realidad) debe volverse su *identidad percibida* (quiénes piensan que son). Sin este fundamento bíblico, todos los demás esfuerzos por ayudar a los adolescentes a hallar su libertad en Cristo serán únicamente superficiales y transitorios. ¿Por qué saber quién es uno como hijo de Dios es tan importante? *Porque siempre terminamos viviendo conforme a la manera en que nos vemos.* ¿Cómo ve Dios a un adolescente cristiano? Dé una buena mirada a Su Palabra:

> Mirad cuán gran amor nos ha otorgado el Padre, para que seamos llamados hijos de Dios; y eso somos... Amados, ahora somos hijos de Dios (1 Juan 3:1,2).

Dios quiere adolescentes cristianos que encuentren su aceptación, seguridad y significado en Él y en Su Cuerpo, la familia de Dios. ¿Por qué? Porque todo lo demás es, en definitiva, un callejón sin salida. Los adolescentes de hoy anhelan relaciones que sean auténticas y reales. Cuando empiezan a conectarse con esa relación Padre-hijo con Dios y esas relaciones hermano-hermana en la familia de Dios, experimentan fe, esperanza y amor. Vea usted, si se ha sentido como basura toda su vida y alguien lo recoge, lo limpia, lo acepta tal como usted es y, luego, lo llama "amigo" y usted responde, Dios hace exactamente esto y así debiera hacer Su Cuerpo, la

Iglesia. Sencillamente no basta con estar contento con que nuestros adolescentes cristianos se sientan bien con su aspecto o con su desempeño académico, artístico o atlético. No basta con que ellos tengan amistades que los quieran y que se lleven bien con los adultos importantes de sus vidas. No basta con que tengan carreras brillantes y exitosas por delante. Ni siquiera basta con que vayan habitualmente a la iglesia. Por cierto que esas cosas no son malas. No son suficientes. Pues un día el cuerpo empezará a crecer, soltarse y arrastrarse, (¿ha estado ahí, ha hecho eso? ¿Están ahí, haciendo eso?) Los desempeños fallarán o empalidecerán comparados con los de otra persona. Las amistades van y vienen y hasta la óptima relación tiene tiempos difíciles. El dinero puede criar alas [y desaparecer] y la seguridad del trabajo es, en el mejor caso, una estupidez.

Encontrando identidad en Cristo

Yo (Rich) estaba dando una conferencia en Georgia, sobre el tema de nuestra identidad en Cristo y después de terminar se me acercó un joven. El líder de jóvenes típico se moriría por tener un muchacho así en el grupo. Era de buen aspecto, estudiante con las mejores calificaciones, jugador de fútbol de la liga interescuelas y líder espiritual en su escuela secundaria. Venía de un hogar cristiano firme, siendo sus padres unos santos obreros cristianos de jornada completa. Me dio la mano y dijo "he sentido tanta presión para destacarme en estas cosas". Dando un suspiro de alivio, agregó: "Gracias por decirme que, finalmente hay alguien que me acepta tal como soy en Cristo". Pura aceptación. No por su aspecto o desempeño. No un "te amo *si*" o un "te amo *porque*" sino un "te amo *punto*". A la mañana siguiente, la versión femenina de ese muchacho (¡excepto por lo del fútbol!) se me acercó y me dio un testimonio semejante. Ella me pasó lo que había escrito. Sus comentarios son profundos:

> He sido cristiana por 14 años; oré para recibir a Cristo siendo una niña. Fui criada en un hogar cristiano y mis padres son misioneros. Siempre he sido considerada líder entre mis pares, persona con una fe muy firme en Dios y mucho amor por él.

Siempre he pasado momentos a solas (de devoción) y siempre he tratado de poner primero a Cristo y a los demás antes que a mí misma. Pero no fue sino recientemente (realmente la noche anterior) en que realmente llegué a sentir el amor de Dios por mí.

Siempre me dijeron que Dios me amaba y que tenía un plan maravilloso para mi vida pero yo sentía como que Dios amaba a todos como un todo y bueno, que eso me incluía también a mí.

Anoche Dios me mantuvo despierta toda la noche y leí versículos bíblicos sobre qué dice Dios que soy yo y advertí que yo misma soy significativa, que Dios me ama por quien soy yo y que me ama tanto como ama a Jesús.

Toda la charla del amor de Dios nunca me fue demostrada realmente. Era algo seco, hasta que me di cuenta cómo me ve Dios y que soy aceptada, y que estoy segura y tengo gran importancia para Él.

Ahora, cuando leo las Escrituras veo algo más que palabras. Hay sentimiento y amor detrás de ellas. ¡Fueron escritas para mí! Ahora el cristianismo es realmente algo más que leyes. Es real. Es una relación.

La base sólida como roca que constituye encontrar nuestra aceptación, seguridad y significado en nuestra relación Padre-hijo con Dios por medio de Jesucristo, es lo único que puede sobrevivir a las tormentas de la vida.

Eso es lo que Dios desea que experimente cada adolescente cristiano: una intimidad con El que vaya más allá del conocimiento intelectual hacia la experiencia del corazón. El apóstol Pablo lo dijo así:

> Pues no habéis recibido un espíritu de esclavitud para volver otra vez al temor, sino que habéis recibido un espíritu de adopción como hijos, por el cual clamamos: ¡Abba, Padre! El Espíritu mismo da testimonio a nuestro espíritu de que somos hijos de Dios (Romanos 8:15-16).

La base sólida como roca que constituye encontrar nuestra aceptación, seguridad y significado en nuestra relación Padre-hijo con Dios por medio de Jesucristo, es lo único que puede sobrevivir a las tormentas de la vida. Después de todo, Cristo *es* nuestra vida (Colosenses 3:4). Un principio que debe enseñarse a los adolescentes es éste: *Donde halles tu vida es donde hallarás tu identidad.*

¿Piensa su hijo adolescente que su vida se hallará en ganar dinero y tener cosas lindas? Entonces ahí es donde se hallará también su identidad (quién es él). Se convencerá de que su valor y significado como persona vienen de concretar esas metas materiales. También hará todos los ajustes necesarios para hacer que eso suceda ¿Su hija adolescente piensa que su vida se hallará haciendo amistades y siendo popular? Entonces, ahí es donde se hallará asimismo su identidad (quién es ella). Ella estará segura de que el valor y el significado como persona vienen de gustarle a los demás. Ella también hará lo que sea necesario para alcanzar esa meta. Jesús lo dijo francamente así:

> "Porque donde esté tu tesoro, allí estará también tu corazón" (Mateo 6:21).

Tratar de hallar significado, sentido de valor, felicidad o seguridad en cualquiera otra cosa que no sea Dios es como edificar una casa sobre la arena. Está condenada a derrumbarse y, sin duda, su caída será grande. No podemos destacar bastante la importancia que tiene para los adolescentes cristianos saber quiénes son en Cristo y vivir con Jesús como centro de su vida. En realidad, cualquier otra cosa no es más que *idolatría.* ¿Alrededor de qué se centra la vida de su adolescente? ¿En 'divertirse'? ¿En la música? ¿En un noviecito o noviecita? ¿En los deportes? Esas cosas nunca fueron concebidas para que fueran "el centro de la rueda", por así decirlo. Fueron pensadas para ser los "rayos" conectados al centro: Jesús, y bajo Su control sabio. El primero de los Diez Mandamientos lo dice tan claramente como es posible:

> No tendrás otros dioses delante de mí (Éxodo 20:3).

El espíritu de ese mandamiento no era el de un tirano enojado y exigente. Era, en cambio, la advertencia solemne de un Dios que ama que hay había liberado a Su pueblo de las garras de la esclavitud cruel. ¡Sencillamente él les estaba mostrando el camino para *seguir* libres!

Entendiendo quién es usted en Cristo

La siguiente historia ilustra muy gráficamente el poder de entender la identidad propia en Cristo. Su adolescente puede no tener una transformación tan espectacular como la del muchacho de esta historia pero entender quién es uno en Cristo es una revelación que cambia la vida de todos los que la experimentan. Beto había viajado casi mil millas (aproximadamente 1500 kms.) para venir a un retiro donde yo (Rich) era el orador. Primero, pensó que venía solamente a divertirse. Pronto supo que realmente había viajado esa enorme distancia para encontrar la vida y la libertad en Jesucristo. En la noche del sábado de ese retiro de cuatro días, Beto entregó su corazón a Jesús. Entonces, típico de los adolescentes de un campamento de jóvenes, desordenó uno de los cuartos de los muchachos, un par de horas más tarde. En realidad, causó algún daño con la crema de afeitar que desparramó por todo el lugar. Sintiéndose culpable por lo que había hecho, Beto fue a ver al director del campamento y confesó su travesura. "No puedo entenderlo, —dijo al director— "he hecho esta clase de bromas toda mi vida y nunca antes me sentí culpable ¿Qué está mal en mí?"

Obviamente nada malo había en él, en absoluto. Por el contrario, su convicción de parte del Espíritu de Dios era prueba de que algo ¡estaba muy *bien* en él!

Por propia iniciativa, Beto decidió que debía confesar su pecado a todo el grupo. Esto es algo que los cristianos viejos y maduros se muestran reacios a hacer, pero Beto (con apenas unas horas en el

Señor) estaba dispuesto a humillarse de ese modo. Dios bendijo su humildad de modo poderoso. En la noche del domingo pasó al frente del auditorio y confesó primero a Cristo como su Señor y Salvador, y luego confesó su papel en el vandalismo de la noche anterior. La atmósfera del lugar estaba electrizada y era evidente que el Espíritu de Dios estaba moviéndose. El director del campamento invitó a que otros pasaran adelante y dieran su vida a Cristo. Un joven, Jonatán, se paró y lentamente fue caminando hacia adelante. Todo el lugar explotó en aplausos. Todos los ojos estaban fijos en él cuando empezó a hablar. "He vivido una mentira. Por dos años he estado yendo a un grupo de jóvenes pero sin ser en absoluto cristiano, quiero dar mi vida a Jesús". Jonatán inundó prácticamente el frente de ese salón con sus dulces lágrimas de arrepentimiento y rendición. Entonces se abrieron las compuertas, una niña de 89 libras (aproximadamente 41 kg) pasó adelante porque quería ser libertada de la anorexia. Larry Beckner, del personal de Freedom in Christ Youth Ministries, la aconsejó y oró con ella.

Luego pasaron dos niñas a confesar su rabia y rencor para con Dios debido a enfermedades crónicas que él aún no había sanado. Entonces dos niñas más, con anorexia, también pasaron adelante. Esto siguió por varias horas.

Venciendo adicciones

Yo fui a sentarme al lado de Beto porque quería felicitarlo por su valor y honestidad. Supe que algo le molestaba. "¿Qué pasa?"—le pregunté. "Siento como que se me adormeció todo el lado de la cara y me cuesta hablar" —replicó Beto. El miedo y la confusión estaban escritos en toda su cara. —¿Te ha pasado esto antes?

Beto asintió. —Sólo una vez. Anoche, cuando abrí mi corazón a Cristo. No tenía que ser genio para saber que este joven estaba bajo ataque espiritual, así que le pedí que viniera conmigo al piso de arriba, donde podríamos hablar tranquilos en la cafetería. No muy seguro de cómo ayudarle, oré pidiendo sabiduría. Sentí que el Señor me dirigía a que le hiciera leer una lista de declaraciones con base bíblica proclamando su nueva identidad en Cristo (vea la lista EN CRISTO al final de este capítulo). Beto empezó a leer en voz alta esa lista y parecía que iba cobrando fuerzas. Súbitamente un tremendo dolor le tomó el hombro como si alguien estuviera retorciéndole el músculo como se hace con un paño para lavar platos. Yo oré por él, ejerciendo mi autoridad en Cristo y el dolor pasó un poco. Entonces él se dio vuelta y me preguntó con cuidado: —Rich, ¿por casualidad, has luchado contra el alcohol?

—Sí, beber y andar de fiesta eran gran parte de mi vida, incluso después de ser cristiano, en mi primer año de la universidad, ¿por qué preguntas?

—Bueno, no se lo he dicho a muchos pero yo soy alcohólico. Beto bajó la mirada con vergüenza, como preparado para que yo le golpeara con todo. Yo esperaba que mi respuesta comunicara el amor y aceptación que yo sentí de verdad por él en mi corazón. —Beto, no eres alcohólico, eres un hijo de Dios que ha luchado contra el alcohol. Hay una gran diferencia.

Se reanimó un poquito y, luego de cobrar un algo de valor, confesó y renunció a su uso y abuso del alcohol. Luego, siguió leyendo en voz alta la lista EN CRISTO. Entusiasmaba ver la verdad que empezaba a prender dentro de él. Entonces ese dolor terrible volvió de nuevo a tomarle el hombro. Preguntándome qué estaba pasando, oré una vez más para atar las potestades de las tinieblas que aún parecían tener un asidero en Beto. Entonces él se dio vuelta a mí otra vez y admitió: —Rich, nunca le he dicho esto a nadie antes pero también soy un drogadicto. Juntando todo el amor en mí, traté de darle ánimo de nuevo. Sonriendo le dije, —Beto, *no* eres un drogadicto, eres un hijo de Dios que ha luchado con las drogas y puedes ser libre de la esclavitud del enemigo confesando y renunciando al uso de drogas tal como hiciste con el alcohol. Así lo hizo, Beto había andado usando cinco o seis drogas diferentes y declaró en voz alta que terminaba con todas las drogas.

Terminó de leer la lista EN CRISTO y yo sentí como si las fuerzas del mal estuvieran recibiendo golpes justo entre los ojos mientras Beto casi gritaba "¡yo soy hijo de Dios y el maligno no puede tocarme!"

Tan pronto como terminó, sus ojos y su cara brillaban de gozo. La sensación de adormecimiento de su cara había desaparecido. El dolor horrible del hombro se había ido. La verdad había hecho libre a Beto, sin duda.

Lo que dijo enseguida me sorprendió un poco. —Rich, no creerías lo entonado que me pongo con el crack. Me preguntaba por qué me dijo eso, cuando siguió, —¡pero esto es mucho mejor!

¿A qué se refería Beto? Obviamente estaba muy regocijado de que el dolor y el entumecimiento hubieran terminado. Ciertamente se sentía aliviado pues la opresión y la atadura demoniaca estaban rotas. Creo que, no obstante, era algo que iba más allá de eso. Estoy convencido de que Beto también se alegraba de que los *rótulos* clavados en su alma: *alcohólico, adicto* hubieran sido quitados y reemplazados por el rótulo de Dios para él: *hijo de Dios*.

Lo bello del rótulo de Dios para Beto es que es muchísimo más que una etiqueta superficial pegada en su alma, es quién es él en realidad. Lo mismo es igual para todo adolescente cristiano.

Viviendo con rótulos

¿Cuántos jóvenes cristianos viven atados a rótulos que, erróneamente, creen que representan su verdadera identidad? Algunos rótulos corrientes que se pegan unos a otros son: *mañoso, patín, 'pendejo'*, *cerebro, tarado, busca-pleitos, 'copado', 'gay', macho, mariposón, engreído, payaso* y *dudoso*.

A los adolescentes les puede gustar llevar algunos rótulos pero otros parecen como manchas horribles que no se van con el lavado.

Obviamente, el rótulo puede cambiar de grupo en grupo. Los rótulos que los padres les ponen a sus hijos pueden ser muy diferentes de aquellos que otorgan sus pares. Los rótulos de los padres pueden quedarse pegados a sus hijos durante toda la vida y funcionar como bendiciones o maldiciones.

Los psiquiatras, los psicólogos y los consejeros pueden pegar involuntariamente un rótulo a un adolescente cristiano tratando de diagnosticar su estado, por ejemplo, maniaco-depresivo, esquizofrénico, bulímica o adicto al sexo.

Aunque el diagnóstico fuere exacto, el rótulo (o sea, 'yo tengo ADD' [Trastorno de la Conducta por Déficit de la Atención; la sigla es en inglés]) puede llegar a ser la fuente principal de la identidad de la persona joven. Puede atribuir y disculpar toda conducta a ese rótulo. Puede ver ese estado como desesperanzado e invariable. Eso es trágico.

Palos y piedras, pero las *palabras* ¿nunca duelen?

Proverbios 18:21 advierte que "muerte y vida están en poder de la lengua, y los que la aman comerán su fruto". Debemos tener cuidado con las palabras que usamos cuando hay adolescentes cerca.

Cuando estaba dando los Pasos hacia la Libertad en Cristo con Valeria, ella se acordó de algo que pasó en su infancia que tuvo un profundo efecto en la manera en que ella se consideraba a sí misma. Recordó que un día en que comió mucho, su mamá la reprendió fuertemente.

"¡Si sigues comiendo así, vas a ponerte gorda como tu abuela!", la retó su mamá.

En ese momento Valeria juró que nunca se pondría gorda (ya que así perdería la aprobación de su mamá). El Espíritu de Dios hizo que se acordara de eso como punto inicial de su problema de anorexia. Las palabras de su madre funcionaron como maldición, ayudándola a meterse en un estilo de vida obsesivo respecto de la comida, contando las calorías de la grasa, negando, haciendo ejercicio en exceso y persiguiendo la perfección.

A menudo durante las citas para la liberación, los aconsejados dirán cosas como éstas:

Yo no puedo hacer nada bien.
Yo soy estúpido, estúpida.
Yo soy gorda, gordo.
Yo soy fea, feo.
Yo nunca llegaré a valer algo.
Yo soy sucio y malo.
Yo soy perezoso, perezosa.
Yo soy una molestia.
Yo hablo demasiado.
Yo no soy bueno, buena.
Yo soy sólo una víctima.
Nadie me quiere.

Esos son rótulos terribles de usar. ¿De dónde provienen? Con demasiada frecuencia nos son pegados en el alma durante los años críticos de nuestra juventud.

Palabras enojadas e irreflexivas de parte de los padres, profesores, entrenadores, compañeros, hermanos, hermanas u otras personas pueden servir para encerrar, aun a los adolescentes cristianos, en percepciones de su identidad muy diferentes de lo que Dios dice que es verdadero. Además, las experiencias de la vida confirman y refuerzan, a menudo, en la mente de la gente joven que esos rótulos son indudablemente correctos. Tenga toda la seguridad de que el diablo agregará su 'amén' a esas palabras, echando su combustible al fuego con una inagotable descarga de pensamientos acusadores y atormentadores.

¿Escéptico? Piense en esto: en Su Palabra Dios dice que somos nuevas criaturas en Cristo (2 Corintios 5:17), santas y entrañablemente amadas y elegidas por él (Colosenses 3:12). Somos santos (Filipenses 1:1) que pueden hacer todo por medio de Aquel que nos fortalece (Filipenses 4:13) ¿Correcto?

Bien, pero si usted creyera que es un pecador miserable, desgraciado, débil e indefenso y que le falla continuamente a un Dios profundamente decepcionado, ¿cómo afectaría su vida esa manera de percibir su identidad?, ¿tendría algún efecto en su forma de pensar, sentir y actuar? ¡Por supuesto!

El objetivo de criar o discipular gente joven es darles un entorno en el que el Espíritu de Dios pueda obrar para plantarlos en las verdades acerca de quién es Dios y quiénes son ellos en Cristo.

No, los adolescentes no pueden, en definitiva, controlar los rótulos que otros les ponen. Sin embargo, la gente joven cristiana puede saber que son los amados hijos de Dios y descansar en la aceptación, seguridad y significado que provienen de él. De cierto modo Dios ha puesto en la vida de cada cristiano el rótulo definitivo, el único que es verdadero y que importa realmente: *hijo de Dios*.

El adolescente que conoce a Cristo y entiende y acepta una identidad en Cristo puede, entonces, encontrar el valor para proyectar una imagen que refleje quién es realmente. Es decir, puede vivir su fe audaz y humildemente en un mundo enfermo de pecado. ¿No es acerca de eso que escribió Pedro en su primera carta?:

> Pero vosotros sois linaje escogido, real sacerdocio, nación santa, pueblo adquirido para posesión de Dios, a fin de que anunciéis las virtudes de Aquel que os llamó de las tinieblas a su luz admirable (1 Pedro 2:9).

Encontrando la relación con Dios

Hay muchos beneficios disponibles para los adolescentes cristianos que entiendan que su aceptación, seguridad y significado vienen primordialmente de su relación con Dios en Cristo. Considere tan solo las tres áreas que siguen:

1. *Intimidad verdadera.* Los adolescentes quieren amistades íntimas y profundas. Hasta que los adolescentes no estén seguros del amor incondicional de Dios por ellos, serán incapaces de dar coherentemente amor y afecto a los demás. Son demasiado inseguros y egocéntricos para amar, están más preocupados por *conseguir* más que por *dar*. Una vez que aprendan a descansar en el cuidado del Padre, quedan libres para desarrollar amistades santas con el mismo sexo como también con el opuesto.
2. *Sumisión a la autoridad.* ¿Por qué se rebelan los adolescentes? Generalmente porque están convencidos de que las autoridades a cargo de ellos les quitan su diversión y libertad. Los adolescentes que andan en una relación diaria y mano a mano con su Dios Padre que lo sabe todo tendrán, no obstante, la fuerza para confiar que él obra a través de Sus líneas de autoridad. Las batallas pueden seguir ahí pero será mucho menos probable que se descontrolen.
3. *Resistencia en la prueba.* Todos experimentamos dificultades pero, si la seguridad y el significado se fundamentan sólidamente en una relación invariable con Dios Padre, las dificultades de la vida pueden convertirse en oportunidades para crecer. Las desilusiones seguirán presentes, con toda seguridad, pero no destrozarán ni decepcionarán al hijo de Dios que está seguro en Cristo.

Experimentando libertad

Así pues ¿cómo podemos ayudar a que los adolescentes cristianos sientan la libertad que viene de saber, creer y vivir conforme a su verdadera identidad? Nada está garantizado cuando se trata de llegar al complejo corazón humano, pero creemos que los seis principios que siguen lo guiarán:

1. Su influencia será un efluvio de su andar con Dios, ya sea que usted sea un padre o una madre criando a un adolescente, o un líder de jóvenes u otro adulto que

procura tener una buena influencia en la vida de una persona joven.

Pídale a Dios que le hable *a usted.* ¡Sí, a usted! Puede que se diga *¿por qué tengo que hacer esto? Es mi hijo o mi hija quien necesita ayuda, ¡no yo!* Quizá sea así pero es asombroso cuánta basura espiritual puede hallarse en nuestra vida de adultos sin que nos demos cuenta. A menudo las mismas cosas que Dios saca a la superficie en nosotros ¡afectan también a nuestras familias! Así, pues, siga adelante, pídale a Dios que abra sus ojos a todas las mentiras que usted ha creído sobre Dios o sobre usted mismo. Ore para que el Espíritu Santo le revele las áreas de su propia vida que están en esclavitud.

Si no ha leído mis libros (de Neil) *Victoria Sobre la Oscuridad* y *Rompiendo las Ataduras*, le insto a que lo haga. Luego, dé los *Pasos hacia la Libertad en Cristo* que están al final de *Rompiendo las Ataduras*.

La mayoría de las librerías cristianas tienen una versión adulta, actualizada y completa, de los *Pasos*. También al final de este libro están los *Pasos hacia la Libertad en Cristo* (Edición para Jóvenes). Uno de ellos le dará el marco referencial para que Dios le ministre a usted. Si no puede dar los *Pasos* por su cuenta, pida a un cristiano maduro del mismo sexo que le ayude a darlos.

Neil es coautor de un libro con Pete y Sue Vander Hook, *La Protección Espiritual de Sus Hijos*, Pete es un pastor evangélico que, súbitamente, halló a sus hijos sometidos a un ataque espiritual. Sue educa a sus hijos en la casa y escribe de sus luchas para liberar a sus hijos. El libro contiene Pasos para niños menores de 12 años, clasificados por edad.

2. Cultive un ambiente de gracia, amor y aceptación incondicionales en su casa o grupo de jóvenes. Deje que los adolescentes que hay a su alrededor sepan que Dios está del lado de ellos y que también usted lo está.

Trataremos esto detalladamente en el capítulo dos así que baste con decir aquí que los adolescentes son maestros en detectar la hipocresía. Ellos captarán de inmediato si usted está hablando de la gracia y aceptación de Dios en Cristo mientras que, por el contrario, trata a los demás con una aceptación legalista basada en el desempeño.

3. Ore con fervor y regularidad por los adolescentes de su casa o grupo de jóvenes para que los ojos de su corazón sean iluminados (Efesios 1:18), para que entiendan y vivan conforme a las verdades de quienes son ellos en Cristo.

Este crítico tema de "cómo orar por los jóvenes" se trata más adelante en este libro.

4. Enseñe el programa para jóvenes *Busting Free (Emergiendo Libre)* (basado en *Emergiendo de la Oscuridad* y *Rompiendo las Ataduras - edición para jóvenes*, en los devocionales familiares o del grupo de jóvenes. A los adolescentes les gusta aprender en grupo. Este material brinda actividades didácticas que entusiasman y sirven para que los adolescentes capten las verdades de su identidad en Cristo. Asegúrese de dar mucho tiempo para discutir.

Considere dividir a los muchachos y las muchachas del grupo de jóvenes durante una parte del tiempo de discusión para que sientan la libertad de compartir cosas personales profundas. Papá puede juntarse con los hijos varones y mamá con las niñas, en el caso de una familia.

Asegúrese de mantener la atmósfera de cariño y aceptación en el grupo. Si se trata de un grupo de jóvenes de iglesia, haga que se reúnan los líderes y pares en torno de un hermano o hermana en Cristo heridos para orar por ellos, lo cual da a la juventud un cuadro concreto del amor de Dios. La misma clase de ministerio también puede tener lugar a nivel de familia.

Si la idea de tener devociones familiares estructuradas con sus adolescentes es algo que le causa risa, bueno, usted no es el único. Hoy son muchas las familias que estarían dichosas con tan solo ¡poder comer juntos! No importa donde estén espiritualmente como familia, no se desanime. Ruegue que Dios empiece a dar oportunidades para hablar abierta y honestamente con (no *a*) sus adolescentes. Comparta pedacitos de lo que usted esté aprendiendo, incluso de sus fracasos. Las devociones o discusiones familiares pueden empezar a surgir una vez que usted tome la iniciativa de crear un foro abierto para ventilar opiniones y sentimientos. ¡No se rinda!

5. Si usted es líder de jóvenes, conduzca a los adolescentes del grupo por los Pasos hacia la Libertad en Cristo luego de terminar el programa *Emergiendo Libre*. Usted puede hacer esto en situación de grupo aunque después atienda individualmente a los que tienen heridas más profundas. La segunda mitad de este libro le dará principios para usar efectivamente los Pasos.

Los padres puede dirigir a menudo a sus hijos menores por los Pasos hacia la Libertad en Cristo pero esto se dificulta más cuando llegan a la adolescencia. Los adolescentes tienen que sentir la libertad de ser completamente abiertos y honestos cuando están dando los Pasos.

A menudo la gente joven ha hecho cosas de las que se avergüenzan profundamente y dudarán en contarlas en presencia del padre o de la madre por miedo a que los reten o por temor a herirlos. Además, si los adolescentes albergan rabia sin resolver o un espíritu rebelde para con sus padres, es mucho más probable que confronten eso completamente si ninguno de los padres está presente.

Para ser efectivo en este ministerio con sus propios adolescentes, los padres tienen que, primeramente, estar libres en Cristo ellos mismos y tener una relación de confianza muy abierta con sus hijos. Ciertamente que esto puede suceder, aunque nos parece que es la excepción más que la regla, desafortunadamente. Que el Espíritu de sabiduría le dé el discernimiento para saber qué es mejor en su caso. Aquí lo fundamental es que usted quiera crear el ambiente más conducente para que su adolescente halle su libertad en Cristo. La forma de reaccionar de él o ella a que usted participe del proceso, debería ser una manifestación clara y franca para que usted decida si participa directamente o no.

En la mayoría de los casos es mejor optar por un líder de jóvenes, un amigo cristiano maduro o un líder de la iglesia para que ministre al adolescente. Asegúrenle a su hijo o hija adolescente que, como padres, ustedes no violarán la confidencialidad de la sesión de ministerio. Que ellos sepan que ustedes están abiertos a oír lo que Dios hizo en su vida durante la sesión pero que esperarán que ellos tomen la iniciativa de hablar si lo desean. Esto exige un tremendo dominio propio, pero ustedes ganarán elevados puntajes con sus adolescentes si cumplen su palabra.

6. Junto con o además de los Pasos hacia la Libertad en Cristo, haga que los adolescentes digan la siguiente oración o algo semejante:

   Amado Padre celestial, te ruego que me reveles todos y cada uno de los rótulos mundanos, carnales o demoniacos que me han pegado o que yo mismo me he pegado. Quiero aceptar solamente lo que viene de Tu amante corazón y Palabra de verdad. En el nombre de Jesús. Amén.

Entonces haga que escriban esos rótulos que vengan a su memoria. Si usted sabe que hay otros rótulos que se aplican, siéntase libre para sugerirlos después que él o la joven haya terminado la lista.

Haga que el adolescente declare en voz alta lo que sigue para cada uno de los rótulos que el Señor le haga recordar:

> En el nombre y la autoridad de Jesucristo aquí y ahora yo rechazo el rótulo falso de_____________________ Confieso que en el pasado yo creía que este rótulo era mi verdadera identidad pero ahora acepto solamente la verdad de la Palabra de Dios. Yo soy un hijo del Dios vivo.

Este ejercicio puede usarse como actividad del grupo de jóvenes o en el hogar si existe una atmósfera de apertura y confianza. Puede ser un gran salto inicial para que los adolescente empiecen a verse como Dios los ve.

Naturalmente que nos damos cuenta de que lleva tiempo renovar la mente, pero así es cómo es transformada la vida (Romanos 12:2). Anime amablemente a los jóvenes que conoce a que tomen la lista

EN CRISTO (al final de este capítulo) y la lean por completo en voz alta dos veces al día, una en la mañana al levantarse y una en la noche antes de apagar la luz. ¡Este consejo es particularmente útil si empieza haciéndolo primero usted! Comparta el entusiasmo de lo que Dios le esté mostrando; eso puede actuar como catalizador para los demás. También es provechoso leer los fuertes versículos bíblicos de la lista y estudiarlos en su contexto.

Los listados de EN CRISTO son realmente los titulares de los capítulos del libro de Neil, *Viviendo Libre en Cristo*, escrito para mostrar cómo Cristo satisface nuestras más críticas necesidades de vida, identidad, aceptación, seguridad y significado. Cada uno de los 36 capítulos tiene sólo cinco a siete páginas y le animamos a que ore y trabaje para usarlo para debates y devociones familiares. Lea a su ritmo, pasando más tiempo en los capítulos que sean más pertinentes para sus adolescentes.

El tiempo y la perseverancia le recompensarán. El daño espiritual y emocional puede repararse. Una imagen de sí mismo dañada puede repararse. El corazón roto puede volver a ser entero, Esta es la obra del más grande de los cirujanos y sanadores: Jesucristo. Tenemos la increíble oportunidad de asistirle en la operación.

EN CRISTO

Renuncio a la mentira que dice que me rechazan, que no me quieren, que soy sucio o que doy vergüenza porque EN CRISTO soy aceptado por completo. Dios dice...

Juan 1:12	Soy hijo de Dios.
Juan 15:15	Soy amigo de Cristo.
Romanos 5:1	He sido justificado.
1 Corintios 6:17	Estoy unido con el Señor y soy uno con Él en el Espíritu.
1 Corintios 6:19-20	Fui comprado por precio; pertenezco a Dios.
1 Corintios 12:27	Soy miembro del Cuerpo de Cristo.
Efesios 1:1	Soy un santo, un santificado.
Efesios 1:5	He sido adoptado como hijo de Dios.
Efesios 2:18	Tengo acceso directo a Dios por medio del Espíritu Santo.
Colosenses 1:14	He sido redimido y perdonado de todos mis pecados.
Colosenses 2:10	Estoy completo en Cristo.

Renuncio a la mentira que dice que soy culpable, que estoy desprotegido, solo o abandonado porque EN CRISTO estoy totalmente seguro. Dios dice...

Romanos 8:1,2	Estoy libre de condenación por siempre.
Romanos 8:28	Estoy seguro de que todas las cosas obran para bien.
Romanos 8:31-34	Estoy libre de toda acusación condenatoria.
Romanos 8:35-39	No puedo ser separado del amor de Dios.
2 Corintios 1:21-22	He sido establecido, ungido y sellado por Dios.
Colosenses 3:3	Estoy escondido con Cristo en Dios.
Filipenses 1:6	Confío que la buena obra que Dios empezó en mí será perfeccionada.
Filipenses 3:20	Soy un ciudadano del cielo.
2 Timoteo 1:7	No me ha sido dado espíritu de temor sino de poder, amor y dominio propio.
Hebreos 4:16	Puedo alcanzar gracia y misericordia en tiempo de necesidad.
1 Juan 5:18	Soy nacido de Dios y el maligno no puede tocarme.

Renuncio a la mentira que dice que no valgo nada, que soy inadecuado, que estoy indefenso o sin esperanza porque EN CRISTO yo soy profundamente importante. Dios dice...

Mateo 5:13,14	Soy la sal y la luz de la tierra.
Juan 15:1,5	Soy pámpano de la verdadera vida, un canal de Su vida.
Juan 15:16	He sido elegido y puesto por Dios para llevar fruto.
Hechos 1:8	Soy testigo personal de Cristo con poder del Espíritu.
1 Corintios 3:16	Soy templo de Dios.
2 Corintios 5:17-21	Soy ministro de reconciliación para Dios.
2 Corintios 6:1	Soy colaborador de Dios.
Efesios 2:6	Estoy sentado con Cristo en los lugares celestiales.
Efesios 2:10	Soy hechura de Dios creado para buenas obras.
Efesios 3:12	Puedo acercarme a Dios con libertad y confianza.
Filipenses 4:13	¡TODO LO PUEDO EN CRISTO QUE ME FORTALECE!

Capítulo dos

¡Socorro! ¡Mis hijos son adolescentes!

Una mamá me preguntó una vez (a Neil): "¿Por qué mi hija no me habla ? Yo sé que le cuesta mucho estudiar". Le pregunté, "¿realmente quiere saber?"

"Por supuesto", contestó.

La conocía bastante bien para decirle: "probablemente ella piense que no puede confiar en usted".

Ella se sorprendió con mi respuesta y dijo: "¿Qué quiere decir con eso de que ella no puede confiar en mí? Naturalmente que puede confiar en mí. Soy su madre".

Dije: "Déjeme darle un ejemplo. Suponga que su adolescente vuelve a casa de la escuela y diga: 'mamá, mi mejor amiga fuma marihuana'. ¿Qué haría usted?"

Ella tuvo que pensar bastante su respuesta.

Permítanos que le preguntemos a usted lo mismo. ¿Cómo respondería, como padre o madre, si su hijo o hija le preguntaran eso? ¿Cómo reaccionaría usted, como líder de jóvenes, que se interesa tanto por su jóvenes? Estamos seguros de que lucharía para impedirse reaccionar con exageración pero, probablemente, daría un consejo muy fuerte.

Finalmente, esta madre dijo que sí, que ella le diría a su hija que dejara de andar con esa amiga..

Le dije, "¡exactamente! Por eso mismo ella no se lo contará".

"Bueno, ¿qué se hace?" preguntó la señora.

Nunca sabemos cómo reaccionar en un momento de crisis pero no creo que yo contestaría de esa manera. Por lo menos espero no hacerlo ¿Por qué no?

Antes que nada, no tendría idea de cuál es el problema real porque no habría escuchado toda la historia. ¿Su amiga probó drogas una vez o ha estado tomando drogas por meses o años? ¿Piensa seguir o fue una mala experiencia de una sola vez?

El sabio rey Salomón escribió: "El que responde antes de escuchar, cosecha necedad y vergüenza" (Proverbios 18:13).

¿No sería mejor decir algo así: "querida, realmente lamento oír eso ¿podemos hablar del tema?"

¡Usted tiene que darse cuenta de que es posible que la niña que fuma hierba esté sentada precisamente frente a usted! Si ella ve que nuestra reacción es dura y condenatoria, allí terminará el cuento. Ella no le contará más nada a menos que esté absolutamente desesperada. Todo padre, madre y dirigente juvenil tiene que darse cuenta de esto.

Cuatro niveles de reacción de los padres

Lawrence Richards da una útil explicación de los estilos de comunicación de padres-hijos. Basado en el trabajo de Ross Snyder, Richards describe cuatro niveles de reacción de los padres para con sus hijos.

Imagínese un adolescente en un bote en grave situación pues se aproxima a una catarata debido a una mala decisión que tomó río arriba. Las siguientes son las cuatro reacciones de los padres:

El *dador de consejos* se distancia de la crisis emocional. Le grita a su hijo, "¡Vamos! ¿Qué te pasa? ¡Rema más! ¡Para empezar tú mismo te metiste en este problema así que verás cómo te arreglas! ¡Si no fueras tan idiota no estarías en tamaño lío! ¿No te dije que esto te pasaría?"

El *tranquilizador* trata de hacer que el hijo se sienta mejor en esa situación. Tranquilamente dice: "Chico, chica, aguanta ahí. Tu mamá y yo te queremos y creemos en ti. Además, de los últimos tres que cayeron por la catarata, dos sobrevivieron. Esperamos que tú también salgas bien de esto. ¡Buena suerte!"

El *comprensivo* se acerca aun más a la situación tratando de sentir lo que siente el adolescente. Se mete en el agua y dice: "Muchacho, muchacha, esta corriente está ciertamente fuerte. En realidad estás en problemas, ¿no? Ahora entiendo porqué estás tan preocupado. Trataré de conseguir ayuda para ti".

El *que se revela asimismo* se mete en el bote con su adolescente e inmediatamente empieza a remar hacia un lugar seguro.

Para ilustrar esto, supóngase que su hijo vuelve a casa de la escuela, derrotado. Le gusta mucho jugar baloncesto pero lo acaban de sacar del equipo. Sin embargo, todos sus amigos se quedaron ¿Cómo reaccionaría usted?

Si fuera un *dador de consejos*, diría algo así: "¿no te dije que practicaras más? Oye, hay un equipo de la comunidad donde puedes jugar por esta temporada y si entrenas firme, probablemente mejores tu destreza hasta el punto en que puedas entrar en el equipo el año próximo. Éste es el teléfono del entrenador".

Si fuera un *tranquilizador* probablemente le daría un gran abrazo a su hijo diciendo: "oye, está bien. Tu mamá y yo te queremos. No te preocupes. Eres un chico fuerte. Encontrarás otra cosa que hacer ¡y les demostrarás qué buen atleta eres en realidad!"

Si fuera un *comprensivo*, respondería diciendo: "realmente estás amargado con esto, ¿no? Debe doler en realidad ser rechazado así y separado de tus amigos ¿Puedes decirme qué pasó?"

Sin embargo, uno *que revela sus sentimientos* abrazaría al muchacho, escucharía su relato y, luego, reflexivamente diría algo así: "Cuando yo tenía 15 años me sacaron el equipo de béisbol. Yo quería estar en ese equipo más que cualquier otra cosa del mundo. Cuando el entrenador me mandó a las duchas, pensé que se me terminaba la vida. Parece como que tú estás pasando por algo parecido".

Hemos hablado con cientos de adolescentes, pidiéndoles que identifiquen cómo les responderían sus padres en situaciones semejantes. Lamentablemente el 95% identificó a sus padres como *dadores de consejos*. Sólo el 5% dijo que sus padres eran *tranquilizadores*. Ninguno identificó a sus padres como *comprensivos* o *reveladores de sus sentimientos*.

Ahora bien, no decimos que aconsejar o dar tranquilidad sea malo. Ni que una respuesta sea apropiada para toda situación. Pero hay algo que está muy mal en la manera en que los padres se comunican con sus hijos, si dar advertencias o consejos y tranquilidad son las únicas cosas que se les ofrecen.

Encuestas alarmantes

Como padres y líderes de jóvenes, quisiéramos estar al tanto de lo que pasa en la vida de nuestros adolescentes. ¿Lo estamos? ¿Hemos cultivado una atmósfera en la que la gente joven de nuestro hogar o grupos de jóvenes se sientan libres para compartir lo que *realmente* les está pasando? Un estudio publicado en la revista *Parents & Teenagers* (Paders y Adolescentes) parece indicar lo contrario. Los resultados del diagrama que sigue deberían hacer sonar la alarma del corazón de todo padre cristiano:

Preguntas,	***Respuestas de los adolescentes,***	***Respuestas de los padres***
1. ¿Has tomado uno o más tragos de bebidas alcohólicas?,	66% dicen que sí,	34% piensan que lo han hecho
2. ¿Has pensado en el suicidio?,	43% dicen que sí,	15% piensan que lo han hecho
3. ¿Has fumado alguna vez?,	41% dicen que sí,	14% piensan que lo han hecho
4. ¿Le hablas a tu mamá de tus amistades y el sexo?,	36% dicen que sí,	80% piensan que lo han hecho
5. ¿Has consumido drogas alguna vez?,	17% dicen que sí,	5% piensan que lo han hecho
6. ¿Has perdido tu virginidad?,	70% dicen que sí,	14% piensan que lo han hecho
7. ¿Has pensado en irte de tu casa?[1],	35% dicen que sí,	19% piensan que lo han hecho

En su excelente libro *Understanding Today's Youth Culture* (Entendiendo la Cultura Juvenil de Hoy), Walt Mueller cita una encuesta del doctor Bob Laurent, que procuró entender la influencia negativa que tiene la presión de los pares en los adolescentes creyentes. Él estudió a 400 adolescentes de hogares cristianos durante tres años y comentó sus hallazgos en su libro *Keeping Your Teen in Touch with God*[2] (Manteniendo a su Adolescente en Comunión con Dios).

Se les preguntó a los adolescentes encuestados si estaban de acuerdo o en desacuerdo con las siguientes declaraciones. La manera en que esa juventud cristiana contestó debería ponernos de rodillas.

Declaración,	**Respuesta de los adolescentes cristianos**
Muy probablemente yo actúe como cristiano cuando estoy con mis amigos cristianos y actúe como no cristiano cuando estoy con mis amigos no cristianos.	De acuerdo
Me enojo cuando mis amigos no cristianos me dejan fuera de sus actividades.	De acuerdo
Prefiero estar con mis amigos que con mi familia.	De acuerdo
Trato de mantenerme al día con las últimas modas.	Muy de acuerdo
Las opiniones de mis amigos no cristianos son importantes para mí.	Muy de acuerdo
Si necesito consejo, se lo pido a mis amigos antes que a mis padres.	De acuerdo
Me molesta que mis amigos no cristianos piensen que soy demasiado religioso.	De acuerdo[3]

Aunque los hallazgos del doctor Laurent probablemente sean un reflejo exacto de las luchas de los adolescentes cristianos, hemos hallado algunas excepciones refrescantes. Todos sabemos (y quizá hemos tenido el gozo de criar o discipular) gente joven cristiana que está firme en la fe. No actúan como "peces muertos" arrastrados río abajo por la corriente de la presión de los pares y la opinión pública, sino que van nadando firmemente río arriba contra la corriente. En algunos casos, han llegado a ser la *nueva presión positiva* en su hogar, vecindario, escuela o grupo de jóvenes.

¿Qué pueden hacer los padres para acrecentar la probabilidad de que sus hijos lleguen a andar bien en su adolescencia, caminando bien cerca de Dios? La respuesta a esa pregunta es diferente para cada persona pero hay ciertas dinámicas que "ayudan a subir la apuesta" en ese sentido.

El arte imita a la vida

En la película *La Sociedad de los Poetas Muertos*, el actor Robin Williams hace el papel de un profesor nuevo en un internado de lujo para varones. El desafía a sus estudiantes a que celebren la vida y *carpe diem* (aprovechen el día) descubriendo su propia identidad y sentido.

Un joven asiste a la escuela porque su papá quiere que sea médico. Pero el corazón del muchacho late por ser actor.

Contra los deseos del padre, el muchacho se asegura el papel principal en una obra de Shakespeare y llega a ser un éxito instantáneo. Su representación del estreno es recibida por una ovación atronadora del público.

Sin embargo, su papá, que asiste a la presentación de su hijo, se enfurece con la desobediencia de su hijo, lo saca de la obra teatral y de la escuela.

El joven, sintiéndose atrapado y desilusionado, se suicida con el revólver de su papá.

Yo, (Neil) me vi metido en un conflicto padre-hijo parecido que, por fortuna, tuvo un final mucho más feliz.

La vida imita al arte

La mamá y el papá de Julia eran cristianos de nombre que trabajaban en profesiones de tecnología de punta. Desde sus tres años, siempre se esperó que Julia se destacara. Impulsada al perfeccionismo por sus padres, sus notas eran altísimas. Sin embargo, durante sus años de escuela secundaria, los deseos de Julia y los de sus padres entraron en conflicto.

Julia quería ir a una universidad cristiana pero sus padres querían que ella fuera donde su mamá había estudiado y que ingresara a la asociación estudiantil de su mamá. Fueron juntos a ver *La Sociedad de los Poetas Muertos* y, después sus padres discutieron con ella por horas diciendo que ¡el padre del suicida tenía la razón!

Cuando Julia vino a mi consulta, estaba anoréxica y luchando porque oía voces en su cabeza. También había estado infiriéndose tajos con un cuchillo. Al hacer una lista de la gente a la que necesitaba perdonar, sus padres estaban en el primer lugar.

Aunque no había derramado una lágrima por años, las compuertas emocionales se abrieron cuando oró, "Señor, yo perdono a mi padre por no haberme preguntado nunca qué quería, por ni siquiera considerar qué me gustaría hacer con mi vida".

Como Julia enfrentó los múltiples asuntos complicados de su vida, se resolvieron muchos asuntos espirituales y personales. Dejó de oír voces. Dejó de lastimarse y experimentó una paz como nunca antes.

De todos modos, quedó por resolverse el asunto padres-hija, cosa que sucedió rápidamente. La guía de su consejero le ayudó a Julia a llegar a un compromiso con sus padres. Ella fue a la universidad de ellos por un año y luego, fue a la escuela cristiana de su elección, tras recibir la bendición de sus padres.

Entrenamiento "del Señor"

¿Decimos que los padres muy dominantes son la causa de todos los problemas de los hijos? Por supuesto que no. La Escritura advierte claramente, no obstante, "y vosotros, padres, no provoquéis a ira a vuestros hijos, sino criadlos en la disciplina e instrucción del Señor" (Efesios 6:4).

Las últimas palabras son clave: *del Señor.* ¿Cuántas veces los padres cristianos bien intencionados pero mal guiados imponen a los hijos sus *propios* estándares para vivir y conducirse desechando la formación e instrucción del Señor?

Los padres que no saben cómo hablar la verdad con amor sino que, en cambio, son dominantes furibundos, dan "ocasión al diablo" en sus familias (Efesios 4:26,27). La falta de perdón en el hogar ciertamente dará ventaja a Satanás (ver 2 Corintios 2:10,11). Debemos recordar que el *dominio propio* es un fruto del Espíritu (Gálatas 5:22,23), no ¡el dominio del cónyuge o del hijo!

Estamos convencidos de que la mayoría de los padres cristianos harían lo correcto al criar a sus hijos si estuvieran seguros de qué es lo correcto. Pero ¿qué hace un buen padre o madre? ¿Siempre es correcto tratar de dominar a sus adolescentes? ¿Es lo mismo amarlos que dominarlos? ¿Dominarlos es lo mismo que disciplinarlos?

Encaremos esto: en relación al hecho de ser padres, éstos son tiempos aterradores. Los adolescentes *mueren* en accidentes por manejar ebrios. *Se secuestran* muchachos y muchachas en el camino desde y hacia la escuela. La amenaza de la violencia es una realidad diaria para muchos jóvenes y muchos están asustados.

¿Amor o control de los padres?

George Gallup Jr., el encuestador, descubrió e informó en *Growing Up Scared in America* que "lo triste es que muchos jóvenes del país, tanto de hogares privilegiados como pobres, se preocupan diariamente por su bienestar físico"[4].

¿Dónde deben los padres trazar el límite entre advertir y proteger a sus adolescentes? ¿Cómo sabemos si nuestros temores están creando miedos insanos en nuestros hijos?

Vanessa Ochs en su libro *Safe & Sound: Protecting Your Children in an Unpredictable World* sugiere: "Cuando la protección se transforma en sobreprotección, sin que importe cómo la justifiquemos ni cómo ni por qué se motivó... tiene consecuencias graves a largo plazo para la autoestima y sentido de bienestar del niño"[5].

El factor más insidioso de las situaciones en que los padres dominan demasiado a sus hijos es que la motivación inicial es el amor. Con demasiada frecuencia es el amor que se pasó de la raya, manchado por un miedo dominante del corazón de los padres.

Vanessa Ochs ofrece una guía para ayudar a los padres a diagnosticar las veces en que el amor puro de los padres se ha convertido en control impuro de los padres.

El adolescente sobreprotegido:

1. Acude a sus padres para que decidan cosas que él mismo puede decidir; tiene poca confianza en sí mismo.
2. Tiene miedos insanos que restringen el enfrentamiento de los retos normales de la vida.
3. Se percibe como frágil y condenado al fracaso.
4. Se queja consistentemente de la intromisión de los padres.
5. Miente para participar en actividades (no dañinas) permitidas a sus iguales.

Señales de sobreprotección como padre/madre:

1. Usted hace que su adolescente cuestione sus habilidades y siga dependiendo de usted.
2. Usted lo desalienta a que tome riesgos (saludables).
3. Usted le enseña que no puede confiar en nadie fuera de la familia.
4. Usted lo trata como a un niño de menor edad.
5. Usted le esconde noticias tristes, perturbadoras o desagradables.

Cómo puede soltarlo:

1. Deje que cometa errores; deje que viva las consecuencias de sus decisiones cada vez que se pueda.
2. Apóyelo en sus esfuerzos por desarrollarse en nuevas áreas (sanas) y descubrir quién es realmente.
3. Acuérdese cómo detestaba usted la intromisión de sus padres cuando era adolescente.
4. Espere que él o ella le exprese la necesidad de consuelo antes de saltar a ofrecérsela.
5. Busque maneras sanas de reducir su propia ansiedad o nivel de miedo[6].

Estilos de ser padres

Hace unos años se hizo un estudio importante para determinar qué clase de hijos resultaban de diversos estilos de padres. El estudio fue realizado con cientos de adolescentes de enseñanza secundaria inicial y final en todos los Estados Unidos de Norteamérica. Las preguntas se diseñaron para que revelaran qué clase de padres producen los siguientes rasgos en sus hijos:

1. Niños que tienen una buena imagen de sí mismos y que son felices siendo quienes son.
2. Niños que se someten a la autoridad de los demás y que son capaces de llevarse bien con sus profesores y otras figuras de autoridad.
3. Niños que siguen las creencias religiosas de sus padres, van a la iglesia donde van sus padres y probablemente sigan haciéndolo.
4. Niños que se identifican con la contracultura, rebelándose contra las normas de la sociedad.

¿Cuál fue el resultado de la investigación? La encuesta demostró que las dos influencias más fuertes del ser padres eran el *control* y el *apoyo*. El *control* de parte de los padres fue definido como la habilidad de manejar la conducta del niño. El *apoyo* de parte de los padres fue definido como la habilidad de hacer que el niño se sienta amado.

Naturalmente que dominar la conducta del niño puede lograrse de varias maneras: manipulación de la culpa, tácticas de intimidación, castigo cruel, recompensas incitantes o estableciendo límites y proveyendo opciones.

Por otro lado, lo que *verdaderamente* hace que un niño se sienta amado contra lo que nosotros *pensamos* puede diferir entre sí. El solo dar "cosas" no funciona ni tampoco el simple decir "te quiero".

El padre o la madre tiene que estar física y emocionalmente a disposición del niño. Los niños tienen que saber que usted está ahí para cuando ellos lo necesiten. La atención consistente, incluyendo el escuchar, y el afecto consistente (abrazos y besos) comunican amor.

Basado en varias combinaciones de control y apoyo de los padres, considere cuatro estilos distintos de padres:

Permisivo: que da mucho apoyo pero poco control. El niño se siente querido y aceptado por los padres pero éstos se esfuerzan poco por manejar su conducta. El niño crece creyendo que puede salirse siempre con la suya. ¿Resultado? Un malcriado.

Negligente: que da poco apoyo y poco control. Básicamente se deja al niño que se las arregle y se críe solo mientras que los padres hacen su vida, ignorando sus responsabilidades de familia. Este niño crece creyendo que algo está mal en él, que no es digno de ser amado o que no tiene valor. También aprende rápidamente a que puede salirse con la suya con todo lo que quiera hacer. ¿Resultado? El más peligroso de todos: un niño psicópata.

Autoritario: que da poco apoyo pero controla mucho. El niño se siente atrapado porque está muy dominado y poco querido. A menudo siente mucha culpa y vergüenza y puede rebelarse fuertemente contra el sistema.

Seguro y Firme: que da gran apoyo y control a la vez. El niño sabe que es amado mientras que se da cuenta de que no puede salirse con la suya cuando se porta mal. Esta situación provee el mejor terreno para relaciones padres-hijo positivas como asimismo vidas productivas y fructíferas.

El siguiente diagrama muestra cómo se ubica cada estilo de padre en las cuatro categorías de la encuesta: fuerte sentido de valor propio (VP), conformarse a la autoridad (CA), aceptar la religión de los padres (ARP) y rebelarse contra la sociedad (RCS).

Gran Apoyo

	Poco Control	Gran Control
Gran Apoyo	Padres permisivos VP 2 CA 2 ARP 2 RCS 2	Padres seguros y firmes VP 1 CA 1 ARP 1 RCS 3
Poco Apoyo	Padres negligentes VP 4 CA 3 ARP 3 RCS 1	Padres autoritarios VP 3 CA 4 ARP 4 RCS 1

Poco Apoyo

Figura 1 Efectividad del estilo de padres.[7]

Como muestra la figura, los niños criados por padres *firmes y seguros* se ubicaron primero en valor propio, conformarse (someterse) a la autoridad y aceptar la religión de sus padres. Se ubicaron al final en rebelarse contra la sociedad.

En segundo lugar, para sorpresa de muchos, se colocó el *permisivo* lo que indica claramente que amar a los hijos (adolescentes incluidos) es más importante que controlar la conducta. La tragedia es que muchos padres recurren a un estilo autoritario de liderazgo cuando las cosas se ponen difíciles.

Dar amor y consejo divino

A veces esta necesidad de controlar a nuestros hijos viene de la falsa creencia de que nuestra identidad y valor de padres dependen de lo bien que se porten nuestros hijos. Si creemos eso, automáticamente trataremos de controlar a toda persona o circunstancia que amenace nuestra sensación de bienestar: ¡hijos incluidos!

Sin embargo, si nuestra identidad está firmemente arraigada y basada en Cristo y estamos dedicados a ser y llegar a convertirnos en las personas que Dios nos creó para que seamos, estaremos mucho más interesados en controlarnos a nosotros mismos que en dominar a los demás.

Solo Dios puede darnos la capacidad, por medio de Su Espíritu, para amar consistente e incondicionalmente a nuestros adolescentes, aun frente a su desamor.

¿Puede algo o alguien impedirnos que desarrollemos rasgos de carácter cristiano señalados por el fruto del Espíritu? ¿Puede alguien o algo impedirnos amar a otras personas? ¿Estar gozosos ¿Llenos de paz, paciencia y bondad? No. La única persona que puede impedir que eso pase es nosotros mismos.

¿Pero qué si mi adolescente se rebela?podemos preguntar. Nuestros hijos e hijas no pueden impedirnos que seamos y lleguemos a ser las mujeres, esposas o madres que Dios quiere que seamos. Únicamente nosotros podemos hacer eso.

En las épocas de crisis familiares nuestras familias necesitan más que nunca que seamos los hombres o mujeres que Dios creó para que seamos. Mire, no siempre podemos controlar la conducta de los adolescente, especialmente a medida que crecen. Debido a quiénes somos en Cristo podemos, no obstante, amarlos siempre. Ésa es la manera en que Dios nos trata y ésa es la manera en que debemos tratar al prójimo.

Dios nos ama porque Su carácter es amor. Él nos ama aunque nosotros no somos demasiado amables. Cuando nuestros recursos de amor se agotan, las reservas del amor de Dios siguen inagotables. Por tanto, solo Dios puede darnos la capacidad, por medio de Su Espíritu, de amar consistente e incondicionalmente a nuestros adolescentes, aun frente a su desamor.

Nuestra identidad, seguridad y gozo en Cristo no dependen de otras personas (¡adolescentes incluidos!) ni de las circunstancias que no tenemos derecho ni capacidad de controlar.

Una vez que captamos esa verdad, nos liberará maravillosamente al procurar dar amor y aceptación incondicionales junto con consejo divino y disciplina a los adolescentes de nuestros hogares o a los grupos de jóvenes.

Puede que usted esté cavilando, *¿cómo hago para dar consejo divino y disciplina a los adolescentes? ¿Cómo puedo moldear su voluntad sin romper su espíritu?* Grandes preguntas. Antes de llegar a algunos "cómo" prácticos, tenemos que cerciorarnos de estar en la misma página, hablando de lo mismo.

Para empezar, la disciplina es diferente del castigo. El castigo se enfoca en la conducta pasada y supone vengarse de alguien por lo que hizo. Su motivo es, realmente, la venganza, como diciendo tú me hiciste esto______ (o a otra persona) así que yo voy a hacerte esto_____ como retribución.

Como padres cristianos no tenemos derecho a castigar a nuestros adolescentes. Cuando Jesús murió en la cruz, exclamó: "Consumado es" o "está totalmente pagado" (Juan 19:30). Cristo tomó sobre Sí mismo el pago completo de nuestros pecados, y el de nuestros adolescentes. Cuando castigamos a nuestros adolescentes con rabia y espíritu vengador, violamos Romanos 12:19.

> No os venguéis vosotros mismos, amados míos, sino dejad lugar a la ira de Dios; porque escrito está: 'Mía es la venganza, yo pagaré', dice el Señor.

¿Quiere crear ira y miedo en sus adolescentes? Entonces, castíguelos. Si quieres que ellos sean conformados a la imagen de Cristo, entonces, disciplínelos con amor. Las palabras del apóstol Juan se aplican no sólo a nuestra relación con Dios sino también a las relaciones de los adolescentes con sus padres:

> En el amor no hay temor, sino que el perfecto amor echa fuera el temor, porque el temor involucra castigo, y el que teme no ha sido perfeccionado en el amor (1 Juan 4:18).

Por otro lado, la disciplina, está orientada al futuro. La disciplina dice, "te amo y no quiero herirte ni a ti ni a los demás. Por tanto, para protegerte y ayudarte a madurar, esto es lo que va a pasar". La disciplina con amor vigila las opciones futuras.

El autor del libro de los Hebreos nos recuerda que Dios no castiga a Sus hijos con ira sino que, más bien, los disciplina con amor:

> Hijo mío, no tengas en poco la disciplina del Señor, ni te desanimes al ser reprendido por Él; porque el Señor al que ama, disciplina, y azota a todo el que recibe por hijo (12:5,6).

Aunque la disciplina es un acto de amor y no de iracunda venganza, eso no significa que sea un proceso agradable. De nuevo, el libro de Hebreos explica:

> Al presente ninguna disciplina parece ser causa de gozo, sino de tristeza; sin embargo, a los que han sido ejercitados por medio de ella, les da después fruto apacible de justicia (versículo 11).

Asimismo hay una diferencia importante entre *disciplina* y *juicio*. La disciplina se dirige a la conducta mientras que el juicio se relaciona al carácter.

Por ejemplo, suponga que su hijo adolescente va al centro de compras en el automóvil de la familia sin permiso. De regreso a casa, choca la parte trasera de otro vehículo y golpea el frente de su automóvil ¿Cómo reacciona usted?

Si dice: "Hijo, está mal lo que hiciste. No tenías derecho a sacar el automóvil sin permiso. Tendrás la responsabilidad de pagar el arreglo". ¿Lo está juzgando? Claro que no. Simplemente está haciendo un observación correcta de su conducta y determinando una sana disciplina.

Sin embargo, si le dice: "¡Idiota! ¿Cuántas veces te he dicho que preguntes antes de sacar el automóvil? ¡Nunca escuchas! ¡Eres completamente irresponsable!", entonces lo está juzgando pues ataca su carácter.

Cuando disciplinamos a nuestros hijos con amor basándonos en la conducta observada, ellos pueden admitir lo que han hecho y recibir el perdón de Dios. El conflicto se acaba. Ellos pueden aprender de sus errores y comprometerse a comportarse mejor por la gracia de Dios. Aun tendrán que vivir con las consecuencias de sus pecados, pero eso es parte de nuestro proceso de aprendizaje.

Por otro lado, si atacamos el carácter del adolescente, ¿qué puede hacer él/ella? Puede optar por cambiar su conducta (lo que hace) pero no puede cambiar inmediatamente su carácter (quién es él/ella).

La disciplina nunca comprende el asesinato del modo de ser o carácter. Cuando atacamos el carácter del adolescente podemos estar seguros de que se pondrá a la defensiva. ¿Quién no? Entonces, si tratamos de vencer su defensa diciéndole de todo (estúpido, idiota, bueno para nada) podemos aplastar su espíritu. Al menos dañaremos gravemente nuestra relación con él/ella. Tenemos que pedir perdón a nuestros hijos si hemos juzgado su carácter con nuestras palabras.

Cuánto dolor y daño a los adolescentes se evitaría si las figuras de autoridad (especialmente los padres) sencillamente obedecieran un mandamiento de la Escritura:

> No salga de vuestra boca ninguna palabra mala, sino sólo la que sea buena para edificación, según la necesidad del momento, para que imparta gracia a los que escuchan (Efesios 4:29).

El versículo que sigue nos dice que el Espíritu de Dios se entristece cuando usamos nuestra lengua para destruir. Comprometámonos a llegar a ser parte del equipo de construcción de Dios más que del equipo de demolición de Satanás. Recuerde, las palabras imprudentes no destruyen menos, destruyen más.

Al comenzar a discutir el tema de establecer reglas efectivas y dispensar una disciplina adecuada al quebrantarlas, dejemos que Gálatas 6:1,2 sea el pasaje bíblico básico para proteger su actitud de padre, madre o líder de jóvenes.

> Hermanos, aun si alguno es sorprendido en alguna falta, vosotros que sois espirituales, restauradlo en un espíritu de mansedumbre, mirándote a ti mismo, no sea que tú también seas tentado. Llevad los unos las cargas de los otros, y cumplid así la ley de Cristo.

Nuestro deseo debe ser restaurar en Cristo al que fue hallado en pecado. Si andamos en la plenitud del Espíritu, demostrando la bondad del fruto del Espíritu y admitiendo humildemente nuestra propia capacidad para reaccionar en la carne, podemos llevar (¡no agregar!) las cargas del otro. Al hacerlo así, cumpliremos la ley de Cristo: amaremos.

La disciplina sabia y santa debe basarse antes que nada en la comunicación previa y clara de las reglas, las recompensas y las consecuencias.

La disciplina sabia y san a debe basarse antes que nada en la comunicación previa y clara de las reglas, las recompensas y las consecuencias. Una manera segura para exasperar a un adolescente es disciplinarlo por algo que hizo sin saber que era malo. Al crear usted las reglas del juego, asegúrese de que su adolescente le repita lo que usted dice. Tendrá que escribir las reglas para los adolescentes que tienen la costumbre de olvidarse lo acordado.

Considere preparar un contrato firmado por el adolescente y el padre y/o madre. Ciertamente esto eliminará toda duda a futuro y puede ser divertido hacerlo juntos si se escribe con el espíritu correcto. Le animamos a discutir con su adolescente lo que a él/ella le parezcan recompensas y consecuencias razonables por mantener su parte del trato. Si sus ideas son buenas, acéptelas. Si no lo son, traten de llegar a un consenso del tema. Esto le comunicará a él/ella que a usted le interesan sus sentimientos y que valora sus opiniones. Ese gesto de confianza puede ser toda la diferencia del mundo para que él/ella decida cumplir su compromiso. El contrato para una hija de 15 años puede ser algo como el ejemplo de la página siguiente.

Las reglas deben ser efectivas

Para que las reglas sean efectivas se debe *poder defenderlas*, *poder definirlas* y *poder hacerlas cumplir*.

Las reglas que se pueden *defender* deben tener un fundamento legítimo de su existencia para ambas partes, adolescente y padre/madre. La motivación de los padres para establecer el contrato de padres y adolescente, fue permitir que su hija tuviera más tiempo para divertirse en un ambiente sano pero proveyendo las condiciones razonables para su seguridad.

Algunas reglas son legítimas sencillamente porque los padres quieren que sus adolescentes desarrollen el sentido de la responsabilidad. Por ejemplo, la regla que estipula: "Tu cuarto debe estar limpio antes que se te dé permiso para salir con tus amigos" puede ser cuestionada con un "¿por qué?" De ser así, prepárese para contestar con calma y lógica algo así: "Porque creemos, como padres tuyos, que es importante que aprendas a ser un buen mayordomo de tus cosas".

En algunos casos la pregunta del adolescente puede ser un reto a la autoridad, cuestionando si usted tiene el derecho de dar una orden y probar si realmente él tiene que obedecerla. Mejor es que le pida al Señor la fuerza y sabiduría para afirmarse bien y ganar estas batallas de la voluntad y, mejor es que esté preparado para toda clase de excusas como:

> Es mi cuarto. Yo debería poder tenerlo como se me dé la gana.
>
> Ninguno de los padres de mis amigos les hacen mantener limpio el cuarto.
>
> ¿Puedo hacerlo más tarde? Prometo que lo haré antes de acostarme.
>
> Sé exactamente dónde está todo. Si lo limpio me perderé.

También tendrá que pedir la sabiduría del Señor para determinar anticipadamente, como padre, cuáles cosas vale la pena afirmar y cuáles pueden transarse.

Contrato para alargar el toque de queda del sábado en la noche

Yo, (nombre del padre) por el presente doy permiso a mi hija (nombre) para quedarse levantada hasta la medianoche o fuera de casa hasta las 11:00 de la noche los sábados por la noche, con las siguientes condiciones:

1. Que sepamos exactamente dónde está y que le hayamos dado nuestra aprobación previa para que esté en ese lugar.
2. Que sepamos con quién está y que le hayamos dado nuestra aprobación previa para que esté con esa(s) persona(s).
3. Que esté levantada, vestida y lista para ir a la iglesia el domingo a las 8:45 de la mañana.

La obediencia fiel de las condiciones anteriores durante un periodo de seis meses producirá una extensión similar del toque de queda para las noches de los viernes. Además, se agregará la opción de invitar o ir a una fiesta quedándose a dormir, una vez cada seis semanas durante una noche de viernes.

La falta de cumplimiento de cualquiera de las tres condiciones una sola vez hará que haya un mes de toques de queda a las 10:00 de la noche para las noches de viernes y sábados. La falta de cumplimiento repetida de cualquiera de las tres condiciones, hará que no haya salidas por un periodo de tiempo que se determinará más adelante, si así fuera necesario.

Firma

____

(padre) (fecha)

Firma

____

(hijo/hija) (fecha)

Por ejemplo, ¿cómo reaccionaría cuando su adolescente decide que ya no le tiene que exigir más que haga lo siguiente:

¿Ir de vacaciones con el resto de la familia?
¿Ir con ustedes a visitar parientes para las fiestas y reuniones familiares? ¿Cenar con la familia?
¿Ir a la iglesia, la escuela dominical o al grupo de jóvenes?[8]

¿Pone límites firmes o transa y permite flexibilidad en los siguientes aspectos?

La música que escuchan y cuán alto puede estar el volumen en la casa.
Las amistades que tienen.
Cómo se peinan.
Qué partes de su cuerpo pueden perforar (para usar aros).
Qué ropa se ponen o no.
Qué películas y programas de TV miran.
Cómo pasan su tiempo libre.
Qué clases toman en la escuela.
En cuáles hobbies o actividades extracurriculares participan.
Cómo gastan o ahorran el dinero.
Con quiénes tienen citas para salir y a qué hora deben estar en casa.
Cuándo (o si) hacen sus deberes escolares en la casa.
Si irán a la universidad.
Qué clase de automóvil manejan.
Cuánto tiempo dedican a jugar con los juegos de video o computadora.[9]

La lista de las posibles áreas de conflicto parece interminable. Por tanto, es crítico que los padres pidan la sabiduría del Señor para reaccionar. Él promete darla generosamente si pedimos con fe (Santiago 1:5).

No se pueden defender ciertas reglas porque representan una norma doble. Tenga toda la seguridad de que su adolescente captará de inmediato la hipocresía. Reglas como "en nuestra casa no se permitirá música que no sea cristiana, así que líbrate de esa basura que estás escuchando", pueden ser hipócritas.

Por ejemplo, ¿permite escuchar y mirar música no cristiana en su casa? ¿Escucha usted otro tipo de música? ¿En cuál estación de radio está sintonizado el equipo de su automóvil?

¿Sus reglas exponen una ingenuidad sobre la vida (y los adolescentes): un enfoque simplista desinformado que sus hijos olerán al instante? Por ejemplo, ¿cree usted que toda la música secular es mala y que toda la música cristiana es buena? Por ejemplo, ¿qué pasa con la música clásica?

Más que forzar a sus adolescentes a una norma legalista que no se puede defender bíblicamente, quizá sería mejor que escuchara, junto con ellos, algo de la música que ellos prefieren y la discutieran a la luz de Filipenses 4:8

> Por lo demás, hermanos, todo lo que es verdadero, todo lo digno, todo lo justo, todo lo puro, todo lo amable, todo lo honorable, si hay alguna virtud o algo que merece elogio, en esto meditad.

Enseñe a sus adolescentes cómo tomar sus propias decisiones sabias, basados en la Escritura. Entonces, podrá ganar puntos con ellos haciendo lo mismo con la música (programas de TV, películas o libros) que ¡*usted* escucha, mira o lee!

Al poner en práctica reglas que se pueden defender en su casa, puede ayudar a sus adolescentes a desarrollar convicciones y principios morales firmes que les instruirán toda la vida. Ellos aprenderán a plantear preguntas críticas como:

> ¿Jesús haría esto? ¿Qué haría Él en mi situación?
> ¿Puedo hacer esto sin transgredir Filipenses 4:8?
> ¿Hacer esto producirá una obra de la carne o el fruto del Espíritu?
> ¿Me gustaría que alguien tratara así a mi hermana, hermano o a mí?
> ¿Puedo glorificar a Dios en mi cuerpo haciendo esto y seré un testigo positivo de Cristo?

Segundo, las reglas *se pueden definir,* tienen significados que son claros para todos los participantes. Más que decir algo así como:

"limpia tu cuarto o no sales", sea más específico. Lo que está limpio para su hijo o hija, a usted puede parecerle como un lugar que necesita fondos de la ayuda federal para zonas de catástrofe. Diga claramente que usted quiere la cama hecha, la ropa sucia en el canasto correspondiente, etc.

Recuerde: Las reglas sin relación conducen a la rebelión.

De nuevo, haga todo lo posible por mantener la paz entre usted y sus adolescentes (ver Romanos 12:18). Siéntese con ellos y conversen las reglas difíciles. Asegúrese de que todos estén de acuerdo sobre el significado de las palabras y la lógica de las reglas mismas. Escuche lo que digan sus adolescentes. Puede ser que tengan buena ideas. Usted comunica respeto hablando con ellos en lugar de sólo establecer la ley.

Cuando la tensión aumenta y los adolescentes parecen estar erizados debido a las reglas y reglamentos de su casa, es hora de fortalecer su relación con sus hijos. Recuerde: *las reglas sin relación conducen a la rebelión.*

Tercero, se debe poder *hacer cumplir las reglas*. No establezca ninguna regla que no pueda poner en vigencia y, de este modo, perturbar el proceso de dar las recompensas de la obediencia o las consecuencias de la desobediencia.

Los adolescentes probarán los límites de su paciencia y perseverancia a veces, pero aférrese a su posición. Esa es la única manera de mantener la autoridad y dignidad de padre/madre.

Fred Green, en su artículo titulado "Lo que Hubieran Podido Hacer los Padres" relata las palabras de delincuentes juveniles. Que sean un recordatorio para usted cuando se sienta tentado a ceder en relación a las reglas que Dios le ha dirigido a establecer en su casa:

> SACÚDEME: Castígame la primera vez que me porte mal. Dime por qué. Convénceme de que habrá medidas aún más severas si vuelvo a transgredir de la misma manera. DESCUBRE MI MENTIRA. Afírmate en lo que está bien aunque tu hijo amenace con irse de la

casa o volverse delincuente o abandonar la escuela. Permanece en tu postura con él/ella y la mentira cesará en el 98% de los casos.[10]

La coherencia es, sin duda, la tarea más difícil de la disciplina. Los adolescentes son maestros para agotar a los padres. Probablemente le sea, no obstante, más fácil permanecer firme si trabaja con unas pocas reglas firmes más que tratar de controlar una lista larga de reglamentos familiares. Elija cuidadosamente sus "frentes de batalla". Buscando diligentemente la guía y el discernimiento del Señor por medio de la oración, estudiando la Palabra de Dios y consultando con otros padres santos, usted sabrá cuáles límites establecer y cuáles eliminar.

Finalmente, asegúrese de que la disciplina que administra se relacione con la conducta que trata de corregir. Por ejemplo, no permitir las salidas no es el remedio para todos los problemas. Debe usarse como disciplina solamente cuando los adolescentes se demuestran incapaces de tomar decisiones sabias sobre dónde van, qué hacen y con quiénes andan fuera del hogar. Es para la protección del adolescente como también para su corrección.

No dar permiso (por un período razonable de tiempo) para realizar una actividad que el adolescente disfruta, puede ser una disciplina efectiva. Nuevamente, asegúrese, no obstante, de que las consecuencias correspondan al "delito". Por ejemplo, prohibirle a un adolescente que participe en una actividad extracurricular de la escuela, probablemente no sea la mejor disciplina por violar una hora de toque de queda. Puede, sin embargo, resultar disciplina legítima si el adolescente está consistentemente cansado e incapaz de mantenerse despierto para hacer las tareas.

Los adolescentes de firme voluntad y obstinados pueden negarse a cada paso del camino, rehusando inclinar sus corazones a toda corrección que usted trate de imponerles. Sin embargo, Dios es más grande que el adolescente porfiado y nadie se burla de Él. Lo que alguien siembra, eso cosechará. Los adolescentes que siembran para su propia carne cosecharán corrupción de la carne pero los adolescentes que siembren para el Espíritu cosecharán vida eterna del Espíritu (ver Gálatas 6:7,8).

Muchos actos de desobediencia tienen consecuencias naturales que les acompañan. La gente joven que roba puede ser agarrada robando. Los adolescentes que mienten pueden perder amistades íntimas. Las adolescentes sexualmente activos pueden quedar embarazadas o sufrir la apertura de una caja de Pandora de enfermedades de transmisión sexual.

Hecho desafortunado de la vida es que ciertas personas sencillamente tengan que aprender de la manera más dura. Los que nacen con una predisposición a la conducta de confrontación o de oposición suelen entrar en esta categoría.

Tenga toda la seguridad de que Dios es totalmente capaz de llevar al pródigo de vuelta a sus cabales. La dura realidad de la vida es que no todos encontrarán el camino de regreso a casa. Nuestro papel es estar listos para abrir nuestro corazón y brazos si ellos vuelven.

Si se siente inseguro sobre qué clase de disciplina es la apropiada ¡pregúntele a Dios!

Como todo lo demás, el Señor nos promete sabiduría cuando nos falte (ver Santiago 1:5). Pregunte al Señor qué disciplina quiere Él que usted imparta a sus adolescentes y por cuánto tiempo. Él pude tener una idea que a usted nunca se le ocurrió.

Por ejemplo, ¿qué clase de efecto podría tener en su adolescente pasarse tres meses, en noches de sábado, trabajando en una misión de rescate en el centro de la ciudad, como disciplina por andar bebiendo cosas alcohólicas siendo menor de edad? Podría cambiarle la vida.

Dios lo capacitará, como mínimo, para ser misericordioso y bondadoso aunque esté siendo firme en su amor. Así, pues, tráigalo a Él al proceso de la disciplina ¡Él está mucho más interesado por el carácter de sus adolescentes que usted!

Un ejemplo efectivo de cómo ser padres

Cuando mi hija Heidi (de Neil) se acercaba a los 12 años, la invité a almorzar para tener una conversación especial. Discutimos sobre la libertad y la responsabilidad. Saqué mi Biblia y leí Lucas 2:52. "Y Jesús crecía en sabiduría, en estatura y en gracia para con Dios y los hombres". Entonces dibuje un gráfico sencillo en un papel. Mire la figura 2 en la página siguiente.

Luego de hacer el dibujo, le dije: "Querida, Jesús quiere que tú seas como él y crezcas espiritual, física, social y mentalmente. Ahora es probable que te sientas como metida en una caja, como mi dibujo. Estoy seguro de que quieres la libertad para ser todo lo que Dios quiere que tú seas y también tu madre y yo queremos eso para ti.

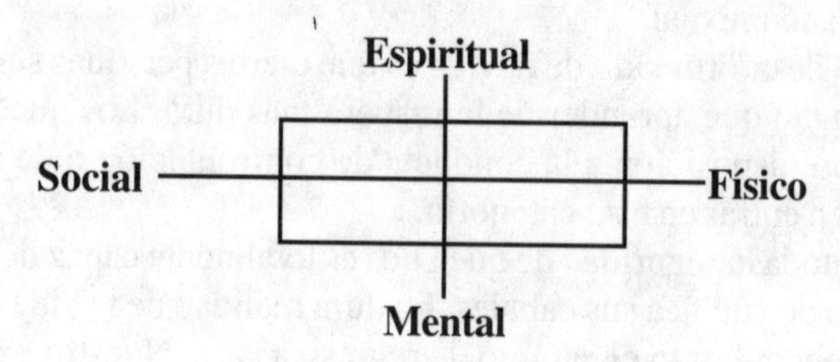

Figura 2 Cuatro áreas de crecimiento[11]

"Mira estas cuatro áreas de crecimiento. Dios quiere que, espiritualmente, tengas una relación grandiosa con Él y crezcas para ser como Él. Para hacer eso tienes que saber la Palabra de Dios. También tienes que aprender cómo orar y andar por fe en el poder del Espíritu Santo. Tienes que poner un poco de esfuerzo en tu relación con Dios, tal como haces con cualquier otra relación.

"Tu mamá y yo oramos contigo todas las noches, te llevamos a la escuela dominical, te pagamos tu estadía en campamentos cristianos y te animamos a leer tu Biblia. Pero, un día, querida, no estaremos a tu lado para hacer eso por ti. Te irás a la universidad o te pondrás a trabajar y tendrás que buscar a Dios por tu cuenta.

"Físicamente, te hemos ayudado a que desarrolles buenos hábitos de comer, dormir, hacer ejercicio y cuidar tu cuerpo. Esperamos que sigas desarrollando estos hábitos cuando estés por tu cuenta.

"Socialmente, te llevamos a lugares y te animamos que traigas a tus amistades a casa. Hemos intentado enseñarte cómo llevarte bien con la gente y a resolver los conflictos cuando surgen. A veces, hasta nos hemos interpuesto entre tú y tu hermano cuando están discutiendo o peleando. Pero, un día, no estaremos para hacer eso. Oramos para que entonces sepas cómo llevarte bien con la gente y elegir las amistades que te ayuden en tu camino con Dios.

"Mentalmente, estás bien en la escuela. Ahora estamos aquí para recordarte que hagas tus deberes y los entregues a tiempo. Cuando vayas a la universidad tendrás que confiar en tus propios hábitos de estudio, no en que nosotros estemos recordándotelos.

"Mira, querida, las líneas externas de este cuadrado muestran dónde estás ahora. Representan los límites que hemos puesto para que tú vivas dentro de ellos, pero queremos seguir ampliando estos límites para que, año a año, vayas teniendo más libertad para tomar tus propias decisiones.

"Aumentaremos tu libertad a medida que demuestres que te estás volviendo más responsable. Por ejemplo, aún tenemos que decirte que limpies tu cuarto pero si lo mantienes limpio de manera consistente, llegará el momento en que te dejaremos decorarlo como quieras.

"Dentro de pocos años empezarás a salir con muchachos, cuando demuestres que estás lista. El primer año tendrás permiso para quedarte fuera hasta las 10 de la noche, dependiendo de donde vayas. Si cumples bien esa regla, te daremos más tiempo para estar afuera. Esto regirá para cada aspecto de tu vida. Cuando demuestres que eres responsable y que se puede confiar en ti, te daremos más libertad.

"Esa es la manera en que Jesús trata con todos nosotros. Él dijo: 'Bien, siervo bueno y fiel; en lo poco fuiste fiel, sobre mucho te pondré' (Mateo 25:21).

"Tu mamá y yo no decidiremos cuánta libertad tengas; eso será decisión tuya, determinada por lo fiel y responsable que seas. Para cuando llegues a los 18, esperamos que no haya más una caja alrededor de ti. Estarás por tu propia cuenta y libre para hacer lo que Dios quiere que hagas".

Ser padres es, en realidad, un proceso de dejar ser dura 18 años. Dios ha ordenado que el marido y la esposa se aferren uno al otro, pero que los hijos dejen un día a sus padres (ver Mateo 19:5).

Durante los años en que sus hijos estén a su cuidado, el mayor regalo que puede darles es usted mismo. Su amorosa atención es la herramienta más efectiva que tienen a disposición. Pasen tiempo con sus hijos. Pongan en el calendario los eventos especiales de ellos y considérenlos citas que no se pueden romper. Dejen que ellos vean el amor y la verdad de Jesucristo en las acciones y actitudes de ustedes, no sólo en sus palabras.

Un día ustedes estarán ante Dios y darán cuenta de la administración de las vidas que Él les confió ¿Ese momento será de celebración o de lamentación? Su fidelidad para aceptar incondicionalmente a sus hijos y disciplinarlos con amor será lo que Él espere de usted como padre o madre. ¿Qué revelará el trono de juicio de Cristo?

La lista que sigue es una adaptación de "Criando Adolescentes Sanos", un taller para padres de Vida Joven, y resulta alimento desafiante y tranquilizador para el pensamiento:

20 Maneras de animar a sus hijos para que usen drogas

1. Nunca coman juntos como familia.
2. Nunca tengan salidas en familia semanal, mensual o anualmente: ellos pueden considerar que esas salidas unen a la familia.
3. Siempre hable a sus adolescentes pero nunca con ellos. Y nunca escuche.
4. Castigue en público a sus hijos y nunca elogie ni refuerce su buena conducta.
5. Siempre resuelva los problemas de ellos y tome decisiones por ellos.
6. Deje la responsabilidad de la enseñanza moral y espiritual a las escuelas e iglesia.
7. Nunca deje que sus hijos tengan frío, cansancio, aventuras, lesiones, riesgos, desafíos, experiencias, fracasos, frustración o desengaño.
8. Amenácelos: ("si alguna vez te drogas o te emborrachas, que Dios me ayude si no"...)
9. Tenga la expectativa de que ellos siempre tengan la nota máxima en todas la materias que estudian.
10. Siempre ande ordenando las cosas por ellos y no los anime a tomar responsabilidades.
11. Desaliente a sus adolescentes para que hablen o expresen sus sentimientos (rabia, tristeza, miedo, ansiedad, etc.). Dígales, en cambio, "confía en Dios".
12. Sobreprotéjalos; no les enseñe el significado de la palabra 'consecuencia'.
13. Hágalos sentirse como si todos sus errores fueran pecado.

14. Siempre desoriéntelos cuando pregunten "¿por qué?" diciéndoles "porque lo digo yo".
15. Haga todo lo que pueda para parecer perfecto e infalible. Y nunca jamás admita a sus hijos que usted se equivoca.
16. Mantenga la atmósfera de su casa en un estado de preocupación, prisa y caos.
17. Nunca deje que sus hijos sepan cuánto los ama; nunca hable de sus sentimientos con ellos.
18. Nunca los abrace ni muestre ningún afecto por su cónyuge frente a ellos.
19. Espere siempre lo peor y asegúrese de señalar lo malo en todo lo que ellos hacen, sin que importe cuán bueno sea el trabajo que ellos hayan hecho.
20. Nunca confíe en ellos.[12]

A mediados de los setenta, Harry y Sandy Chapin escribieron una canción pegajosa, "El Gato está en la Cuna", que cuenta la historia de un hombre demasiado ocupado para estar en su casa y jugar con su hijo varón mientras éste iba creciendo. Él se pierde los primeros pasos que da su hijo y pasa por alto esos momentos preciosos que se dan una sola vez en la vida. Antes que el papá se dé cuenta de lo que se ha perdido, su hijo se va a la universidad y se vuelve muy ocupado con su propia vida.

Ya jubilado, el padre tratar de recobrar esos años perdidos anhelando volver a participar en la vida de su hijo. El papá lo llama por teléfono, esperando reunirse con él. Sin embargo, su hijo, ahora ya todo un adulto, tiene una vida propia sumamente agitada y todas las responsabilidades de un trabajo y una familia. El hijo desalienta los intentos de su padre para reunirse, en forma muy parecida como su papá hiciera una vez con él.

Algunas de las palabras finales, dichas por el padre después de esa desilusionante llamada telefónica, son una llamada de atención aún hoy, 23 años después que fueran escritas:

"Y al colgar el teléfono se me ocurrió: Mi hijo era igual que yo. Salió igual que yo".

No somos capaces de echar para atrás al reloj y cambiar lo que ya pasó. La manera en que hemos descuidado, abusado o, en alguna forma, violado nuestra sagrada responsabilidad de padres, no puede seguir siendo negada ni continuada. Sin embargo, por mucho que sea el daño hecho, siempre hay esperanza en la gracia de nuestro Señor Jesucristo y en el Dios cuyas misericordias son nuevas cada mañana (ver Lamentaciones 3:22,23).

No es expresión de deseos ni sentimentalismo barato sino verdad de Dios de que indudablemente Él hace que "para los que aman a Dios, *todas las cosas* cooperan para bien, esto es, para los que son llamados conforme a Su propósito (Romanos 8:28; énfasis añadido).

¿Sabían eso? ¿*Creen* eso? Si es así, entonces, por qué no unirnos para orar:

> Amado Padre celestial:
>
> Tú eres el Padre perfecto, completamente amoroso, perfectamente justo e invariablemente fiel. Yo estoy ante Ti para admitir mi imperfección y aun mi pecado como padre/madre. (Confiese específicamente conforme le guíe el Señor). Pero también estoy ante Ti lavado/a por la sangre de Jesús que me limpia de todo pecado (1 Juan 1:7). Gracias por Tu maravilloso perdón.
>
> Señor, por favor, haz que hasta los errores e iniquidades de mis tratos pasados con mis hijos resulten para bien. Sin duda que yo te amo a Ti y sé que soy llamado conforme a Tu propósito de que llegue a ser como Tu Hijo, el Señor Jesús (Romanos 8:28,29). Por favor, sana las heridas que yo he causado a mis hijos.
>
> Ahora declaro mi completa dependencia de Ti, Padre, para todas mis necesidades. Yo soy Tu hijo, necesito que Tú seas mi Padre. Y necesito que me des Tu poder, sabiduría y amor hoy para ser el padre/la madre que Tú quieres que yo sea. Oro en el nombre de Jesús que perdona y sana. Amén.

Capítulo tres

¡Deje que la libertad llame!

Bastante difícil es ser padre o madre cuando se es la influencia primordial en la vida del niño. En el mejor de los casos la vida no es tan sencilla. Hay una batalla que ruge por el corazón y el alma de cada adolescente y las influencias del mundo, la carne y el diablo son una amenazan constante.

Para ayudar a nuestra juventud a hallar y mantener su libertad en Cristo es crucial que los padres y los líderes de los jóvenes sean capaces de decir que no ignoran los planes de Satanás. Si ignoramos o negamos la realidad del mundo sobrenatural ciertamente el diablo se aprovechará de nosotros (ver 2 Corintios 2:11).

La carta que sigue es verdadera. Se han modificado nombres y lugares pero la escalofriante realidad es que la batalla espiritual que tuvo lugar en la vida de este joven no es única. Se repite en miles de formas en miles de hogares: hogares cristianos, en toda la nación. Afortunadamente esta historia termina en victoria. Trágicamente ése no es el caso con demasiada frecuencia.

Querido doctor Anderson:

Mi marido pastorea una iglesia del Medio Oeste y una gran parte de nuestra congregación leyó el año pasado los libros que usted escribió Victoria sobre la Oscuridad y Rompiendo las Ataduras, con resultados maravillosos. Apreciamos mucho su ministerio pero esta semana eso nos tocó especialmente de cerca.

Un Lunes por la mañana nos estábamos preparando para ir a una reunión de pastores de la zona, cuando recibimos la llamada telefónica de la madre de una amiga íntima de nuestro hijo de 14 años (tenemos otros cinco hijos). Ella nos dijo que nuestro hijo, Natán, había hablado por teléfono con su hija en la noche anterior. Él le había expresado que tenía grandes temores y pensamientos de suicidio que incluían la manera cómo pensaba ejecutar su plan.

Sabíamos que Natán había andado perturbado hacía poco pero no se había abierto a nosotros. Él había estado en un retiro para jóvenes y también en una conferencia para jóvenes que había sido un tiempo muy poderoso para él. Le contó a su amiga que mientras estaba en esos lugares, era bombardeado con pensamientos como: No eres de aquí. Esto no es para ti, etc.

Natán se había entregado a Cristo desde niño pero yo creo que le abrió puertas al enemigo al ir creciendo por medio de varias elecciones. Probablemente una de las más importante era la mala elección de música con letras que le llenaban la cabeza con muchas sugerencias de violencia, etc.

Cuando recibimos esta llamada ese lunes, naturalmente nos impactó mucho, dejándonos preocupados e inquietos. Natán ya estaba en la escuela así que fuimos a nuestra reunión luego de clamar por la ayuda de Dios.

Nuestra reunión empezó con un tiempo de adoración. Al finalizar la adoración, un hombre compartió una "visión" que sintió que el Señor le dio durante ese momento. Había visto a alguien colgando de un hilo en un escarpado arrecife. Vio que el hilo se volvía cuerda, luego escalera de cuerdas, luego escalera y luego una escalera mecánica. Dios tenía un plan de rescate para esa persona. Yo me quebranté y lloré. Éste era el aliento de Dios para nosotros, que Él estaba obrando. Nuestros amigos se reunieron en torno a nosotros y nos apoyaron en oración.

Lo que he visto esta semana es el plan orquestado de Dios para Natán desplegándose ante mis ojos. Ha sido asombroso ver que las cosas van encajando. Mi marido ha estado guiando a los alumnos del último año de la secundaria de la escuela cristiana de mi hijo a través de las ediciones juveniles de sus libros. Ellos tienen que dar en oración los Pasos hacia la Libertad en Cristo la próxima semana. Sentimos que Dios no quería que Natán esperara tanto tiempo.

Le pedimos a mucha gente que orara por nosotros. Junto con un amigo íntimo, pasamos tiempo con Natán. Gracias a Dios que él pudo compartir algunos de sus temores y pensamientos con nosotros. Oramos y le animamos a que diera los Pasos hacia la Libertad con nuestro amigo y el pastor de jóvenes. ¡Alabamos a Dios! Él estuvo dispuesto a hacerlo. Se reunieron en la noche y Natán arregló cuentas con Dios. Ahora sabemos que anda en su nueva libertad en Cristo.

Desde fines de Octubre hemos estado experimentando un asombroso despertar de nuestra confraternización con algunas de las cosas más poderosas que están pasando en nuestros jóvenes. Sabemos que esto es sólo una muestra de lo que Dios tiene por delante pero nos regocijamos y estamos siendo renovados por Su Espíritu.

Sabemos que cuando Dios se mueve así, el enemigo también aguza sus ataques. Agradecemos a Dios por sus materiales que nos están ayudando a entrenarnos a nosotros y a nuestra congregación para permanecer en victoria.

Y agradecemos a Dios por la diferencia que esto significó esta semana en la vida de nuestro hijo.

La protección sobrenatural de Eliseo

El rey de Siria estaba molesto. No, estaba *furioso*. Cada vez que hacía planes de batalla contra Israel, fallaba. De alguna manera, Israel siempre se las arreglaba para escapar de sus planes hábilmente calculados. ¿La conclusión *natural* del rey? ¡Debe haber un traidor!

Sin embargo, sus siervos le aseguraban que algo más estaba pasando, algo *sobrenatural*. La respuesta de ellos está registrada en 2 Reyes 6:12.

> Y uno de sus siervos dijo: "No, rey señor mío, sino que Eliseo, el profeta que está en Israel, le dice al rey de Israel las palabras que tú hablas en el interior de tu alcoba".

¡Qué idea perturbadora para el rey! Ciertamente lo era para el rey, que hizo planes inmediatos de ir a Dotán y capturar al profeta intruso. Para asegurarse de prender a su hombre envió "caballos, carros y un gran ejército, y llegaron de noche y cercaron la ciudad" (versículo 14).

Temprano en la mañana siguiente, el siervo de Eliseo, indudablemente bostezando y restregándose los ojos, salió y casi se ahogó con su taza de café matutino. Tomado por el pánico al ver el ejército sirio que rodeaba la ciudad en pos de guerra, acudió a su amo, Eliseo, clamando socorro.

¿Se preocupó Eliseo? ¿Empezó a formular de inmediato un plan para escapar? ¿Fue prendido en el miedo de su siervo? ¡Absolutamente no! Eliseo, en cambio, dio ánimo a su siervo y oró por él. Las palabras de Eliseo y la respuesta de Dios a su oración tienen importancia crítica para que nosotros las entendamos:

> Y él [Eliseo] respondió: "No temas, porque los que están con nosotros son más que los que están con ellos". Eliseo entonces oró, y dijo: "Oh Señor, te ruego que abras sus ojos para que vea". Y el Señor abrió los ojos del criado, y miró, y he aquí que el monte estaba lleno de caballos y carros de fuego alrededor de Eliseo (versículos 16,17).

Mire, ambos, el rey de Siria y el criado de Eliseo tenían el mismo problema básico: no entendían la realidad del mundo sobrenatural. Ellos confiaban únicamente en lo que podían mostrarles sus cinco sentidos y su mente racional. Ellos necesitaban que se les abrieran los ojos. Quizá usted también.

Lo fascinante de la respuesta de Eliseo a su siervo es cuánto discierne él del reino espiritual. Fíjese que dijo: "los que están *con nosotros* son más que los que están *con ellos*". ¿Quiénes eran los que están *con nosotros*? Evidentemente eran las huestes angelicales de Dios descritas como caballos y carros de fuego rodeando a Eliseo con ¡un escudo protector! Entonces, ¿quiénes estaban *con ellos*? Las potestades malignas de las tinieblas: invisibles pero... ¡claramente motivando el ataque contra el hombre de Dios!

¡Qué alentador es esto para nosotros cuando sentimos como si todo el infierno estuviera desplegado contra nosotros o nuestros adolescentes! Verdaderamente "mayor es el que está en nosotros que el que está en el mundo" (1 Juan 4:4).

Proceso que abre los ojos

Durante el transcurso de mi vida cristiana (la de Rich) he pasado por el proceso espiritual de que se me abran los ojos. Primero pensaba que la realidad de las potestades espirituales era algo que prevaleció solamente en el primer siglo. Jesús tuvo que confrontar lo demoniaco porque "la gente de aquel entonces" era primitiva y nada sofisticada. Así, pues, pensaba que, ciertamente en los Estados Unidos de Norteamérica del siglo veinte, estábamos más allá de esa insensatez supersticiosa.

Luego empecé a oír sobre casos de encuentros con demonios en remotas zonas tribales del mundo actual. No queriendo etiquetar de mentirosos o necios a esos misioneros, admití la posibilidad de que aún hubiera actividad demoniaca por ahí: allá.

Luego de un tiempo, estuve dispuesto a creer que en algunas partes de nuestro país pasaban cosas bien raras: en grupos de satanistas de zonas rurales aisladas y, quizá, en los ghettos del centro mismo de la ciudad. Bueno, esa clase de cosas.

Luego, empecé a ver que la batalla espiritual estaba mucho más cerca de lo que había pensado primero. Empecé a conocer a cristianos maravillosos, adolescentes incluidos, que estaban luchando con inexplicables bloqueos, depresiones, miedos, voces y compulsiones aterradoras para hacer mal y daño. Mis ojos fueron abiertos a la realidad del reino espiritual ¡*en la Iglesia*!

La última etapa de este proceso de apertura de ojos fue la más humillante. Viendo que hubo aspectos de esclavitud en mi propia vida quebrados al someterme a Dios y resistir al diablo, me llevó a entender la cruda realidad de que la batalla espiritual no está *allá afuera* ¡Está *aquí*! Primordialmente es una batalla por nuestra mente.

La batalla por la mente

Una pregunta corriente a estas alturas sería algo así: *¿Cómo sabemos que un problema es espiritual y no tan solo psicológico?* Quizá usted se pregunta: *¿cómo saber si mi adolescente sufre de alguna forma de influencia demoniaca o si se trata de una enfermedad mental?*

Creemos que la motivación subyacente a estas preocupaciones es el deseo legítimo de llegar a la raíz del problema de la persona y no causar traumas innecesarios. Siempre ése debe ser nuestro deseo aunque el problema es que nuestra vida no está dividida en compartimentos bien marcados: cuerpo, alma y espíritu, sin interacción entre sí.

Una enfermedad física puede desembocar en una depresión. La depresión puede causar una enfermedad física. Lo físico afecta lo mental y emocional y viceversa. La profesión médica dice que más del 50 por ciento de las enfermedades físicas son de origen psicosomático.

Los psicólogos o los psiquiatras definen la "salud mental" como estar en contacto con la realidad y relativamente libre de ansiedad. Ésa es una medida justa pero la gente bajo ataque espiritual fallará en ambos aspectos.

Por ejemplo, hemos aconsejado a muchas personas que dicen "oír" voces en su cabeza o que tiene pensamientos obsesivos molestos. ¿Es sólo un desequilibrio químico del cerebro que causa que se liberen mal los neutrotransmisores? ¿No resulta notable que las reacciones químicas casuales creen claros pensamientos que van contra la verdad de la Palabra de Dios? ¿Podría suceder eso? ¿O podría ser que la gente esté "prestando atención a los espíritus engañadores?" (1 Timoteo 4:1).

Sin embargo, el consejero secular típico diría que esta persona está alucinando o "fuera de contacto con la realidad" pero, *en realidad*, ¿quién es el que "está fuera de contacto": el que lucha con una batalla por su mente o el consejero que niega la posibilidad de que haya un problema espiritual?

Es imperativo que creemos un ambiente en nuestros hogares, grupos de jóvenes e iglesias en el que los adolescentes sientan la libertad de ser ellos mismos y puedan hablar abiertamente.

El surgimiento de la filosofía de la Nueva Era impulsa a algunos consejeros a identificar estas voces como "guías espirituales" útiles. ¿Es eso verdad? Sin tener un filtro bíblico por el cual pasar su experiencia, estos consejeros son incapaces de ayudar a sus pacientes a resolver sus conflictos.

Si lo que se diagnostica como enfermedad mental es, en realidad, nada más que una batalla por la mente, ¿cómo puede descubrirse? Eso es lo que esperamos aclarar en este libro.

Cuando visitamos a un médico y nos quejamos de una molestia física, esperamos que nos examinen la sangre, la orina, los signos vitales, etc. Si todos los exámenes indican que estamos en buen estado de salud física, ¿nos inquietaríamos? Por supuesto que no. Sencillamente seguiríamos investigando otra causa posible de nuestros malestares.

Si su adolescente lucha con pensamientos obsesivos, depresión crónica o ataques de ansiedad, ¿no quisiera que hubiera una manera segura de examinar la fuente de esos problemas? Además de eso, ¿no quisiera obtener algunas respuestas para ayudar a resolver los conflictos si, indudablemente, los problemas de raíz fueran espirituales?

Si las iglesias siguieran el procedimiento descrito en este libro, ¡los adolescentes que ustedes aman no serían etiquetados, juzgados, rechazados ni acusados! Si los conflictos no se resuelven hacia el final de la cita, ¡vayan a ver un médico! No tienen nada que perder.

Es imperativo que creemos un ambiente en nuestros hogares, grupos de jóvenes e iglesias en el que los adolescentes sientan la libertad de ser ellos mismos y puedan hablar abiertamente y "andar en la luz" (1 Juan 1:7). Dios opera a la luz de la verdad, sinceridad y honestidad. El diablo ama las tinieblas y trata de impedir que los jóvenes compartan lo que están pensando y sintiendo realmente.

Creando la atmósfera correcta

¿Qué se necesita para producir una atmósfera donde los adolescentes sientan la libertad de compartir lo que *realmente* les pasa por dentro?

Primero y principal, se necesitan las oraciones del pueblo de Dios para derribar los mecanismos de defensa carnal que mantienen a los jóvenes (y adultos) cerrados y apartados de los demás.

Segundo, se necesitan padres llenos de gracia o líderes de iglesia que comuniquen verbal y no-verbalmente que la casa, la iglesia, el grupo de jóvenes, son lugares seguros donde la aceptación "está bien" y el rechazo "está mal".

Tercero, habitualmente se necesita de alguien que rompa el hielo y comparta algo personal y doloroso de su vida: quizá confiese un pecado, una lucha o un fracaso.

Resulta crucial que los padres y los líderes de jóvenes establezcan el ritmo dejando caer su guardia y admitiendo que tienen pies de barro como el resto del mundo.

Siendo vulnerable

Hace pocos años yo (Rich) cené sólo con mis padres. Aproveché la oportunidad en aquel restaurante para preguntar a mi mamá y papá qué deseaban que yo hubiera hecho en forma diferente cuando era adolescente. Mi mamá no dudó en contestar.

"Deseábamos que hubieras cooperado más. Eras tan antipático. Si decíamos 'negro', tú decías 'blanco'. Si decíamos 'sí, tú decías, no'".

Mi papá meneó su cabeza asintiendo de todo corazón entre bocados a su bistec de primera.

Esperando que mi vulnerabilidad fuera correspondida por mis padres, esperé que me preguntarán qué deseaba yo que *ellos* hubieran hecho en forma diferente. El silencio era elocuente. Finalmente, decidí tirarme a la piscina y pregunté.

"Mamá, papá, ¿les importa si les digo qué deseo que ustedes hubieran hecho en forma diferente cuando yo era adolescente?"

Mi mamá pareció anhelar mi respuesta. Mi papá no se vio tan confiado.

Decidí saltar de todos modos. "Deseaba que me hubieran confesado cuando ustedes se equivocaban y se hubieran disculpado conmigo cuando me hirieron. Yo sabía cuando ustedes estaban mal y les perdía respeto cuando se negaban a admitirlo".

La respuesta de mi papá fue clásica: ¡No se espera que los padres admitan a sus hijos cuando se equivocan!"

Me alegré de que mi mamá dijera: "¡Oh, Juan, ellos son así!"

Mis padres nunca supieron en realidad lo que pasaba por mi cabeza durante esos años volátiles de la adolescencia. Si en aquel entonces hubieran dado unos pocos pasos para derribar las fachadas y arrancarse las máscaras, quizá yo me hubiera sentido con la libertad de ser más realmente yo mismo.

El misterio de la mente del adolescente

Habitualmente no sabemos qué piensan los adolescentes por dos razones obvias. Una es que no podemos leer la mente. La otra es que, demasiado a menudo, tienen temor de decirnos lo que piensan por miedo de que nos riamos de ellos, los avergoncemos o los etiquetemos de "enfermos mentales" o "locos".

Tenemos que hablar francamente con amor sobre la batalla que se libra por nuestra mente, de modo que los adolescentes sepan que *no* están solos en sus luchas y que no se están volviendo locos. Ellos están siendo víctimas de un enemigo cruel pero tienen gran esperanza en Cristo porque Él vino "para destruir las obras del diablo" (1 Juan 3:8).

Libres de la ansiedad

Si estar en contacto con la realidad es el primer criterio de la salud mental, el segundo es estar relativamente libre de ansiedad. En nuestro libro *Know Light, No Fear*, que es la edición juvenil del libro de Neil, *Walkin in th Light*, analizamos y ofrecemos una larga respuesta bíblica a ambos, miedo y ansiedad. Veamos algunos puntos claves aquí pues se relacionan con nuestro examen.

La ansiedad es un miedo perturbador e inquietante de lo desconocido. Proviene de la falta de confianza en Dios y resulta en sentimientos de incertidumbre. Nos preocupamos por si serán satisfechas nuestras necesidades y por lo que puede traer el mañana (ver Mateo 6:25-34).

¿Cuál es la solución? Buscar primero el reino de Dios y Su justicia y todas las cosas que necesitamos nos serán provistas (ver versículo 33). Se nos advierte que no nos preocupemos por lo que traiga el futuro sino que sólo nos interesemos por el día de hoy y que confiemos en Dios por el mañana (ver versículo 34).

Podemos echar todas nuestras ansiedades en el Señor porque Él se interesa por nosotros. Él nos está cuidando (ver 1 Pedro 5:7). Por tanto, cuando los pensamientos ansiosos amenacen con derribar nuestra fe, se nos dice que demos a conocer nuestras peticiones a Dios con acción de gracias. ¿Por qué acción de gracias? Porque dar gracias demuestra fe en Dios. ¿El resultado? Dios promete Su paz sobrenatural que nos impedirá volvernos locos o descorazonarnos (ver Filipenses 4:6,7).

Libres del temor

Al contrario de la ansiedad, el temor [miedo] tiene un objeto específico. Miedo a las *alturas*, miedo a los *espacios abiertos*, miedo a la *muerte* son unos cuantos ejemplos. Para que un objeto de miedo tenga control sobre nosotros, debemos percibirlo como *presente* y *poderoso*. Esto es, lo sentimos cercano y capaz de herirnos.

Para despojar a ese miedo de su control tenemos que quitarle sencillamente uno de esos dos atributos. Por ejemplo, yo (Rich) tengo un sano miedo a los grandes tiburones blancos pero ahora, ¿tengo miedo? No, porque estoy en tierra y seco en mi oficina del piso de arriba. No hay tiburones *presentes* en mi oficina. Sin embargo, pónganme un traje de hombre rana y tírenme en la bahía de San Francisco, ¡y miren cómo suben mis emociones de temor!

Miedo a la oscuridad

Luis había tenido miedo a la oscuridad por más de 40 años y nunca entendió por qué. El agua oscura, las casas oscuras y las situaciones desconocidas le representaban una amenaza muy real.

Luego de dar los Pasos hacia la Libertad en Cristo, siguió sintiendo que el miedo estaba ahí. Así que le pidió al Señor que le revelara la raíz de eso. ¡El Señor respondió inmediatamente!

Cuando Luis tenía cuatro o cinco años de edad, iba en el automóvil de su familia en medio de una noche tormentosa. Su papá se quedó dormido al volante y el vehículo casi se desbarrancó cayendo a un río crecido por la lluvia. Providencialmente, un arbolito bloqueó la caída y salvaron sus vidas.

Así que, asumiendo su autoridad en Cristo, Luis, como adulto, renunció a toda fortaleza de miedo que hubiera echado raíz en su vida como resultado de ese accidente. Afirmó en Cristo que el miedo no podía seguir dominándolo.

Como una semana después estaba enseñando un estudio bíblico con su familia y mencionó cómo había manejado ese miedo. Su mamá agregó mas datos de cuán traumático había sido aquel hecho para Luis.

"No creerías lo aterrorizado que estabas esa noche", dijo ella. "Llorabas histéricamente y nada te calmaba. Cuando tu papá quiso ir a buscar ayuda, te negaste a quedarte en el automóvil. Tuviste que ir con él".

Debido a la autoridad que Luis ejerció en Cristo, el espinazo de ese temor fue roto. Ahora él es capaz de levantarse en la noche y andar por la casa sin encender las luces. Ha salido afuera en la oscuridad y hasta ha ido a cazar de noche sin que ese miedo aterrorizador lo tome.

A veces vuelve a su mente el pensamiento de *Luis, tienes que asustarte*. Cuando él reconoce de dónde viene ese pensamiento y lo lleva "cautivo a la obediencia de Cristo" (2 Corintios 10:5), se va. Cuando él se olvida de hacer eso, el miedo vuelve a amenazarlo.

Evidentemente, es imposible que Luis evite la oscuridad por completo. Eso sólo sucederá en el cielo. Así, pues, ¿cómo ha podido superar su temor? Rompiendo su poder sobre él. Reconociendo que ese temor no es de Dios y que el mismo Señor lo guardará y lo protegerá.

Venciendo el miedo a la muerte

Así, pues, ¿cómo se puede ayudar a un adolescente a que se recupere del miedo a la muerte? Yo (Rich) estuve hablando hace poco en un retiro para jóvenes en un centro de esquí, donde Patricio, un muchacho, se me acercó con ese preciso problema. Estaba confundido acerca de si debía creer a la Biblia o la investigación científica sobre la vida, o la no vida, después de la muerte.

Le dije que no sabía que hubiera un científico que hubiera estado muerto por tres días y, luego, hubiera vuelto a la vida, así que yo me inclinaba por creer lo que decía Jesús sobre la vida y la muerte.

Jesús, enseñó: "En verdad, en verdad os digo: el que oye mi palabra y cree al que me envió, tiene vida eterna y no viene a condenación, sino que ha pasado de muerte a vida" (Juan 5:24).

Luego de más preguntas y sondeos, pude discernir que Patricio nunca había confiado realmente en Jesús como su Salvador y Señor pero ¡estaba listo! Varios minutos después dobló su cabeza y oró una de las oraciones más sinceras de arrepentimiento y fe que yo haya escuchado jamás.

Entonces hice que renunciara al diablo y a todas sus obras y a todos sus caminos, incluyendo el miedo a la muerte. ¿Por qué? Porque la Escritura dice:

> Así que, por cuanto los hijos participan de carne y sangre, Él igualmente participó también de lo mismo, para anular mediante la muerte el poder de aquel que tenía el poder de la muerte, es decir, el diablo; y librar a los que por el temor a la muerte, estaban sujetos a esclavitud durante toda la vida (Hebreos 2:14,15).

¡Un cambio increíble ocurrió en la cara de Patricio en cuanto supo que él era un hijo de Dios! El Espíritu dio testimonio a su espíritu de que él era hijo de Dios (ver Romanos 8:16) y el miedo a la muerte se fue al instante.

¿Por qué? ¿La fe en Cristo de Patricio había eliminado la *presencia* de la muerte? No. Está designado para los hombres que mueran una vez nos dice Hebreos 9:27, y la posibilidad de la muerte física es una realidad constante. Sin embargo, en Cristo el *poder* de la muerte fue derrotado en la vida de Patricio tal como el apóstol Pablo exclamara triunfante en 1 Corintios 15:55-57.

> "¿Dónde está, oh muerte, tu victoria? ¿Dónde, oh sepulcro, tu aguijón? El aguijón de la muerte es el pecado, y el poder del pecado es la ley; pero a Dios gracias, que nos da la victoria por medio de nuestro Señor Jesucristo.

Todo creyente en Cristo tiene la misma oportunidad de vencer el miedo a la muerte como la tuvo Patricio. La verdad nos hace libres.

La vida fisica no es, de todos modos, el valor final. La vida espiritual lo es. Viviremos el cielo cuando nuestra alma se separe de nuestro cuerpo, a menos que rechacemos a Cristo. Entonces, será infierno: literalmente. La Escritura advierte: "Y no temáis a los que matan el cuerpo, mas el alma no pueden matar; temed mas bien a Aquel que puede destruir el alma y el cuerpo en el infierno" (Mateo 10:28).

No osemos suponer que los adolescentes de nuestras casas o iglesias conocen a Cristo sólo porque son "buenos muchachos" que van a la iglesia y asisten a las actividades del grupo de jóvenes. Patricio había hecho estas cosas, pero no conocía a Cristo. Jesús advirtió acerca de la gente que se entusiasmaría realmente por el evangelio y daría señales de crecer. Aunque llegará el momento en que sus verdaderos colores sean revelados cuando la cosa se ponga difícil (ver Mateo 13:20,21).

No suponga que los problemas de un adolescente que va a la iglesia son todos cuestión de *libertad*; ¡pueden ser cuestión de *salvación*!

¿Por qué el "temor del Señor" es "el comienzo de la sabiduría"? (Proverbios 9:10). Porque vivir sabiamente la vida empieza con una reverencia profunda por Dios, humillándose bajo la autoridad de la fuente de vida, Jesucristo, y confiando en Él. El "temor del Señor" es aquel temor que expulsa a todos los otros miedos (insalubres). Considera las palabras dichas por el Señor a Isaías:

> "Ni temáis lo que ellos temen, ni os aterroricéis. Al Señor de los ejércitos, es a Quien debéis tener por santo. Sea Él vuestro temor y sea Él vuestro terror. Entonces Él vendrá a ser santuario " (8:2-14).

¡Ésa es una promesa tremenda! ¿Quiere que sus adolescentes hallen seguridad, estén a salvo y tengan libertad de los miedos que apestan a la gente del mundo? ¡Entonces, enséñeles el sano temor santo de Dios y Él vendrá a ser el santuario de ellos!

Quizá no haya otra verdad que deba enseñarse más intencionalmente a la cultura juvenil actual que el sano temor de Dios. El "temor del Señor es aborrecer el mal" (Proverbios 8:13) y apartarse del mal (16:6).

¿Por qué los adolescentes viven hoy tanto pecado desenfrenado en sus vidas? ¿Por qué los adolescentes *cristianos* viven hoy tanto pecado desenfrenado en sus vidas? ¿Podría ser "porque no hay temor de Dios delante de sus ojos" (Romanos 3:18)?

¿Cuáles son los dos atributos de Dios que lo hacen el objeto de temor definitivo? Él es omnipotente (todopoderoso) y omnipresente (siempre presente). Es imposible eliminar una de estas cualidades de Dios.

Desafortunadamente, demasiados cristianos pasan por alto el temor de Dios y están, en cambio, esclavizados por el miedo a Satanás. En esencia han invertido Santiago 4:7 que dice: "Someteos, pues, a Dios; resistid al diablo, y huirá de vosotros". Antes que someterse a Dios y resistir al diablo, ellos resisten a Dios y se someten al diablo. ¡No se asombre, pues, que las luchas predominen!

Encuentros aterradores

Cuando yo (Neil) he preguntado al público cristiano de todo el mundo si han tenido un encuentro aterrador con alguna fuerza espiritual, por lo menos el 50 por ciento ha dicho que sí. Los porcentajes entre los líderes cristianos son aun más altos, lo cual no es asombroso. Si los cristianos son el blanco de Satanás —y en verdad lo son— entonces, ¡los líderes cristianos están en el "centro del blanco"!

Por lo menos el 35 por ciento de las audiencias que he encuestado dicen que se han despertado en la noche, sintiéndose aterrorizados. Probablemente estaban medio dormidos y, quizá, sintieron presión en el pecho o como que algo les agarraba la garganta.

Cuando trataron de hablar, no pudieron decir palabra. ¿Por qué no? Porque primero debían someterse a Dios y, luego, resistir al diablo. Dios conoce nuestro corazon, así que siempre podemos volvernos a Él en nuestra mente. Recién entonces, podemos invocar verbalmente el nombre del Señor y ser salvados. Así es cómo resistimos al diablo en el caso de los ataques de pánico (ansiedad).

En la Biblia no se nos dice nunca que temamos al diablo. Se nos advierte "estad alertas" (1 Pedro 5:8), pero no que temamos. Sus tácticas de intimidación están concebidas para someternos por miedo. Sin embargo, Satanás es un enemigo derrotado porque fue desarmado en la cruz (Colosenses 2:15). Él debe huir cuando un hijo de Dios que vive sometido a la autoridad del Señor se le resiste.

Experimentando la verdadera salud mental

Sin embargo, hay una diferencia enorme entre estas clases de ataques y los miedos que se desarrollan a través de los años. Los miedos irracionales (las fobias) aprendidos en el transcurso del tiempo, deben desaprenderse y eso lleva tiempo. Las fobias (opuestas a los miedos sanos) nos obligan a hacer algo irresponsable o nos impiden hacer algo responsable.

Los adolescentes dominados por las fobias deben renunciar verbalmente a los miedos que los han controlado y afirmar en voz alta: "Porque no nos ha dado Dios espíritu de cobardía, sino de poder, de amor y de dominio propio" (2 Timoteo 1:7).

La verdadera salud mental es un subproducto de la salud espiritual y está edificada sobre la base del conocimiento vivencial verdadero de Dios y la clara comprensión de quiénes somos en Cristo.

Se debe animar a los adolescentes a que se comprometan a no dejar que ese miedo (por ejemplo, miedo a la gente) los controle. Haga que le pidan al Señor que les dé un plan de acción para superar el temor. Ore con y por ellos. El plan (si no implica riesgo para el adolescente) puede comprender el enfrentamiento directo de ese temor. Un sabio dijo una vez: "haz lo que más temes y te asegurarás la muerte de ese miedo".

La mayoría de los temores son como los espejismos. Se disipan cuando uno sigue adelante y los enfrenta. Sin embargo, ¡evítelos y pueden convertirse en gigantes!

Entonces, queda claro que la definición común de salud mental es inadecuada. Entonces, queda claro que lo necesario es una perspectiva *bíblica* de la salud mental. En realidad, la verdadera salud mental es un subproducto de la salud espiritual y está edificada sobre la base del conocimiento vivencial verdadero de Dios y la clara comprensión de quiénes somos en Cristo.

Los adolescentes mentalmente sanos saben que Dios los ama. Ellos están creciendo en su habilidad de confiar en Él, sabiendo que Él está dispuesto y es capaz, para satisfacer todas sus necesidades. Ellos están aprendiendo que pueden hacer todo por medio de Aquél que los fortalece.

Ellos saben que Él nunca los dejará ni desamparará y que sus pecados han sido perdonados en Cristo. Ellos han captado la verdad de que son hijos de Dios y que, por tanto, ahora no hay condenación para ellos en Cristo Jesús.

Nuevamente, la salud mental verdadera viene de conocer a Dios y entender nuestra identidad en Cristo ¿El caminar de un adolescente con Dios afectará su estado físico, mental y emocional? Definitivamente que sí. Considere las siguientes referencias bíblicas:

> Mientras callé mi pecado, mi cuerpo se consumió con mi gemir todo el día. Porque día y noche tu mano pesaba sobre mí; mi vitalidad se desvanecía con el calor del verano (Salmo 32:3,4).

> No seas sabio a tus propios ojos, teme al Señor y apártate del mal. Será medicina para tu cuerpo, y refrigerio para tus huesos (Proverbios 3:7,8).

> ¿Por qué te abates, alma mía? ¿Y por qué te turbas dentro de mí? Espera en Dios, pues he de alabarle otra vez. ¡Él es la salvación de mi ser, y mi Dios! (Salmo 43:5).

La interrelación de cuerpo, alma y espíritu

Hay otros muchos pasajes de la Biblia que indican claramente la interrelación existente entre nuestro cuerpo, nuestra alma y nuestro espíritu. Entonces no debe sorprendernos que nos demos cuenta de que haya componentes físicos, psicológicos y espirituales en casi toda lucha que enfrenten los adolescentes en la vida.

Por ejemplo, si una adolescente se atarea tanto con las actividades de su vida que descuida su tiempo con Dios en oración y escudriñando Su Palabra y se queda durmiendo los domingos por la mañana, ¿podría eso afectarla en otras formas? Por cierto que sí. Quizá vaya angustiándose y estresándose paulatinamente más y más por sus deberes escolares. En consecuencia, se puede volver irritable para con su familia y amistades, haciendo que ellos se distancien emocionalmente de ella. Al ver que su vida se le descontrola, la niña puede deprimirse. En su estado debilitado puede ser presa fácil de cualquier virus de moda y enfermarse.

Así, pues, ¿su problema es espiritual, psicológico o físico? La respuesta es *todo lo anterior*. La pregunta debe ser realmente: *¿Dónde está el problema de raíz?* En el caso de esta adolescente, puede ser que se sienta tan compelida a triunfar que se mete con demasiada profundidad en la carrera de ratas que es el activismo excesivo. Quizá quiera complacer a la gente más que a Dios y se halle incapaz de decir que no a los pedidos de los demás. Algo tiene que ceder en cuanto a su tiempo y energía y, de este modo, Dios queda fuera de su película.

En todo caso se requiere una solución bíblica. Ella tiene que aprender a descansar en la gracia, la aceptación y el amor de Dios. Ella tiene que darse cuenta de que en Su presencia hay plenitud de gozo (ver Salmo 16:11). Puede que no esté lista ni dispuesta para oír eso hasta que esté de espaldas, enferma en cama ¡con la gripe! Los caminos de Dios son más elevados que los nuestros y Su tiempo es perfecto.

La influencia demoniaca

¿Y qué pasa con la influencia demoniaca? ¿Qué papel puede desempeñar en las luchas de un adolescente para vivir espiritual y mentalmente sano?

Yo (Rich) estaba hablando en una capilla de una escuela cristiana, compartiendo algunas estadísticas sobre los adolescentes, tomadas del libro *The Seduction of Our Children (La Seducción de Nuestros Hijos)*. La encuesta hacía preguntas como:

> ¿Has sentido (visto u oído) alguna vez una presencia en tu cuarto que te asustó?
> ¿Luchas con malos pensamientos sobre Dios?
> ¿Mentalmente, te cuesta orar y leer tu Biblia?
> ¿Has escuchado 'voces' en tu cabeza como si un yo subconsciente estuviera hablando contigo o has luchado con pensamientos realmente malos?
> ¿Has tenido frecuentes pensamientos suicidas?
> ¿Has tenido alguna vez pensamientos impulsivos de matar a alguien, como "toma ese cuchillo y mata a tal persona"?
> ¿Has pensado alguna vez que eras diferente a los

demás (que la vida cristiana sirve para otros pero no para ti)?
¿Tienes miedo de poder estar volviéndote loco o loca?

Luego de terminar mi mensaje, me puse a disposición para conversar con quien quisiera. Una niña de 16 años se me acercó y me dijo: "Yo dije que sí a cada una de esas preguntas que usted hizo".

Me dijo que había estado teniendo problemas para dormir durante dos años y que sentía una presencia mala y fría que la contemplaba en su cuarto por las noches. Se asustaba mortalmente en su cuarto y, habitualmente, terminaba durmiendo en la cama de su mamá.

Rabia, Odio, Amargura (ella había estado enojada con sus padres durante ocho años porque se habían mudado de casa cuando ella cursaba el tercer grado), Culpa por experiencias homosexuales pasadas, Soledad, Depresión, Miedo de no tener remedio ni esperanza, Voces en su cabeza, Despertarse de repente a las 3 de la madrugada, La letanía del tormento siguió interminablemente.

¿Podían todas esas cosas ser el resultado de un desequilibrio químico de su cerebro? Quizá, pero probablemente no. ¿Podía ella ser sencillamente una 'maniaca depresiva' como fue diagnosticado su papá? Quizá.

La Biblia dice: "Mas buscad primeramente el reino de Dios y su justicia" (Mateo 6:33), así que decidí ayudarla a resolver los conflictos espirituales y personales que le estaban quitando su libertad en Cristo y su intimidad con Dios. Luego de una hora y media de guiar a Sandra por los Pasos hacia la Libertad en Cristo, su oración lo dice todo:

> Señor, te agradezco por hacerme libre de mi esclavitud y por contestar mi oración mandando a alguien aquí para hablar conmigo. Gracias por darme la segunda oportunidad para vivir para y por ti.

¿Qué hubiera pasado si las cosas no hubiesen mejorado en la vida de Sandra luego de trabajar su relación con Dios? Suponiendo que ella fue honesta y minuciosa al contar los problemas de su vida y que también se arrepintió completamente del pecado, se habrían tenido que explorar los otros recursos, como un completo examen físico.

Somos gente íntegra que tiene un Dios íntegro que tiene la respuesta íntegra para nuestra vida íntegra. Hacemos un gran perjuicio a la gente mandándola a bien intencionados ministros de 'liberación' que ven el problema como puramente demoniaco y descuidan los aspectos de desarrollo y la responsabilidad humana. También fallamos en ayudar a los demás a hallar su libertad cuando los tiramos en las puertas de los consejeros que no conocen a Cristo o que niegan la realidad del mundo espiritual.

Los problemas de Sandra eran primordialmente espirituales. Ella había dejado que el diablo ganara terreno en su vida abrigando rabia contra sus padres durante ocho años. Ella había abierto la puerta a mayor esclavitud al experimentar con la conducta homosexual. La rabia, la culpa y la vergüenza se la estaban comiendo por dentro, impidiéndole crecer en su acercamiento al Dios que la ama.

Nuestros problemas en la vida son *siempre* espirituales porque Dios siempre está presente en nosotros, Cristo *es* nuestra vida y nunca es seguro sacarse la armadura de Dios.

Sintiéndose separada de Dios e incapaz de andar por fe, ella era un blanco fácil de las tácticas intimidatorias de Satanás. Sandra había cedido paso al miedo y permitido que el diablo la asustara por medio de la aterradora presencia nocturna en su cuarto.

Sin saber completamente dónde estaban todas las raíces de los problemas, la guié por los siete Pasos hacia la Libertad en Cristo. Ella tuvo que confrontar cosas en todos: ocultismo, mentiras que había creído, rencor, rebeldía, orgullo, pecado carnal y esclavitud generacional.

Fue importante que todo quedara totalmente limpio, pero habían unos cuantos conflictos cuya resolución parecía tener particular importancia para Sandra. Ella tenía que perdonar de todo corazón a los que la habían ofendido, especialmente a sus padres. Tuvo que confesar y renunciar a los malos usos sexuales dados a su cuerpo y sentir el poder del perdón de Cristo que libera de la culpa. También tuvo que renunciar al miedo y declarar por fe su posición y autoridad en Cristo. Cuando hizo esto, volvió la libertad y se fue el terrible tormento mental.

La pura verdad es que nuestros problemas en la vida son *siempre* espirituales porque Dios siempre está presente en nosotros, Cristo *es* nuestra vida y nunca es seguro sacarse la armadura de Dios (ver Efesios 6:10-18).

Conciencia del engaño de Satanás

Aunque podemos ser tentados por nuestras propias lujurias y deseos carnales (ver Santiago 1:14,15), Satanás también es llamado "el tentador" (Mateo 4:3). Él es el dios de este mundo (ver 2 Corintios 4:4) y obra por intermedio del sistema del mundo y nuestra carne para tentarnos. Ese intento de seducirnos al mal para llevarnos a la esclavitud demoniaca es una amenaza constante para el pueblo de Dios.

Satanás es también llamado acusador de los hermanos, quien día y noche acusa a los santos ante Dios (Apocalipsis 12:10). Él quiere que creamos que estamos indefensos, sin esperanza, que somos indignos, malos, sucios y llenos de culpa y vergüenza. Su atormentadora voz puede ser un horror constante para algunas personas. Este infierno viviente fue captado por el salmista cuando escribió:

> Todo el día mi vergüenza está delante de mí, y la confusión de mi rostro me cubre, por la voz del que me vitupera y deshonra, por razón del enemigo y del vengativo (Salmo 44:15,16).

La táctica más sutil del diablo es, sin embargo, engañar. Por medio de la lógica e intelecto humanos, contrarios a la revelación de Dios, medias verdades y mentiras directas, Satanás procura seducir al pueblo de Dios desviándolos para que no sigan a Jesús. Considere la sabia advertencia del apóstol Pablo:

> Porque celoso estoy de vosotros con celo de Dios; pues os desposé a un esposo para presentaros como virgen pura a Cristo. Pero temo que, así como la serpiente con

su astucia engañó a Eva, vuestras mentes sean desviadas de la sencillez y pureza de la devoción a Cristo (2 Corintios 11:2,3).

¿Cómo nos engaña el diablo para que no sigamos solo a Cristo? Él tratar de hacernos seguir a un Jesús que es diferente pero, a menudo, muy parecido, al Jesús real. Él trata de que nos traguemos un evangelio diferente que sabotea la gracia de Dios. También trata de hacernos oír a un espíritu que no es el Espíritu Santo (ver 2 Corintios 11:4).

Falsos maestros, falsos profetas, falsos apóstoles y hasta falsos Cristos están por todas partes, propagando una fe 'nueva y realzada' que atrapa fácilmente al crédulo espiritual. Los adolescentes no constituyen la excepción. Fácilmente cautivados por una poderosa figura carismática, la juventud puede ser captada por las sectas, el ocultismo y las religiones falsas.

Sea que el mensaje llegue por medio del contacto personal con gente o los así llamados 'guías espirituales', libros, música, revistas, televisión, o películas, la fuente está clara en 1 Timoteo 4:1.

> El Espíritu dice claramente que en los postreros tiempos algunos apostatarán de la fe, escuchando a espíritus engañadores y a doctrinas de demonios.

Como padres y líderes de jóvenes, debemos estar en guardia contra el 'antídoto' del diablo para los adolescentes solitarios, confundidos y dolidos: los demonios disfrazados de guías o compañeros espirituales o ángeles guardianes. Debemos tomar muy en serio la advertencia de 2 Corintios 11:14,15.

> Y no es de extrañar, pues aun Satanás se disfraza como ángel de luz. Por tanto, no es de sorprender que sus servidores también se disfracen como servidores de justicia; cuyo fin será conforme a sus obras.

Cuidado con los ángeles que andan buscando establecer amistades a largo plazo con los adolescentes, especialmente cuando se identifican por nombre. Sólo un ángel da su nombre en todas las Escrituras: Gabriel, ¡y él fue muy especial! El ángel Miguel es nombrado por otro ángel.

Sin embargo, en ninguna parte de la Biblia se dice que un ángel trate de llegar a ser compañero de un ser humano. Los ángeles traen mensajes de parte de Dios, ministrando al pueblo de Dios al cual le mandan que confíen en *Él* y se van. La única excepción podría ser si un ángel disfrazado de ser humano extranjero hace una visita (ver Hebreos 13:2).

Oír una voz desconocida 'amistosa'

Dave Park y yo (Rich) acabábamos de terminar de guiar al grupo por los Pasos hacia la Libertad en Cristo en una conferencia sobre "Emergiendo de la Oscuridad", cuando un líder de jóvenes y una niña adolescente se acercaron, muy entusiasmados. Alina, la líder de jóvenes, explicó que Mercedes, la niña, acababa de librarse de Mario.

¿Quién es Mario? pregunté, pensando que sería un amigo pegajoso que Mercedes había estado tratando de despegarse.

Mario es una voz que ha estado hablando a Mercedes por un par de años a la fecha, explicó Alina.

Después que di los Pasos, llamé a Mario pero no contestó. Dije "¿Mario, estás ahí?" pero sólo hubo silencio, dijo Mercedes con una especie de aspecto confundido en su cara.

Mire, él nunca dijo nada malo. De hecho me dijo que podía venir a esta conferencia, agregó Mercedes, casi defendiendo a Mario.

Sí, pero... ¿te acuerdas de esa vez en que yo traté de guiarte individualmente por los Pasos hacia la Libertad en Cristo? ¡Mario te mantuvo despierta toda la noche anterior de modo que estabas demasiado cansada para hacerlo! Alina esperó la señal afirmativa de Mercedes.

Para mí era claro que Mercedes estaba todavía un poco confusa sobre la identidad de Mario así que pregunté: Mercedes, ¿quién piensas que era Mario?

No sé respondió, con sus ojos indicando un genuino deseo de saber.

Mario era un guía espiritual, en absoluto amistoso. Aunque nunca te dijo nada malo. Su propósito era volverse tu compañero de modo que tú no acudieras a Dios por ayuda. Aprendiste a apoyarte en Mario en vez de apoyarte en Dios, y eso era malo.

Mercedes pareció entender así que seguí. Si Mario regresa, no lo dejes entrar. Aunque aparezca *Super* Mario, no lo dejes volver, ¿sí?

Ella se rió, pero entonces al instarla yo, renunció de una vez por todas a Mario como amigo y declaró que no tendría más nada que ver con los guías espirituales.

Después de todo, ¿quién necesita consejo de un guía espiritual (demonio), por más 'servicial' que sea, cuando podemos ser guiados por el Espíritu Santo? (ver Romanos 8:14).

La estrategia efectiva de Satanás

¿Cuán efectiva ha sido la estrategia de Satanás de tentar, acusar y engañar? Déjeme decirlo así: ¿cuál es el porcentaje de adolescentes cristianos que usted conoce que andan en el amor y la gracia del Padre, la vida y el gozo del Señor Jesús y la libertad y poder del Espíritu Santo?

Toda esta charla sobre demonios que atacan a los cristianos puede resultar inquietante para algunas personas. ¿Estamos diciendo que los cristianos pueden ser poseídos por los demonios? ¿Creemos que los cuerpos de los creyentes pueden ser invadidos por las potestades demoniacas?

La Biblia declara con toda claridad que nuestro cuerpo son templo del Espíritu Santo y que fuimos comprados por precio: la sangre de Jesús. Pertenecemos a Dios y somos propiedad Suya (ver 1 Corintios 6:19,20). Dado que 'poseer' algo implica propiedad, el hijo o hija de Dios nunca pueden ser poseídos o ser propiedad del diablo o un demonio.

¿Pueden los creyentes ser controlados [dominados] por un espíritu mentiroso o engañador? Por cierto que sí pero no en contra de nuestra voluntad (ver Hechos 5:3,4). En la medida que creamos las mentiras del diablo seremos controlados por esas mentiras. Por ejemplo, si un muchacho, cuyos niveles hormonales están por explotar, cree la mentira del diablo de que él no será hombre hasta que haya 'hecho puntos' con una niña, ¿le afectará eso? ¡Más vale que usted lo crea! La mayoría de las horas que pase despierto (¡y muchas de las horas que duerma, también!) serán consumidas con pensamientos lujuriosos, planes y, oportunamente, acciones.

Si también se traga las mentiras del diablo que dicen que él debe seguir conquistando sexualmente nuevas mujeres para sentirse bien consigo mismo, pronto se hallará en profunda esclavitud sexual.

Si la verdad nos hace libres (y Jesús lo dijo así en Juan 8:32), entonces las mentiras nos mantienen esclavizados: y la esclavitud es control. Por eso, es mejor describir nuestro método de consejería como *encuentro con la verdad* más que *encuentro de poderes*. Nosotros tenemos todo el poder que necesitamos por medio del Espíritu Santo (ver Hechos 1:8). Sin embargo, los adolescentes no serán capaces de andar por fe hasta que cambien su sistema de creencias. Una vez que conozcan la verdad, pueden andar libremente en el poder del Espíritu de verdad, el Espíritu Santo (Ver Gálatas 5:16).

¿Todavía no se convence de que una mentira sea tan poderosa? Considere esto: Si una preciosa hija de Dios, escogida por el Padre, santa y sin culpa, perdonada y destinada al cielo, se ve como no amada, indefensa, sucia, mala o rechazada por Dios, ¿afectará todo eso la manera en que vive? ¿Le afectará su modo de pensar? ¿Y sus emociones? ¿Su conducta? ¡Por supuesto que sí!

¿No dice la Biblia que "pues como piensa dentro de sí, así es" (Proverbios 23:7)? En otras palabras, nuestras *actitudes* se demostrarán en nuestras *Acciones. Lo que creemos* se demostrará por la manera en que *nos comportamos*.

Cuesta responder la pregunta acerca de si los demonios engañan desde adentro o desde afuera. Independientemente de cómo opte usted por entender la batalla espiritual, las potestades de las tinieblas no pueden cambiar quiénes somos en Cristo y la solución es la misma: "Someteos, pues, a Dios; resistid al diablo, y huirá de vosotros" (Santiago 4:7).

Nos estamos poniendo precisamente en las manos del diablo al discutir y alegar por la ubicación de los demonios que tientan, acusan, engañan y acosan de otras maneras a los hijos de Dios. Nada le gustaría más a Satanás que tenernos bien atrincherados en nuestras trincheras teológicas disparándonos unos a otros mientras que los soldados heridos de Dios ¡quedan sin atender tirados en el campo de batalla!

Tenemos que dirigir nuestra atención a la batalla *real* que no es "contra sangre y carne, sino contra principados, contra potestades, contra los gobernadores de las tinieblas de este siglo, contra huestes espirituales de maldad en las regiones celestes" (Efesios 6:12).

La Palabra de Dios declara en 2 Corintios 10:3-5 que la batalla espiritual debe librarse con armas espirituales. Las palabras de Pablo deben formar nuestra estrategia para la guerra, como tan evidentemente lo fueron para la suya:

> Pues aunque andamos en la carne, no militamos según la carne; porque las armas de nuestra milicia no son carnales, sino poderosas en Dios para la destrucción de fortalezas, refutando argumentos, y toda altivez que se levanta contra el conocimiento de Dios, y llevando cautivo todo pensamiento a la obediencia a Cristo.

El diablo ha estado arrogantemente erigiendo pensamientos contra el conocimiento de Dios desde el encuentro en el huerto del Edén. Él le susurró a Eva, y nos susurra a nosotros: *No puedes confiar en Dios. Él retiene cosas de ustedes. Él tiene un plan oculto. A Él no le importa más que Él mismo y, en realidad, ¡no se interesa por ti!*

Demasiados son los adolescentes que se han tragado el anzuelo, la caña y la plomada de sus mentiras y han llegado a creer que no pueden contar con su Padre celestial. Quizá su equivocada manera de ver a Dios se deba al maltrato o descuido de algún familiar. Quizá se desarrolló a partir de una iglesia o ministro frío, duro, legalista. Cualquiera sea la fuente, la persona joven debe saber y creer la verdad sobre nuestro Padre celestial o la libertad nunca resonará en ese corazón.

Si se ha 'levantado' una pared entre la cabeza y el corazón de un adolescente de modo tal que es incapaz de experimentar y gozar esa relación "¡Abba, Padre!" con Dios, debe derribar las fortalezas de las mentiras y reconstruir la fortaleza de la verdad. El ejercicio que sigue está pensado para empezar a hacer precisamente eso.

Haga que el adolescente lea lentamente en voz alta y con todo su corazón la siguiente lista. Empiece con la columna de la izquierda y diga: *Yo renuncio a la mentira que dice que mi Padre Dios es distante y desinteresado*. Luego, siga con la columna a la derecha , y diga: *Acepto gozosametne la verdad que dice que mi Padre Dios es íntimo y está interesado.* Luego siga con toda la lista del mismo modo, de izquierda a derecha.

La verdad sobre mi Padre celestial

Yo renuncio a la mentira que dice que mi Padre Dios es:	*Acepto gozosamente la verdad que dice que mi Padre Dios es:*
1. distante y desinteresado,	1. íntimo y está interesado en mí (Salmo139.1-18)
2. insensible y despreocupado,	2. bueno y compasivo (Salmo 103. 8-14)
3. severo y exigente	3. aceptador y lleno de gozo y amor (Sofonías 3.17; Romanos 15.7)
4. pasivo y frío,	4. cariñoso y afectuoso (Isaías 40.11; Oseas 11.3,4)
5. ausente o demasiado ocupado para mí,	5. siempre está conmigo y anhela pasar tiempo conmigo (Jeremías 31.20; Ezequiel 34.11-16; Hebreos 13.5)
6. nunca satisfecho con lo que hago, impaciente o enojado,	6. paciente, lento para la ira y se complace conmigo en Cristo (Éxodo 34.6; 2 Pedro 3.9)
7. malo, cruel o abusador,	7. amoroso, amable y protector para conmigo (Salmo 18.2; Isaías 42.3; Jeremías 31.3)
8. que trata de quitarme toda la diversión de mi vida,	8. confiable y quiere darme una vida abundante; Su voluntad es buena, aceptable y perfecta (Lamentaciones 3.22,23); Juan 10.10; Romanos 12.1,2)
9. controlador o manipulador,	9. lleno de gracia y misericordia, y me da la libertad de elegir, aunque yo me equivoque (Lucas 15.11-16; Hebreos 4.15,16)
10. condenador o que no perdona	10. tierno de corazón y perdonador; Su corazón y Sus brazos siempre están abiertos para mí (Salmo 130.1-4; Lucas 15.17-24).
11. minucioso, detallista o per feccionista,	11. dedicado a mi crecimiento y orgulloso de mí como hijo que crece (Romanos 8.28,29; 2 Corintios 7.4; Hebreos 12.5-11).

¡Yo soy la niña de Sus ojos!

Capítulo cuatro

¿Cómo puedo orientarlos a Jesús?

Yo (Rich) recibí hace poco una llamada telefónica de un miembro del personal de una gran organización cristiana de jóvenes. Me preguntó si yo podría hablar en un retiro nocturno que estaban realizando para unos 100 estudiantes de secundaria.

Luego de consultar con el Señor y mi esposa, lo llamé y le pregunté si podía llevar a mi familia. Eso no fue problema para ellos, así que acordé hablar en el retiro. Entonces, nuestra conversación se centró en el tema de la charla.

Queremos ayudar a nuestros estudiantes a obedecer a Dios y a andar en santidad, empezó él.

"¿Entonces, las cosas no han estado demasiado bien en ese aspecto?" sondeé.

Bueno, creo que necesitamos algo más que sólo decirles lo que deben hacer y lo que no. El tono de la voz del líder de jóvenes me comunicó claramente que él había estado buscando la guía del Señor en este asunto. Siguió, ¿tiene una idea de lo que podría decir?

Efectivamente sí repliqué rápidamente. Me parece como que ustedes necesitan algunos mensajes más orientados a la *gracia* que a la *ley*. Jesús dijo: "si me amáis, guardaréis mis mandamientos" (Juan 14:15).

¿Qué tal un mensaje sobre quiénes son en Cristo los estudiantes: sobre su identidad como hijos de Dios, y otro sobre quién es Cristo en ellos: el carácter de Dios? sugerí.

Se podía decir que él sonrió por teléfono.¡Eso es exactamente lo que nuestro equipo pensó que necesitamos!

Vistiéndose del nuevo yo

Como padres y líderes de jóvenes nos resulta fácil fijar nuestra atención primordialmente en la conducta de los adolescentes que amamos. Por ejemplo, quizá su adolescente o miembro del grupo de jóvenes tenga problemas relacionados con el mentir, así que usted reacciona reprendiendo al adolescente. "¡Deja de mentir! ¡Los cristianos no deben mentir porque la Biblia dice que deben decir la verdad!"

¿Hay algo malo con ese método? Bueno, efectivamente, tiene muchas cosas malas. Miremos uno de los pasajes clave del Nuevo Testamento sobre decir la verdad y no mentir para que vea de qué hablamos:

> No mintáis los unos a los otros, puesto que habéis desechado al hombre viejo con sus malos hábitos, y os habéis vestido del hombre nuevo, el cual se va renovando hacia un verdadero conocimiento, conforme a la imagen de aquel que lo creó. (Colosenses 3:9,10).

¿Cómo dejar de mentirnos los unos a los otros? Poniéndonos el nuevo yo. Pablo dice que nuestra motivación para decir la verdad es que ésta es característica de quienes somos en Cristo ahora; mentir es parte de quienes fuimos en Adán. Colosenses 3:11,12 continúa este tema de nuestra nueva identidad en Cristo destacando que *lo que hacemos viene de quiénes somos* y no al revés. Pablo escribe: "Entonces, como escogidos de Dios, santos y amados, revestíos de tierna compasión, bondad, humildad, mansedumbre y paciencia".

Nuestro problema consiste en que hemos visto versículos como "pues como piensa dentro de sí, así es" (Proverbios 23:7) y ¿qué vemos en el prójimo? El "así es". Entonces, pues, ¿qué tratamos de cambiar? El "así es". Si primero no procuramos cambiar el "como piensa dentro de sí", nunca obtendremos cambios duraderos en el "así es".

En otras palabras, se debe cambiar primero lo que la persona *cree*; entonces, la forma en que *se comporta* cambiará naturalmente.

En los últimos años se han organizado muchas campañas maravillosas para ayudar a los adolescentes a "decir no" a la inmoralidad sexual y permanecer puros hasta el matrimonio. Hay denominaciones enteras y grandes organizaciones paraeclesiásticas que han invertido elevados montos de tiempo, energía y dinero para llegar a esa meta. Y... ¿cómo nos va? ¿Nuestra juventud cristiana está viviendo con mayor libertad y victoria en este aspecto? Algunos sí, con toda seguridad, pero muchos no.

Las grandes reuniones, los conciertos y otros acontecimientos para los jóvenes son grandiosos hasta cierto punto. Los adolescentes responderán al Espíritu de Dios que obra por medio de altoparlantes, músicos, la presión positiva de sus compañeros y el entusiasmo del momento para hacer decisiones reales por Cristo y compromisos con la santidad personal. ¿Qué fruto perdurable queda después que termina el evento y se desvanecen las emociones? ¿Los jóvenes están verdaderamente libres de la esclavitud de sus vidas y pueden seguir hacia la madurez espiritual? ¿O todavía siguen atrapados en los pecados del pasado, condenados a ceder a las presiones de la carne una y otra vez?

El compromiso al crecimiento espiritual sin libertad de la esclavitud carnal y demoniaca solamente producirá frustración y derrota.

Libertad de los lazos sexuales

Yo (Rich) hace poco tuve la oportunidad de hablar a un grupo de 220 jóvenes varones estudiantes universitarios. La gran mayoría eran creyentes en Cristo que sinceramente deseaban andar con Él. Las muchas preguntas auténticas que hicieron sobre cómo exhortar a sus hermanas en Cristo, reflejaban la sinceridad y el compromiso de ellos para con Dios.

Conociendo la ferocidad de las tentaciones del mundo en el aspecto sexual, empecé a hablar de lo inútil que es combatir la esclavitud sexual por cuenta propia.

"Ahora es tan fácil hallar pornografía. No sólo existe la tentación constante de las revistas, libros y videos sino que, ahora, tenemos números telefónicos y páginas en el Internet. Con un par de clics del ratón, pueden llegar ahí.

"Muchos de ustedes han luchado con el pecado secreto, sufrido vergüenza secreta y ahora están ahogados secretamente en la derrota. Han luchado con la masturbación, el juego sexual previo y la relación sexual fuera del matrimonio y los deseos y actos homosexuales.

"Santiago 5:16 dice: 'Confesaos vuestras ofensas unos a otros, y orad unos por otros, para que seáis sanados. La oración eficaz del justo puede mucho'".

A esta altura invité a los hombres a que vinieran adelante con un amigo de confianza al cual pudieran confesar su pecado sexual y con quién pudieran orar. La respuesta fue inmediata y abrumadora. Cuando dejaron de pasar adelante, quizá unos 40 alumnos seguían en sus asientos.

Durante unos 20 minutos estuvieron con el corazón inclinado en la presencia de Dios confesando su pecado. Sin embargo, siguieron más allá de eso. Renunciaron verbalmente (rechazando y repudiando) todo uso sexual de sus cuerpos como instrumentos de injusticia.

Después que todos volvieron a sentarse, oramos juntos afirmando la totalidad del perdón y limpieza de Cristo (ver 1 Juan 1:9). Juntos anunciamos que nuestros cuerpos no eran sucios ni malos y que Dios nos aceptaba y, por tanto, podíamos aceptarnos a nosotros mismos. Luego, nos comprometimos a reservar el uso sexual de nuestros cuerpos solamente para el matrimonio.

Me sentí impulsado a terminar con el relato de Jesús y la mujer sorprendida en adulterio (ver Juan 8:1-11). Recordando las palabras finales de nuestro Señor para ella, dije por cuenta de Jesús: "Yo tampoco te condeno. Vete; desde ahora no peques más" (versículo 11).

Al sentarme todos se pararon, prorrumpiendo en una ovación de pie espontánea marcada por un coro de vivas y gritos regocijados que solamente pueden hacer los alumnos universitarios. La libertad y la esperanza en ese salón eran gloriosos.

¿Qué marcó la diferencia? En los mensajes anteriores yo ya había echado las bases de nuestra identidad en Cristo y la aceptación, seguridad y sentido completo que hallamos en Él. Los alumnos sólo tenían que hallar el camino de escape de su esclavitud sexual.

Ellos encontraron "el camino" en Jesús que es "el camino, la verdad, y la vida" (Juan 14:6).

Neil enseña cómo podemos quedar libres de fortalezas sexuales como el incesto, la violación, la lujuria, etc., en *A Way of Escape (Una Vía de Escape)*. La edición juvenil de ese libro, escrita por Neil y Dave Park, ya está a disposición. Esta obra crítica se llama *Purity Under Pressure (Pureza Bajo Presión)*.

Cristo es el eje

Necesitamos desesperadamente ir más allá de decir a nuestros jóvenes lo que es bueno y malo, aunque eso es una pieza clave del rompecabezas. Decirles que lo que hacen está mal no les da, sin embargo, ¡el poder para hacer lo que está bien!

Si alguien entiende qué significa ser hijo de Dios, está desarrollando una relación íntima con Dios del tipo "¡Abba, Padre!" y aprende cómo ser llenado con el Espíritu; esa persona hará casi instintivamente lo que es bueno.

¿Cuál es la solución? ¡Hacer que la gente se conecte con Cristo! Si alguien entiende qué significa ser hijo de Dios, está desarrollando una relación íntima con Dios del tipo "¡Abba, Padre!" y aprende cómo ser llenado con el Espíritu; esa persona hará casi instintivamente lo que es bueno.

Las Epístolas de Pablo se dividen básicamente en dos secciones: las *teológicas* y las *prácticas*. En nuestro celo por arreglar rápidamente los problemas de nuestros adolescentes, nos resulta fácil pasar por alto la primera y zambullirnos en la última.

¡El problema principal de esa costumbre es que la primera sección de esas cartas nos da la verdad fundamental para que *podamos* obedecer los mandamientos de la segunda sección! Por ejemplo, Colosenses 1 y 2 ponen los cimientos teológicos para que el lector obedezca los mandamientos de los capítulos 3 y 4.

El gráfico que sigue retrata las disciplinas básicas de una vida equilibrada: espiritual, mental , física y social. ¿Qué falta el eje central. Y el eje central es Cristo.

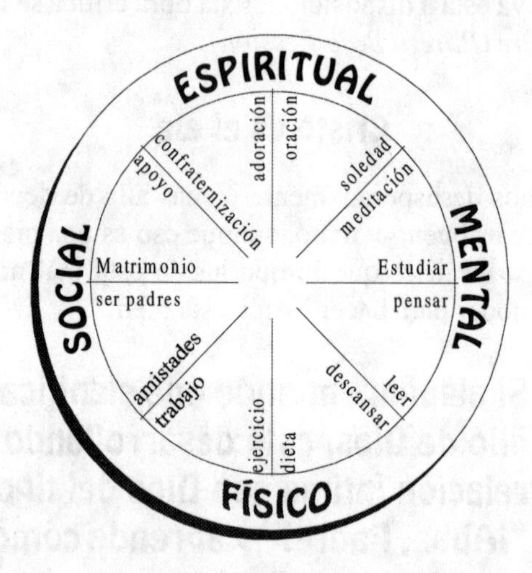

Sin tener a Cristo en el centro de todo lo que somos y hacemos, lo que resulta es una forma sutil de conductismo cristiano que suena como esto: "Lo que estás haciendo es malo. Debes hacerlo de esta manera". Los adolescentes responden diciendo "está bien, ¡me esforzaré más!" Y se esfuerzan más y fallan más.

El método del esforzarse más hace que la gente joven sea guiada más por la carne que por el Espíritu. Aunque progresemos de un legalismo negativo (¡no hagas esto!) a un legalismo positivo (¡haz esto, en cambio!), los resultados son los mismos. Mientras más nos alejemos del eje central más fuerte trataremos hasta que algo se rompa. ¿Resultado? Agotamiento, apatía o rebeldía con culpa.

Jesús dijo: "En esto es glorificado mi Padre, en que deis mucho fruto, y así probéis que sois mis discípulos" (Juan 15:8). Leemos las palabras de Jesús y concluimos que tenemos que dar fruto y conseguir que nuestros adolescentes hagan lo mismo. ¡No, no! Lo que tenemos que hacer es permanecer en Cristo y enseñar a los adolescentes para que hagan lo mismo. Si permanecemos en Cristo *daremos* fruto. Eso es promesa de Jesús.

Sin embargo, si tratamos de dar fruto y hacer lo bueno sin Jesús, nos caeremos de bruces. Jesús también afirmó: "Yo soy la vid, vosotros los pámpanos; el que permanece en mí, y yo en él, éste da mucho fruto, porque separados de mí nada podéis hacer" (Juan 15:5).

¿Hay algo de malo en los muchos programas y libros excelentes que están a disposición para ayudar a los adolescentes a que superen la presión de sus pares, establezcan buenas costumbres para salir y tener citas, mantengan la pureza sexual, se lleven bien con los padres y todo eso? No, la mayoría son buenos "peldaños" que, si se aplican en el orden correcto, darán sano consejo reflejando profundidad bíblica.

Eso es lo que hace tan sutil el problema que tratamos, porque la mayoría de los programas son excelentes.

El problema es que ponemos fácilmente nuestra confianza en programas y estrategias en lugar de depositarla en Cristo. Cualquier programa funcionará bien si Dios está en él. Ningún programa funcionará si Dios no está en él. De todos modos, si Dios está involucrado, un programa bueno será más fructífero que uno malo.

Colosenses 2:6,7 da un marco referencial para nuestra paternidad o discipulado de jóvenes en Cristo:

> Por tanto, de la manera que recibisteis a Cristo Jesús el Señor, así andad en Él; firmemente arraigados y esta-

> blecidos en Él y confirmados en vuestra fe, tal como fuisteis instruidos, rebosando de gratitud.

El orden es crítico y procede así:

1. Primero, *recibir a Cristo Jesús como Señor.*
2. Segundo, *estar firmemente arraigados en Él.*
3. Tercero, *seguir siendo edificados en Él.*
4. Cuarto, *andar en Él.*

¿Cómo se recibe a Cristo Jesús como Señor? Por gracia por medio de la fe. ¿Cómo se anda en Él? De la misma manera: por gracia por medio de la fe. Sin embargo, antes de que se pueda andar, la persona debe estar firmemente arraigada y seguir siendo edificada.

El siguiente cuadro muestra esos niveles de crecimiento y los conflictos característicos que los adolescentes enfrentan en cada nivel. Que sean una guía para mostrarle qué enfocar en su enseñanza a los jóvenes de su hogar o iglesia. Que también le adviertan de los conflictos y luchas que probablemente estén enfrentando esos adolescentes.

Discipulando en Cristo[1]
niveles de conflicto y crecimiento

	Nivel I:	**Nivel II:**	**Nivel III:**
	Identidad: Completo en Cristo (Colosenses 2:10)	**Madurez:** Edificado en Cristo (Colosenses 2:7)	**Caminar:** Andar en Cristo (Colosenses 2:6)
Vida Espiritual	**Conflicto:** Falta de salvación o seguridad (Efesios 2:1-3) **Crecimiento:** Hijo de Dios (1 Juan 3:1-3; 5:11-13)	**Conflicto:** Andar conforme a la carne (Gálatas 5:19-21) **Crecimiento:** Andar conforme al Espíritu (Gálatas 5:22,23)	**Conflicto:** Insensible a la guía del Espíritu (Hebreos 5:11-14) **Crecimiento:** Guiado por el Espíritu (Romanos 8:14)

Mente:	**Conflicto:** Entendimiento entenebrecido (Efesios 4:18) **Crecimiento:** Mente renovada (Romanos 12:2; Efesios 4:23)	**Conflicto:** Creencias erróneas de la filosofía de la vida (Colosenses 2:8) **Crecimiento:** Manejo exacto de la Palabra de verdad (2 Timoteo 2:15)	**Conflicto:** Orgullo (1 Corintios 8:1) **Crecimiento:** Apto, equipado para toda buena obra (2 Timoteo 3:16,17)
Emociones:	**Conflicto:** Miedo (Mateo 10:26-33) **Crecimiento:** Libertad (Gálatas 5:1)	**Conflicto:** Ira (Efesios 4:31), ansiedad (1 Pedro 5:7), depresión (2 Corintios 4:1-18) **Crecimiento:** gozo, paz, paciencia (Gálatas 5:22)	**Conflicto:** Descorazonamiento y pena (Gálatas 6:9) **Crecimiento:** Contento (Filipenses 4:11)
Voluntad:	**Conflicto:** Rebeldía (1 Timoteo 1:9) **Crecimiento:** Sumisión (Romanos 13:1,2)	**Conflicto:** Falta de domino propio, compulsivo (1 Corintios 3:1-3) **Crecimiento:** Dominio propio (Gálatas 5:23)	**Conflicto:** Indisciplinado (2 Tesalonicenses 3:7,11) **Crecimiento:** Disciplinado (1 Timoteo 4:7,8)
Voluntad:	**Conflicto:** Rechazo (Efesios 2:1-3) **Crecimiento:** Aceptación (Romanos 5:8; 15:7)	**Conflicto:** Falta de perdón (Colosenses 3:1-3) **Crecimiento:** Perdón (Efesios 4:32)	**Conflicto:** Egoísmo (Filipenses 2:1-5; 1 Corintios 10:24) Crecimiento: Amor fraternal (Romanos 12:10; Filipenses 2:1-5)

Para orientar a la gente a Jesús se requiere mucho más que tener un buen contenido bíblico en la enseñanza. Para el discipulado y la consejería se requiere mucho más que el solo conocimiento. "El conocimiento envanece, pero el amor edifica" (1 Corintios 8:1) y nada es la persona que tiene conocimiento sin amor (ver 13:2). El viejo adagio es cierto: A los adolescentes realmente no les importa cuánto sepa usted hasta que sepan cuánto le importan ellos.

El apóstol Pablo habló de la prioridad que tiene el carácter en el ministerio cuando le escribió a su hijo espiritual, el pastor Timoteo (2 Timoteo 2:1,2):

> Tú, pues, hijo mío, fortalécete en la gracia que hay en Cristo Jesús. Y lo que has oído de mí en la presencia de muchos testigos, eso encarga a hombres fieles que sean idóneos para enseñar también a otros.

Entonces... ¿qué clase de persona usa Dios para ayudar a los jóvenes a hallar libertad en Cristo? ¿Cuáles son las cualidades del carácter que se necesita para llegar a ser uno de los ministros de misericordia de Dios que lleve sanidad y restauración a los adolescentes espiritualmente afligidos?

Construyendo cualidades en el carácter

Como a la mitad de cada semestre del curso del seminario que yo (Neil) enseñaba sobre consejería pastoral, pedía a los estudiantes que sacaran hojas en blanco en las que tenían que escribir la cosa más horrible y vergonzosa que hubieran hecho alguna vez: ¡aquella cosa que esperaban que nadie supiera de ellos!

¿Se imaginan qué pensamientos pasaban por la mente mientras trataban de decidir qué escribir? *¿Por qué quiere que hagamos esto? ¿Qué hará con esta información? ¡De ninguna manera voy a escribir eso en un papel!* La mayoría pensaría, probablemente, en escribir el número 10 de su "Lista de Peores Aciertos " pero ¡ciertamente no el número uno!

Yo esperaba un minuto hasta que el nivel de ansiedad fuera intolerable. Entonces les decía que se detuvieran porque no quería, en realidad, exponer por escrito la inmundicia de sus almas. Yo sólo quería que sintieran por un momento la intensidad de la ansiedad que podría sentir una persona que va a consejería.

Póngase en el caso de una persona herida. Suponga que tuviera un secreto horrible, oscuro y profundo que le estuviera carcomiendo por dentro y que usted ya no pudiera seguir viviendo con eso. Usted sabe que necesita ayuda para resolver el asunto. Si otra persona fuera a ayudarle, ¿tendría que conocer el secreto? Por supuesto que sí o esa persona sería incapaz de ayudarle a resolverlo.

A esta altura los alumnos de mi clase del seminario estaban listos para aprender una cosa importante. Así que, después que había disminuido la presión sanguínea de todos, y que su pulso regresaba a lo normal, les pedía que contestaran la preguntas:

Si *tuvieran* que contarle a otra persona su peor secreto para quedar libre, ¿cuál sería la cualidad del carácter que querrían que la persona tuviera?

En otras palabras, ¿qué clase de persona tendría que ser, o no, el consejero, y qué clase de conducta debería demostrar o no?

Cuando los adolescentes tienen el valor de contar algo íntimo, andan buscando aceptación y afirmación. ¡No buscan consejo y, por cierto, ninguna crítica!

Yo anotaba en el pizarrón las conclusiones que compartían los estudiantes. Era típico que sus respuestas fuesen: *confidencialidad, amoroso, santo, bueno, que no juzgue, compasivo, que acepte, paciente, que entienda*. y *capaz de ayudar*.

Entonces, hacía que los estudiantes miraran la lista y les preguntaba a quién describían esa cualidades. Siempre daban la misma respuesta. ¡Es Jesucristo! Ese es el punto central de la consejería y del ser padres cristocéntricos: ¡ser como Jesús! Yo desafiaba a los alumnos preguntándoles: "si no lo han hecho así antes, ¿querrían ahora comprometerse a llegar a ser esa clase de persona?"

Aceptación y afirmación

Cuando los adolescentes tienen el valor de contar algo íntimo, (¡y ese es un momento exquisito y precioso!) ¿qué buscan primero? Aceptación y afirmación ¡No buscan consejo y, por cierto, ninguna crítica!

Cuando se confiesa a Dios ¿qué se obtiene? Aceptación y afirmación. Hebreos 4:15,16 pinta un cuadro lleno de gracia de nuestro sumo sacerdote, el Señor Jesús:

> Porque no tenemos un sumo sacerdote que no pueda compadecerse de nuestras flaquezas, sino uno que ha sido tentado en todo como nosotros, pero sin pecado. Por tanto, acerquémonos con confianza al trono de la gracia para que recibamos misericordia, y hallemos gracia para la ayuda oportuna.

Jesús conoce el dolor de ser tentado en el sufrimiento, por tanto, "es poderoso para socorrer a los que son tentados" (2:18). Él no pasó flotando por la vida, ajeno a la dificultad de andar con Dios. Él es plenamente humano, así que conoce la realidad del dolor. Él también es plenamente Dios, así que conoce el camino a la victoria y la libertad.

Orando por compasión y misericordia

La primera vez que yo (Rich) me senté en una "cita para la libertad" tuve el privilegio de servir como socio de oración en una sesión guiada por Ron Wormser. Ron y Carole, su esposa, han guiado a cientos de personas por los Pasos hacia la Libertad en Cristo y Dios los ha usado en forma poderosa.

La aconsejada era una mujer que había sido horriblemente maltratada por su padre cuando era niña. Su madre le tenía tanto terror a su marido que se quedaba pasiva mientras ocurría el abuso. La víctima tuvo que perdonar tanto a su mamá como a su papá. Puedo recordar su oración sollozada y con las entrañas desgarradas perdonando como si eso hubiera pasado el día anterior.

"Padre, yo perdono a mi mamá por quedarse ahí dejando que mi papá abusara sexualmente de mí. Ella debería haber tratado de detenerlo porque se supone que las madres tienen que proteger a sus niñitas". Su voz se puso como la de una niñita mientras oraba y lloraba con la agonía de ese doloroso recuerdo.

Los ojos de Ron empezaron a llenarse de lágrimas y luego se desbordaron. La senda que esas lágrimas recorrieron por sus mejillas siguió el mismo curso de otras tantas lágrimas incontables que habían caído antes. En cambio, mis ojos estaban secos.

Profundamente remecido por mi insensibilidad al dolor ajeno, me fui de esa reunión clamando a Dios: "Oh, Señor, Tu Palabra dice que lloremos con lo que lloran ¿Por qué no pude llorar con esa señora? ¡Por favor, rompe la costra que haya alrededor de mi corazón que ahoga el flujo de Tu compasión y misericordia!"

Alabo a Dios por la obra que ha hecho y sigue haciendo en ese aspecto de mi vida. Jesús, que lloró en la tumba de Lázaro, anhela verdaderamente llenar nuestro corazón con esa misma clase de ternura. He llegado a aprender que la compasión no es señal de debilidad en el varón sino de fortaleza.

Tenemos que ser como el sumo sacerdote de Hebreos 5:2 que "puede obrar con benignidad para con los ignorantes y extraviados, puesto que él mismo está sujeto a flaquezas". Ninguno de nosotros "ha llegado". Obrar a través de nuestras luchas es lo que nos califica para ayudar tiernamente a los demás.

Los cristianos duros, crueles y enjuiciadores se han olvidado de las profundidades de la gracia de Dios dada gratuitamente a ellos, o nunca la sintieron. La gente engreída y orgullosa no tiene conciencia de su propia necesidad de misericordia. Por tanto, son incapaces de dar misericordia a los demás.

Mucha gente no ve a la Iglesia como casa de misericordia y, en algunos casos, tienen toda la razón. ¡Reciben más misericordia y menos juicio en el bar de la esquina o en el programa secular de los 12 pasos que en algunas iglesias!

La Iglesia tiene la gracia en Cristo para ayudar en tiempo de necesidad, pero no se le dará la oportunidad de entregarla si no podemos dejar de enjuiciar y, en cambio, ser misericordiosos. Jesús dijo:

Sed misericordiosos, así como vuestro Padre es misericordioso. No juzguéis y no seréis juzgados; no condenéis, y no seréis condenados; perdonad, y seréis perdonados" (Lucas 6:36,37).

La gente dolorida no puede soportar ni un gramo más de condenación. Están batallando con la recriminación propia y las acusaciones atormentadoras de parte del enemigo. Nuestro mensaje es "no hay ahora condenación para los que están Cristo Jesús" (Romanos 8:1).

Decir sencillamente a la gente que tienen que "ponerse bien con Dios" o "confesar sus pecados y seguir adelante, viviendo" es algo que ignora la realidad de la esclavitud y la batalla por la mente. Es probable que ellos *quieran* ponerse bien con Dios pero no saben cómo. Es probable que ya hayan confesado sus pecados muchas veces pero se sientan atrapados en un ciclo interminable e infinito de "pecar, confesar, pecar, confesar".

El perfil bíblico del consejero eficaz

¿Hay un pasaje bíblico que describa a la persona por medio de la cual Dios puede obrar para ayudar a los que estén esclavizados? Sí, está en 2 Timoteo 2:24-26:

> Porque el siervo del Señor no debe ser contencioso, sino amable para con todos, apto para enseñar, sufrido; que con mansedumbre corrija a los que se oponen, por si quizá Dios les conceda que se arrepientan para conocer la verdad, y escapen del lazo del diablo, en que están cautivos a voluntad de él.

Pasaremos el resto de este capítulo analizando este pasaje de la Escritura.

El Siervo del Señor

Primeramente debemos ser siervos del Señor. El ministerio de ayudar a los jóvenes a hallar libertad en Cristo requiere una dependencia total del Señor. Igual que el siervo de un amo humano que no actúa por propia iniciativa sino que, más bien, espera las órdenes de su amo, así debemos nosotros confiar en la guía del Espíritu Santo. La tentación (especialmente después de tener cierta experiencia) es apoyarnos en nuestro propio entendimiento más que confiar en el Señor con todo nuestro corazón (ver Proverbios 3:5,6). Fácil es que el orgullo se infiltre especialmente después que hayamos tenido algunos éxitos.

Yo (Rich) había estado "pasando por un tiempo de éxito". En varias semanas había visto que mucha gente quedaba maravillosamente libre al guiarlos por los Pasos hacia la Libertad en Cristo. Durante una de esas citas de consejería, me dije (¡y naturalmente que Dios escuchó!) "si alguien entra a mi oficina y quiere verdaderamente ser libre, yo puedo guiarlos a la libertad".

No se necesita un profeta para saber que yo me había deslizado sutilmente al pecado del orgullo y la arrogancia. Debí ser humillado y Dios no perdió tiempo. La próxima persona que vino a consejería se fue casi en el mismo estado en que vino. Su caso sigue siendo un misterio para mí hasta hoy, y un constante recordatorio de que el Señor dijo: "pero a éste miraré: al que es humilde y contrito de espíritu, y que tiembla ante mi palabra" (Isaías 66:2).

La Palabra de Dios registra en 2 Samuel 5 un relato corto pero fascinante de dos victorias militares muy semejantes aunque muy diferentes. Poco después de que David había sido ungido rey, los filisteos lanzaron una ofensiva masiva contra Israel. Vinieron y se desplegaron por el Valle de Refaim, en formación de ataque.

Sabiamente, David consultó al Señor, "¿subiré contra los filisteos? ¿Los entregarás en mi mano?" (2 Samuel 5:19). La respuesta de Dios fue: "¡Anda!" Y David y el ejército vencieron al enemigo. Los filisteos huyeron con tanta rapidez que dejaron atrás sus ídolos. Inmediatamente David dio órdenes de que se quemaran esos falsos ídolos (ver 1 Crónicas 14:12) protegiendo así a su gente también de los enemigos espirituales.

Aparentemente los filisteos decidieron que no les bastaba lo sucedido y se reagruparon en el mismo valle. Evidentemente ¡no eran muy imaginativos en sus estrategias militares! Hubiera sido fácil que David se figurara: *Oye, el mismo plan de ataque, el mismo plan de contraataque, el mismo resultado, ¿no?* ¡No, equivocado!

Afortunadamente David no confió en su experiencia ni en su entendimiento. Una vez más inquirió al Señor y fue bueno que lo hiciera. ¡Esta vez la estrategia de Dios fue totalmente diferente! El Señor ordenó:

> No subas directamente; da un rodeo por detrás de ellos y sal a ellos frente a las balsameras. Y cuando oigas el sonido de marcha en las copas de las balsameras, entonces actuarás rápidamente, porque entonces el Señor habrá salido delante de ti para herir al ejército de los filisteos" (2 Samuel 5:23,24).

David obedeció el insólito plan de batalla de Dios y ¡ganó otro triunfo grande! ¿Quién en este mundo hubiera pensado en esa senda a la victoria?

Ése es precisamente el punto: ¡nadie *en el mundo* hubiera podido concebir un plan como ése! Solamente Dios tiene esa clase de sabiduría.

Tenemos que humillarnos ante Dios y darnos cuenta de que cada situación de consejería es diferente porque cada corazón humano es diferente. Nuestros problemas pueden ser extremadamente complejos y las estrategias de engaño del enemigo son miríadas.

Tienta confiarse en métodos, técnicas o destrezas personales del consejero. Debemos aprender a confiar completamente en la obra consumada de Cristo y en la guía del Espíritu Santo. Solamente Él puede abrir los ojos de alguien a la verdad. Solamente Él puede dar poder al creyente para que elija la verdad y ande conforme a ella. Solamente Él puede llevar a una persona al punto de darle la espalda al pecado y volverse a Dios.

No hay nada malo en las herramientas, métodos y técnicas de ministerio. Los Pasos hacia la Libertad en Cristo son una herramienta, y como toda herramienta sólo son efectivos como quien los use. Un creyente en Cristo lleno del Espíritu que esté rendido y sea sensible a la guía del Señor será, no obstante, mucho más fructífero en este ministerio que aquel que no lo esté, aunque ¡éste último tenga mucha más experiencia en consejería!

No contencioso

Segundo, el siervo del Señor no debe ser contencioso. Como exhortadores, (los consejeros) nunca debemos ponernos la meta de cambiar el corazón o la mente de un adolescente. Unicamente Dios puede hacer eso. Nosotros debemos decir la verdad con amor (ver Efesios 4:15) pero si el aconsejado niega la verdad o rechaza el amor, no es nuestra responsabilidad. Haremos bien en aplicar la definición de "consejería exitosa" originalmente desarrollada por la Cruzada Estudiantil para Cristo en el área de la evangelización personal:

> La consejería exitosa es, sencillamente, tomar la iniciativa en el poder del Espíritu Santo para presentar con amor la verdad y dejar los resultados a Dios.

Como dijera el poeta, "un hombre convencido en contra de su voluntad es aún de la misma opinión". Esto se aplica doblemente a los adolescentes. Puede que uno sea capaz de sacar una respuesta positiva del adolescente ante sus argumentos poderosos y uno puede irse totalmente convencido (¡y engañado!) de que el joven que se está aconsejando ha sido persuadido genuinamente. A menos que el Espíritu de Dios le haya movido al arrepentimiento, no ha habido en realidad un cambio.

Cuídese también, del riesgo de dejarse llevar a una discusión por el adolescente que está aconsejando. Evite las generalizaciones como: "toda la música rock es mala" o "yo sé que todos los adolescentes son rebeldes".

Nada le gusta más al diablo que usted pierda su credibilidad con el adolescente al cual aconseja. No eche leña al fuego, ofreciendo sus propias opiniones moralistas o reaccionando a los comentarios duros y críticos del aconsejado. Escuche la sabiduría de Salomón: "El necio no se deleita en la prudencia, sino sólo en revelar su corazón" (Proverbios 18:2).

Sería mucho mejor meter a Dios en la discusión más que trazar líneas de combate entre su opinión y la del adolescente. Exhorte al joven a que ore algo como esto: *Señor, ¿quieres mostrarme si esta música (o grupo de rock o película, etc.) es buena o no para mí?* Espere que Él conteste. Si el adolescente sigue pareciendo confundido, llévelo a Filipenses 4:8 y haga que evalúe el asunto en cuestión a través de ese filtro.

Amable para con todos

Tercero, el siervo del Señor debe ser amable para con todos. En su mayoría, los adolescentes viven en un mundo cruel que no perdona. Constantemente están sintiendo la presión de estar a la altura de, y si no lo hacen, pueden sentir la reacción dura y la humillación degradante. Ya es bastante malo que la gente joven experimente esto en la escuela; es devastador cuando lo encuentran en casa.

Una jovencita que había sido sometida a abuso sexual por su familia, cuando dio los Pasos hacia la Libertad en Cristo se describió como indigna, estúpida, que no podía hacer nada bien, desprotegida, vulnerable, indefensa, asustada, no amada, terrible, equivocada, infantil, no parte de la familia, atrapada, de segunda clase, inferior, débil, víctima, rechazada, aprovechada, usada, violada, invadida, no querida y traicionada. Sentía como que no le gustaría a la gente, a menos que tuviera relaciones sexuales con ellos. Decía que sentía como si le hubieran arrancado las mismas entrañas de ella.

¿Es de asombrarse que la Escritura haga tan crítico el atributo de la "amabilidad" para el consejero? La amabilidad se comunica por la palabras que se dicen, el tono de la voz con que se dicen y la expresión facial usada cuando se habla. Además, de eso, la amabilidad se demuestra *escuchando* la historia del adolescente.

Son demasiados los adolescentes que nunca tienen la oportunidad de ser escuchados. Están más acostumbrados a que los interrumpan con consejos, los hagan callar con duras críticas o los humillen con comentarios burlones.

Santiago escribió: "Esto sabéis mis amados hermanos. Pero que cada uno sea pronto para oír, tardo para hablar, tardo para la ira; pues la ira del hombre no obra la justicia de Dios" (1:19,20). Usando la amabilidad auténtica usted escucha al adolescente y, probablemente, gane su corazón.

Apto para enseñar

Cuarto, el siervo del Señor debe ser apto para enseñar. Aunque el carácter santo es el factor más crítico para aconsejar adolescentes con éxito, no hay sustituto del conocimiento de la Palabra de Dios. Estamos en contra del padre de mentira y solamente podemos resistirle con la verdad. La Palabra de Dios es verdad (ver Juan 17:17). Cuando se está bajo ataque espiritual directo, esa verdad debe decirse en voz alta para resistir al diablo, tal como hizo Jesús cuando fue tentado en el desierto (ver Mateo 4:1-11; Lucas 4:1-13).

¿Por qué hablar en voz alta? Porque solo Dios conoce perfectamente los pensamientos e intenciones del corazón (ver 1 Reyes 8:39). El diablo es capaz de figurarse a veces lo que uno piensa (basado en el lenguaje corporal y cosas por el estilo), y es capaz de plantar pensamientos en su cerebro, pero no puede leer perfectamente su mente. Por tanto, siempre debemos recordar someternos a Dios por dentro y resistir al diablo externamente. Es la Palabra de Dios hablada, la espada del Espíritu (ver Efesios 6:17) de lo cual huye el príncipe de las tinieblas.

La primera pieza de la armadura protectora contra el enemigo es "el cinturón de la verdad" (Efesios 6:14), y tenemos que preparar "nuestra mente para actuar" (1 Pedro 1:13). Por tanto, Pablo nos amonesta que procuremos "con diligencia presentarte a Dios aprobado, como obrero que no tiene de qué avergonzarse, que maneja con precisión la palabra de verdad" (2 Timoteo 2:15). Satanás es un maestro para jugar al "impostor" con la verdad (ver Mateo 4:6), así que cerciórese de que lo que cree y enseña estén de acuerdo con toda la Biblia y que no esté sacando un texto fuera de contexto.

Tenemos que conocer la verdad porque la verdad hace libres a los cautivos (ver Juan 8:31,32). Vuelva a leer 2 Timoteo 2:24-26. Cuando Dios da arrepentimiento, ¿conduce al conocimiento de qué? De la verdad. El Espíritu Santo es "el Espíritu de verdad" (Juan 14:17) que nos guía "a toda la verdad" (16:13).

Recuerde que en la raíz de toda mala conducta están las malas creencias. Los adolescentes están viviendo esclavizados a las mentiras que creen. Debemos ser capaces de enseñar la verdad con amor, confiando en que el Espíritu Santo abrirá sus ojos para que puedan reaccionar con fe y ser liberados.

Sencillamente no hay sustituto para el conocer y usar exactamente la Palabra de Dios.

Algunas mentiras corrientes que surgen cuando se dan los Pasos hacia la Libertad en Cristo son las siguientes: *Dios no me ama; yo soy diferente de los demás; nunca podría hacer eso; esto no va a servir; no tengo esperanzas, nunca saldré de esto*; y *Dios no me ayudará, he pecado demasiado*.

Debemos ser capaces de refutar esas mentiras de abajo con la verdad de lo alto.

Porque la Palabra de Dios es viva y eficaz, y más cortante que cualquier espada de dos filos; penetra hasta la división del alma y del espíritu, de las coyunturas y los tuétanos, y es poderosa para discernir los pensamientos y las intenciones del corazón (Hebreos 4:12).

Sencillamente no hay sustituto para el conocer y usar exactamente la Palabra de Dios.

Sufrido

Quinto, el siervo del Señor debe ser sufrido cuando lo tratan mal. Algunos adolescentes no quieren oír la verdad aunque sea dicha con amor. Puede que no quieran ponerse bien. Ellos han elegido conscientemente vivir en su pecado. Muchos se ofenden de que se les pida que vayan a consejería porque sienten que un padre o madre o líder de jóvenes, bien intencionados, los engañaron o atraparon para estar ahí.

Quizá estén buscando una "cura rápida" para salir del dolor y quieren que uno haga todo el trabajo y "los arregle". Puede que no les guste cuando se les dice honestamente la verdad: que usted no puede arreglarlos, que solo Dios puede. Ellos pueden reaccionar cuando se les dice que Dios los sanará sólo después de que ellos asuman sus responsabilidades de confesar el pecado, perdonar al prójimo, renunciar a las mentiras y optar por la verdad.

Cualquiera sea la razón, los adolescentes heridos dicen a menudo cosas que duelen. Muchos de sus estallidos de enojo no están dirigidos realmente contra usted, el exhortador (consejero). Puede que estén enojados con Dios, sus padres, un amigo o amiga, o con ellos mismos. Usted sólo sacó el tema y entonces es quien se aguanta el golpe. Por supuesto que si usted dice algo que necia e innecesariamente les provoque a ira, ¡no se espante por sus estallidos!

¿Así, pues, qué debe hacer si los adolescentes expresan rabia? Deje que ventilen su enojo y, luego, siga con la sesión. No se tome personalmente el estallido. El amor cubre multitud de pecados y, si usted ama verdaderamente a los adolescentes que aconseja, puede manejar su ira. Proverbios 12:16 también da una porción de sabio consejo:

> El enojo del necio se conoce al instante, mas el prudente oculta la deshonra.

Manso

Sexto, el siervo del Señor debe ser manso . La única vez en que Jesús describió Su carácter fue en Mateo 11:29. "soy manso y humilde de corazón". Si una persona fuera poderosa en el Espíritu de Cristo ¿cómo se demostraría ese poder? Creemos que lo sería en mansedumbre: el poder bajo control.

Sencillamente no podemos andar pasando por encima de la gente y presionando firme y fuerte por una resolución. Si nos adelantamos al tiempo de Dios, perderemos a un adolescente. Si no podemos hacer con amor lo que hacemos, es mejor que dejemos de hacerlo. Si no podemos decir con amor lo que decimos, es mejor dejarlo sin decir.

Este espíritu de mansa paciencia es crítico para guiar a los adolescentes por los Pasos hacia la Libertad en Cristo. Se necesita tiempo para dar los "Pasos" totalmente. Tenemos que estar dispuestos a sentarnos por el tiempo que sea necesario para que el joven resuelva los conflictos espirituales y personales de su vida.

No tenemos idea cómo fue que la profesión de la consejería decidió realizar sesiones semanales de 50 minutos de duración. Ese proceso no se basa en una teología ni filosofía de la resolución. Usted no puede resolver nada en intervalos de 50 minutos. Si abre una herida en la consejería (tan a menudo como deba) asegúrese de cerrarla en esa misma sesión: sin que importe cuánto tiempo lleva.

Recomendamos mucho que usted guíe a los adolescentes por todo el proceso de los Pasos hacia la Libertad en Cristo en una sola sesión. Aparte un período de cuatro horas para ese propósito. Aunque lo característico es poder completar en dos o tres horas una sesión con un adolescente, dese suficiente tiempo para que ni usted ni el aconsejado se sientan apurados.

"El amor es paciente" (1 Corintios 13:4). Hemos tenido muchos aconsejados que nos miran asombrados después de la sesión y exclaman: "¡no puedo creer que haya pasado tanto tiempo conmigo!" Ellos responden a nuestro amor demostrado por nuestra voluntad de tomarnos todo el tiempo necesario para ayudarlos.

Diremos al joven, mientras nos preparamos para dar los Pasos hacia la Libertad en Cristo: "Nos quedaremos aquí contigo todo el tiempo que lleve que halles tu libertad". A veces, la persona meneará la cabeza con incredulidad, diciendo: "¡Usted no tiene suficiente tiempo para hacer eso!" Responderemos con toda sinceridad: "Nos quedaremos aquí toda la noche y trabajaremos esos asuntos, si es eso lo que se necesita".

También tenemos que sentirlo. Así que es mejor que usted lo sienta o los adolescentes que aconseja sentirán que son una carga para usted. Eso sólo servirá para reforzar sus sentimiento de rechazo e indignidad.

Proverbios 19:22 dice: "Lo que es deseable en un hombre es su bondad". Digámoslo de nuevo: la compasión, la amabilidad, la paciencia y la mansedumbre son rasgos esenciales del carácter de los buenos padres y de aquellos que desean ayudar a otros hallar su libertad en Cristo. Todos son resultados de la obra del Espíritu Santo en nuestras vidas (ver Gálatas 5:22,23).

Consagrado a la verdad

Por último, el siervo del Señor debe estar consagrado a la verdad y saber incuestionablemente que Dios y solo Dios puede dar arrepentimiento, dirigiendo a la gente al conocimiento de esa verdad. Los adolescentes esclavizados están cautivados por Satanás para hacer la voluntad de éste. Dios quiere liberarlos para que hagan Su voluntad.

Solo Dios puede llevar a los adolescentes a que recobren sus sentidos para que escapen del lazo del diablo. Ésa es la terminología exacta que usó Jesús para referirse al hijo pródigo de Lucas 15:17. "volviendo en sí". De repente se corrió el telón y entró la luz a raudales. La niebla se disipó y todo se volvió claro. Eso es lo que se necesitó para que el hijo menor volviera a casa. Eso es lo que se necesita asimismo para cada aconsejado. Se necesita la obra de Dios en el corazón humano.

¿Cuál es el papel de la Iglesia? ¿Cuál es el papel del padre/madre? Asegurarse de que cuando el hijo pródigo vuelva a casa, encuentre al Padre que perdona antes de toparse con el hermano mayor que juzga.

El papel de la Iglesia

Concluimos el capítulo con la historia de la hija de un pastor que había sido horriblemente abusada de niña. Yo (Neil) tuve el privilegio de ayudarla a resolver los conflictos de su vida de los cuales tenía conciencia. Al final de la cita de consejería, le dije que se mirara en el espejo.

¿Tan mal me veo? preguntó ella, que había pasado por un tiempo desgarrador de perdonar a los que habían abusado de ella.

No, ¡tan bien te ves! le repliqué con una sonrisa.

Ella escribió lo que sigue y nos lo dio a Joanne, mi esposa, y a mí para Navidad:

Mientras estaba de vacaciones un año, cuando era niña, me encontré un reloj de oro tirado en el suelo. Estaba cubierto de suciedad y grava, y estaba boca abajo en el estacionamiento del motel. A primera vista, no parecía valer el esfuerzo de agacharse y recogerlo pero, por alguna razón, me hallé inclinándome de todos modos. El cristal estaba roto, le faltaba la correa y la esfera tenía humedad.

Por todo lo que se veía no había una razón lógica para creer que este reloj aún funcionaría. Todo indicaba que su próxima parada sería la basura. Los familiares que estaban conmigo en la ocasión se rieron de mí por recogerlo. Mi mamá hasta me retó por tomar un objeto tan sucio que estaba tan evidentemente destruido. Al tomar la perilla de la cuerda, mi hermano comentó mi falta de inteligencia.

Lo aplastó un automóvil bromeó él nada puede soportar esa clase de trato.

Al darle cuerda, la segunda aguja del reloj empezó a moverse. Mi familia estaba equivocada. En verdad, todo estaba en contra de que el reloj funcionara pero había algo en que nadie había pensado: No importaba cuán roto estuviera por fuera, si por dentro no estaba dañado, aún funcionaría.

E indudablemente daba la hora exacta. Este reloj fue hecho para dar la hora. Su aspecto externo no tenía nada que ver con el propósito para el cual fue diseñado. Aunque la apariencia externa estaba dañada, el interior estaba intacto y en perfecto estado..

Veinticinco años después sigo teniendo el reloj. Lo saco cada tanto y le doy cuerda. Todavía funciona. Pienso que siempre andará en la medida en que el interior siga intacto. Sin embargo, si yo no me hubiera molestado en recogerlo y tratar de darle cuerda hace años, nunca hubiera sabido que la parte del reloj que realmente importaba seguía aún en perfecta unión con Dios.

Aunque luce como un pedazo de chatarra, siempre será un tesoro para mí porque yo miré más allá del aspecto externo y creí en lo que realmente importaba: su capacidad de funcionar en la forma para la cual fue creado.

Gracias, Neil y Joanne, por hacer el esfuerzo de recoger el reloj y darle cuerda. Me están ayudando a ver que mis emociones pueden estar dañadas pero mi alma está aún en perfecto estado. Y para eso fue creada para ser con Cristo, la única parte permanente: la parte que realmente importa.

Sé que esto es verdad muy dentro en lo profundo de mi corazón, sin que importe que me digan mis sentimientos. También creo que con la ayuda del siervo de Dios, hasta la caja puede ser reparada y quizá hasta vuelva a ser funcional otra vez.

¿No es ese el papel de la Iglesia: recoger el reloj y darle cuerda? Tenemos un ministerio de reconciliación, llevando gente a Cristo y llevando Cristo a la gente.

Es la única respuesta que tenemos. Es la única respuesta que da libertad. Es la única respuesta que da esperanza.

Capítulo cinco

¡Esto significa guerra!

Yo (Rich) hace poco estuve hablando por teléfono con una señora cuya hija de 13 años sufre una grave anorexia. Esta pobre niña había estado entrando y saliendo de los hospitales durante varios años a la fecha pero sin ver progreso real alguno. Recientemente había caído en tal desesperación que había tratado de quitarse la vida, y se hubiera muerto si su padre no hubiera regresado a casa, inesperadamente más temprano, de su trabajo.

Creyendo que Jeremías 32:27 es absolutamente cierto: "He aquí, yo soy el Señor, el Dios de toda carne, ¿habrá algo imposible para mí?", empecé a hablar de mi convencimiento del poder de la oración.

"¿Se dan cuenta de la tremenda autoridad que ustedes tienen para orar por su hija, como marido y mujer? Seguro que yo puedo orar por ella y también la iglesia, pero esas oraciones son como *un complemento*, no un *sustituto* de las oraciones de ustedes".

Para mi sorpresa, lo que declaré resultó ser toda una revelación para la madre.

"Mire usted, nunca pensé en eso de esa manera. Es realmente bueno saberlo. Hasta ahora siempre había tenido alguna esperanza de que mi hija se curara debido a que usted u otros de la iglesia estaban orando".

¿Cuántos padres, nos preguntamos, funcionan así? Debido a que sus hijos no están bien espiritualmente, ellos se sienten inadecuados, culpables e indignos. Por tanto, claman a otros para que oren por ellos, descuidando la tremenda autoridad espiritual que esgrimen como padres.

No nos entienda mal. No decimos que sea malo pedir a otros que oren por su o sus adolescentes. El apóstol Pablo nos instó a que oremos unos por otros y suplicaba que otros oraran por él en Efesios 6:18-20

Efectivamente, le animamos que forme un equipo de intercesores para sus hijos adolescentes o los de su grupo de jóvenes. Busque los intercesores verdaderos de su iglesia: la gente que no quiere más que pasar largo tiempo en la presencia de Dios, elevando alabanzas y peticiones a Él. También puede pedir a intercesores individuales que consideren "adoptar en oración" a una persona joven en particular hasta que ¡toda su familia o grupo de jóvenes esté cubierto!

Con relación a la autoridad de los padres en la oración, considere las siguientes referencias de las Escrituras:

> Yo te daré las llaves del reino de los cielos; y lo que ates en la tierra, será atado en los cielos; y lo que desates en la tierra, será desatado en los cielos (Mateo 16:19).

Luego de declarar algo semejante en Mateo 18:18, el Señor Jesús agregó las siguientes verdades:

> Además, os digo que si dos de vosotros se ponen de acuerdo sobre cualquier cosa que pidan aquí en la tierra, les será hecho por mi Padre que está en los cielos. Porque donde están dos o tres reunidos en mi nombre, allí estoy yo en medio de ellos (18:19,20).

Ahora bien, sería maravilloso si todos pudiéramos reunirnos como creyentes y ponernos de acuerdo en que Satanás y todos sus demonios fueran echados al planeta Marte hasta la segunda venida de Cristo. Sin embargo, la Escritura no da ninguna instrucción para hacer eso. La oración autorizada en el Espíritu debe originarse en el cielo, no en la tierra. Lo que dos o tres acuerden es la dirección en que el Espíritu Santo los guía en oración.

Así, ¿qué autoridad tenemos para 'atar' y 'soltar'? Los fariseos acusaron a Jesús de echar fuera demonios por Belcebú (un nombre de Satanás). Jesús contestó diciendo: "¿cómo puede alguien entrar en la casa de un hombre fuerte y saquear sus bienes, si primero no lo ata?" (Mateo 12:29). Jesús es Aquel que ata al hombre fuerte (Satanás) y se lleva su propiedad.

Satanás se gana el derecho a obrar en la vida de la gente debido al terreno que ellos le dan: por medio de la participación en el ocultismo, sectas, ira sin resolver, orgullo, rebelión, pecado sexual y cosas por el estilo. Para reconquistar ese terreno tenemos que atar primero al hombre fuerte por la autoridad que tenemos en Cristo.

Santiago 4:7 dice: "Someteos, pues, a Dios; resistid al diablo, y huirá de vosotros". El orden es crítico para ambos, el que ora y aquel por el cual se ora.

Como padres, deben someterse primero a Dios, para tener autoridad espiritual en oración, tanto individualmente como en pareja. Si ustedes dos, marido y mujer, son creyentes, ¿están andando humildemente rendidos al señorío de Cristo? De no ser así, les instamos a que hagan de eso su prioridad número uno: arreglarse con Dios individualmente y, luego, reconciliarse uno con otro. ¿Pueden ver cómo el diablo quizá haya invalidado los esfuerzos del Señor para rescatar a su hijo inmovilizándolos espiritualmente a ustedes como padres?

Desafortunadamente mucha gente entiende Santiago 4:7 al revés. En lugar de someterse a Dios y resistir al diablo, ¡resisten a Dios y se someten al diablo! El resultado es que se encontrarán con que el mismo Dios se les opone (Santiago 4:6), para ni siquiera nombrar también a Satanás.

Si usted es padre o madre y tiene un cónyuge no creyente que no quiere orar, no se desespere. Busque una persona del mismo sexo suyo que tenga autoridad espiritual en la iglesia (por ejemplo, el pastor o la esposa del pastor) para que se ponga de acuerdo con usted en oración. No crea la mentira que dice que usted está en desesperada desventaja en el ámbito de la autoridad espiritual. Primera de Corintios 7:14 da ánimo en esa situación:

> Porque el marido que no es creyente es santificado por medio de su mujer; y la mujer que no es creyente es santificada por medio de su marido creyente; de otra manera sus hijos serían inmundos, mas ahora son santos.

Debido a que como padres (o líderes de jóvenes) somos llamados a ser mayordomos de aquellos encargados a nosotros, debemos entonces encomendar al Señor nuestros matrimonios, familias, ministerios, casas y todo lo que en ellas haya.

Job hizo costumbre habitual la de consagrar a sus hijos, levantándose temprano por la mañana. Él hacía esto como salvaguarda espiritual en el caso de que sus hijos se volvieran contra Dios en sus corazones (ver Job 1:5).

La lista que sigue fue adaptada de una lista del doctor John Maxwell, y da algunas pistas útiles por las cuales orar. Siéntase libre para agregarle otros temas de oración y referencias bíblicas que correspondan a sus adolescentes.

Cómo orar por sus adolescentes

1. Que conozcan a Cristo como Salvador y le sigan a Él como Señor, buscándolo diariamente y anhelándolo (Salmo 63:1; Romanos 10:9,10; 12:1,2).
2. Que conozcan su identidad, su posición y su autoridad en Cristo (ver Romanos 6:1-14; Efesios 1:3,14; 2:6; Santiago 4:7).
3. Que odien el pecado y anden libres de la esclavitud al pecado (ver Proverbios 8:13; Gálatas 5:1,13; Hebreos 12:1-3).
4. Que sean encontrados cuando sean culpables, que sufran las consecuencias constructivas del pecado y tengan un corazón arrepentido (ver Salmo 119:67,71; Romanos 2:4).
5. Que tengan corazones tiernos que perdonen y no alberguen rencores (ver Mateo 6:12-15; 18:21-35; Efesios 4:31,32).
6. Que sean protegidos del maligno en todo aspecto de la vida y que tengan la habilidad de llevar cada pensamiento cautivo a la obediencia de Cristo (ver 2 Corintios 10:5; 2 Tesalonicenses 3:2,3).
7. Que respeten a quienes estén en autoridad (especialmente a los padres) sobre ellos y que rechacen el espíritu de orgullo y rebeldía (ver Romanos 13:1-5; Efesios 6:1-3; 1 Pedro 5:5).
8. Que deseen tener buenas amistades y las encuentren y que sean protegidos de la corrupción moral que viene

de las malas compañías (ver Proverbios 13:20; 18:24; 27:5,6,9,17; 1 Corintios 15:33).
9. Que ellos y sus futuros cónyuges permanezcan sexualmente puros hasta casarse (ver 1 Corintios 6:18-20; 1 Tesalonicenses 4:3-8).
10. Que sean protegidos del cónyuge malo y resguardados para el bueno (ver Proverbios 18:22; 2 Corintios 6:14-18).
11. Que tengan la sabiduría de Dios para las elecciones que hagan en la vida (universidad, trabajo, ministerio, etc.) (ver Proverbios 3:5,6; Santiago 1:5-8).
12. Que desarrollen un corazón compasivo por toda la gente y especialmente por el perdido (ver Mateo 9:35-38; 2 Timoteo 4:1-5).
13. Que tengan toda una vida de desarrollo del carácter santo en el poder del Espíritu Santo (ver Romanos 8:29; Gálatas 5:16-18,22,23; Efesios 5:18).

Orando por la protección de Dios

Todas las noches yo (Rich) oro por la protección de Dios para mis hijos. Oro por sus cuerpos, para que sean resguardados de la enfermedad y las lesiones. Si están enfermos, oro por rápida curación y protección de las complicaciones.

También oro por la protección de sus almas: que ellos crean la verdad y rechacen las mentiras del diablo. Oro por protección sobre las pesadillas y otros ataques nocturnos del enemigo. Oro que sus mentes sean llenadas con pensamientos felices y sueños buenos. También oro que se enamoren profundamente de Jesús y crezcan confiando en Él en todos los aspectos de su vida.

Entonces, como mayordomo de la casa en que vivimos, consagro nuestro terreno, automóviles, casa, aparatos electrodomésticos, muebles y servicios al Señor y me resisto a toda intrusión del mal, sea humana o demoniaca. Finalmente, pido al Señor que aparte especialmente los cuartos de nuestros hijos y el dormitorio mío y de Shirley como lugares de gracia, paz y descanso nocturno.

¿Significa eso que tenemos un matrimonio perfecto e hijos perfectos? Me temo que no. Mi *esposa* aún tiene aspectos de su vida que trabajar (¡y yo también!) ¿Significa eso que siempre estamos en perfecta salud y siempre dormimos perfectamente en la noche? Bueno, Michelle vomitó solo nueve veces la otra noche. ¿Significa eso que nuestra casa está en perfectas condiciones y que nunca nada necesita reparaciones? No del todo: ¡especialmente en una casa rural que tiene 120 años de antigüedad!

Todos vivimos en un mundo caído en que tendremos tribulaciones (ver Juan 16:33), pero cuando rehusamos neciamente someternos a Dios y resistir al diablo, nos abrimos de par en par a sus ataques y a todo lo demás.

La oración es el arma más grande, porque cuando oramos metemos a Dios en la situación.

Sea que sus hijos sean pequeños (como los de Rich) o adolescentes, usted puede orar por ellos. Puede que ellos no lo escuchen, pero usted puede orar por ellos. Puede que ellos se escapen y abandonen la casa, pero usted aun puede orar. Jesús narró una parábola en Lucas 18 "para enseñarles que ellos debían orar en todo tiempo, y no desfallecer" (versículo 1).

La oración es el arma más grande, porque cuando oramos metemos a Dios en la situación. Solo Dios puede ablandar un corazón duro. Solo Dios puede vendar un corazón quebrado. Solo Dios puede humillar un corazón orgulloso. Solo Dios puede encender el fuego en un corazón apático. Solo Dios puede traer de vuelta a casa a un corazón fugitivo. Solo Dios.

Preparación para la cita hacia la libertad

Las oraciones que están al final de este capítulo están concebidas como modelos para iniciarle en la intercesión por los adolescentes que ama. Que el Señor lo guíe más allá de estas oraciones genéricas a las peticiones específicas. No se rinda.

La oración es, asimismo, crítica para el éxito o fracaso de "la cita para la libertad". La oración antes de la cita ayuda a que los aconsejados recuperen sus sentidos para que busquen ayuda dando los Pasos hacia la Libertad en Cristo.

Por eso nuestra política es no cazar a los adolescentes para guiarlos por los Pasos. Les informamos que estamos a su disposición para ayudar a los que deseen libertad pero esperamos que el joven herido venga a nosotros. ¿Por qué? Cosa humillante es admitir que uno necesita ayuda y Dios "da gracia al humilde" (Santiago 4:6). Hasta que los adolescentes no se desesperen lo suficiente para buscar ayuda para vencer su esclavitud espiritual, probablemente no estén listos para dar los Pasos hacia la Libertad en Cristo, de todos modos.

También recomendamos a los jóvenes que vayan a una de nuestras conferencias para jóvenes o que lean *Emergiendo de la Oscuridad* y *Rompiendo las Ataduras, Edición Juvenil* antes de dar los Pasos. El contenido que ahí hallarán enmarcará "la cita para la libertad en su contexto bíblico adecuado proveyendo así una marcha mucho más suave.

La excepción de esa regla sería si la persona joven experimenta tanto quebranto mental de parte del enemigo que, simplemente, es incapaz de concentrarse en el material. Algunos adolescentes bien intencionados serán despiadadamente bombardeados con

pensamientos que los distraerán o atormentarán mientras traten de leer o escuchar. En los casos graves es posible que los jóvenes sean ensordecidos mientras tratan de escuchar a un conferencista, sea en vivo o en grabación. También pueden hallar que su vista se les nubla o ciega mientras tratan de leer los libros. En estos casos, debe hacerse 'la cita para la libertad' suponiendo que el adolescente está de acuerdo.

Una vez más, la oración es, asimismo, clave *durante* "la cita para la libertad'. De ser posible, en la sesión tenemos presente a un adulto del mismo sexo del aconsejado adolescente, para que bañe con oración todo el tiempo. Esta costumbre también sirve para entrenar al 'socio de oración' en el ministerio de guiar a otros por los Pasos hacia la Libertad en Cristo. Mejor es que el socio de oración sea una persona de confianza del joven aconsejado y que tenga una relación continua de rendir cuentas con ese adolescente.

¿Qué pasa con los 'asuntos difíciles' de verdad como son los trastornos del comer? ¿Pueden los Pasos hacia la Libertad en Cristo ayudar a la gente joven que está apresada en esa clase de esclavitud grave? Absolutamente sí, aunque se deben tener presentes algunas precauciones importantes.

Busque atención médica cuando se necesite

Primero, no queremos decir en absoluto que los Pasos sean sustitutos de la apropiada atención médica. Los adolescentes que sufren anorexia o bulimia necesitan ser supervisados por el ojo avizor del médico y pueden necesitar hospitalización para estabilizar los electrolitos y reconstituir el peso corporal a nivele seguros. Descuidar esto podría producir la muerte.

No se equivoque, la juventud se muere por los trastornos del comer. Decidir piadosamente no acudir al médico para, sencillamente, 'confiar en Dios' con un adolescente en peligro por anorexia o bulimia, puede ser un error fatal. Consultar al médico no es un acto de incredulidad. El mismo apóstol Pablo tenía a Lucas, su propio médico personal que viajaba con él.

Los pasos no son la panacea universal

Segundo, guiar a alguien por los Pasos hacia la Libertad en Cristo no significa necesariamente que se haya ganado la guerra. Dar los Pasos significa, para muchos adolescentes, que se le entrega la ayuda suficiente para encaminarlos a la recuperación total. Sin embargo, para otros, pueden necesitarse meses de compasiva consejería/atención (a menudo fuera de la casa). Esto es especialmente cierto en el caso de aquellos cuya estima propia ha sido gravemente dañada a través del rechazo o abuso traumatizantes. Las víctimas de los trastornos del comer son especialmente proclives a las recaídas.

Por cierto, lo mejor es una institución cristiana que brinde tratamiento espiritual, psicológico y médico consistente y con amor, especialmente si el personal entiende el poder de nuestra identidad en Cristo y cómo resistir la influencia del maligno en la vida del creyente. Cuando los planes de los seguros médicos no proveen las finanzas necesarias para esta atención, y normalmente es cara, la iglesia tiene la responsabilidad de ayudar a los padres necesitados en toda forma posible.

La anorexia y la bulimia pueden ser condiciones sumamente complejas que desafían los medios convencionales de tratamiento. Por eso, un cuestionario espiritual de amplia base como son los Pasos hacia la Libertad en Cristo, pueden ser una pieza crítica del proceso de sanidad.

Por ejemplo, una adolescente anoréxica está, casi ciertamente, "escuchando a espíritus engañadores y a doctrinas de demonios" (1 Timoteo 4:1) y tendrá que renunciar a esa costumbre en el Paso Uno.

Una enseñanza demoniaca particular que especifica 1 Timoteo 4:3 es la de 'abstenerse de alimentos que Dios ha creado para que con acción de gracias participen de ellos los creyentes que han conocido la verdad". El adolescente tendrá que confesar que no ha agradecido la comida sino que, por el contrario, la ha visto como enemiga.

Primera de Timoteo 4:4 prosigue diciendo: "Porque todo lo que Dios creó es bueno, y nada es de desecharse, si se toma con acción de gracias; porque por la palabra de Dios y por la oración es santificado". Un ejercicio útil para la adolescente anoréxica es hacer la siguiente renuncia y afirmación:

> Señor, yo renuncio a la mentira que dice que la comida es mala y que se debe rechazar. En cambio, opto por creer la verdad de Dios que dice que la comida es buena y que debe recibirse con gratitud. Ahora afirmo que esta comida puesta ante mí es santificada por medio de la Palabra de Dios y esta oración. Dame fuerzas por medio del Espíritu Santo para comer este alimento y hasta disfrutarlo. En el nombre de Jesús. Amén.

La batalla de anoréxicas y bulímicas

La batalla por la mente de las anoréxicas y bulímicas fue retratada vívidamente en un programa *20/20* de la cadena televisiva ABC el 2 de diciembre de 1994. Peggy Claude-Pierre, directora de "La Mansión", Victoria, Canadá, describió la batalla como "una guerra civil que se libra en sus cabezas".

Una paciente anoréxica confió: "tengo un montón de voces en mi cabeza que me dicen que no coma, que me dicen que haga ejercicio, que me dicen cuán mala soy, que me dicen que no puedo confiar en esta gente".

La señora Claude-Pierre describió el tormento mental de sus pacientes como que "su cerebro les pide a gritos que tengan la audacia de comer". Algunas enfermas, contó, hasta entran en trances totales. "Ellas siguen oyendo las voces de su cabeza que les dicen que no coman", agregó la señora.

La señora Claude-Pierre, que ha tenido un éxito grandioso por medio de su programa de atención intensiva durante las 24 horas con afirmación y afecto cariñoso, aconsejaba tiernamente a una mujer en su establecimiento. Mientras las cámaras filmaban, la batalla por la mente de esta joven era intensa.

Queremos amarte, le dijo amablemente la señora Claude-Pierre.

No soy para ser amada contestó quedamente la joven.

¿Por qué piensas que no eres para ser amada? La señora Claude-Pierre la abrazaba, comunicando amor, compasivamente cara a cara.

Yo soy una persona mala, terrible.

No eres una persona mala. No te tendríamos aquí si fueras una mala persona.

La letanía de palabras de autocondenación siguió adelante. La joven dijo a la señora Claude-Pierre que "estoy aquí por error". Dijo "no valgo nada, no soy para ser salvada".

¿Por qué hay una espiral tan horrible de conducta autodestructiva, como lo dijo la señora Claude-Pierre, como si "comer menos y menos los empequeñeciera cada vez más hasta que, sencillamente desaparezcan"? ¿Por qué ese sentido desgarrador de no valer nada, con un nivel de dolor y sufrimiento que sólo pueden imaginar otras anoréxicas y bulímicas?

Las anoréxicas y bulímicas, según la señora Claude-Pierre, tienden a ser perfeccionistas, obsesionados con una meta inalcanzable de arreglar muy bien todo lo que los rodea. Cuando fallan, empiezan a sentirse despreciables. Cuando se dan cuenta que no pueden arreglar las cosas, comienzan un intento inconsciente de suicidio. Las víctimas de los trastornos del comer, dice la señora, creen que no merecen vivir.

Habitualmente empieza con un intento de controlar lo único que sienten que *pueden* controlar. Hasta puede que reciban cierto aliento de otras personas que les dicen que "se ven bien". Se sienten mejor al observar que disminuye su peso.

Entonces las voces de su cabeza asumen el control rehusando dejarlas comer, haciéndolas sentir, como dijo una jovencita, "una cerda gorda, odiosa, asquerosa, vil, obesa, con sobrepeso, manchada" hasta cuando están cerca de morirse de hambre.

Aunque la señora Claude-Pierre no entiende que las atormentadoras voces de las potestades demoniacas son eso, no niega que estén ahí. Hablando de esas voces, la señora concluyó: "Sucede así. Son reales para ellas [las pacientes] y eso las hace muy reales".

Muy reales indudablemente. Sin embargo, el hijo de Dios tiene la autoridad en Cristo para "Someteos, pues, a Dios; resistid al diablo, y huirá de vosotros" (Santiago 4:7).

Esa es precisamente la primera de siete áreas importantes que pueden estar contribuyendo a la anorexia.

Renunciar a las mentiras

En el Paso Dos tendrá que confesar que ha creído la mentira que dice que está gordo/a y que comer cantidades normales de alimento le harán engordar. Probablemente tenga que renunciar a más mentiras como "soy feo/o", "soy malo/a", "nadie me ama", "no valgo nada", y otras más por el estilo.

Puede llevar un tiempo de consejería tierna y amorosa, y de hablar la verdad con amor antes que una anoréxica o una bulímica se convenza de que esas cosas son realmente mentiras. Los tratamientos de la señora Claude-Pierre llevan típicamente de 9 a 12 meses antes de que haya sanidad total.

Dios es también capaz de hacer una maravillosa obra de sanidad en un tiempo mucho menor. Una señorita vino a nuestra conferencia e hizo progresos reales para vencer su trastorno del comer. Ella había creído que 120 libras (aproximadamente 55 kilos) era "la frontera de la gordura". Si pesaba más de eso, estaba segura de que tendría sobrepeso. El Señor abrió sus ojos a ese engaño y lo renunció. Su testimonio gozoso y público demostró que estaba bien encaminada hacia la libertad.

En el Paso Dos deben renunciar también a todas las costumbres de mentir tocante a la comida (cuando realmente no ha comido), de esconder hábilmente la comida, querer comer a solas, y otras costumbres engañosas. A veces, las anoréxicas y las bulímicas usan pesos en los tobillos, escondidos, para parecer más pesadas cuando las pesan. Algunas envenenan su comida para tener que vomitarla. Otras hacen ejercicio en forma compulsiva, aunque estén acostadas, tratando frenéticamente de quemar las calorías.

Satanás ama las tinieblas y quiere que las adolescentes anoréxicas y las bulímicas mantengan cosas escondidas. Andar en la luz es el único camino hacia la libertad y limpieza (ver 1 Juan 1:7).

Otra mentira básica que habitualmente se creen las adolescentes anoréxicas y las bulímicas es que su valor y dignidad provienen de su aspecto físico. Por tanto, están obsesionadas con permanecer delgadas, temerosas de que engordar les acarree sentirse indignas. A esta mentira también debe renunciarse.

Las adolescentes anoréxicas pueden estar también dominadas por el miedo a crecer. Temen las responsabilidades y las presiones del ser adultas de modo que sabotean su desarrollo físico, no comiendo. Están controladas por el miedo al fracaso, habiendo creído la mentira que dice que son incapaces de manejar la vida de adolescente o de adulta. Aprender a confiar en Dios para que las proteja y les provea, será un factor clave para que haya sanidad.

Tratando el rencor y la falta de perdón

En el Paso Tres se tratan los aspectos del rencor y la falta de perdón. En algunos casos, las adolescentes usan sus trastornos del comer como un arma para vengarse de los padres que las han controlado demasiado. Si este es el caso, puede aclararse aquí.

Un gran punto de muchos casos en los trastornos del comer es el abuso sexual. Si la adolescente ha sido tratada así, tendrá que perdonar al abusador. Esa puede ser una de las partes más duras de este viaje y puede parecer como una montaña que no puede escalarse.

Aunque no hay túneles que la atraviesen ni convenientes desvíos, el Señor Jesús promete bondadosamente caminar con ella hasta la cumbre: la cumbre de esa 'montaña' de perdonar a los demás para llegar a la libertad que aguarda al otro lado.

Cubriendo los temas de la rebeldía y el orgullo

El Paso Cuatro se enfoca en la rebeldía y, por cierto, que esas adolescentes que se niegan a comer o que vomitan o desechan por medio de laxantes aquello con que sus padres o médicos tratan de alimentarlas, son culpables de este pecado.

El Paso Cinco cubre los asuntos del orgullo, que es enorme en los trastornos del comer. Las anoréxicas pueden agarrarse desesperadamente a esta sola área de control: la comida, rehusando entregarla al Señor.

A veces, se sienten tan asfixiadas en su vida que creen que controlar lo que comen es la única opción que les queda. Tienen que humillarse ante el Señor y dejar que Él dicte cómo tratar sus cuerpos.

Un pasaje bíblico importante que se debe enseñar a las adolescentes con trastornos del comer es 1 Corintios 6:19,20.

> ¿O no sabéis que vuestro cuerpo es templo del Espíritu Santo, que está en vosotros, el cual tenéis de Dios, y que no sois vuestros? Pues por precio habéis sido comprados; por tanto, glorificad a Dios en vuestro cuerpo y en vuestro espíritu, los cuales son de Dios.

Una vez más, el control del cuerpo de uno puede ser una herramienta para dominar a los demás. A veces, retorcidamente, la joven anoréxica puede sentir que está siendo buena con la familia al sufrir este estado. La persona ve que todos los demás de la familia se unen para combatir esta crisis, creando así una sensación de "armonía" que puede no haber existido antes. Por tanto, subconscientemente, la adolescente puede ponerse reacia a ser sanada por miedo a que la familia vuelva a dividirse.

Para muchas que han sufrido los trastornos del comer durante largo tiempo, resulta aterrador tener que ceder esta área de control, aunque las esté matando. Se siente cierta seguridad en lo que es familiar, sin que importe cuán destructor sea. Sin duda que 'todo cambio es enfrentado con resistencia y acompañado por pena". La gente atrapada en cualquier adicción o esclavitud conoce este dolor demasiado bien.

Renunciar a los malos usos del cuerpo

El Paso Seis es crítico para que la adolescente renuncie al uso de su cuerpo como instrumento de injusticia. Será bueno para ella renunciar específicamente al mal uso de sus ojos, nariz, boca, estómago, manos y pies que practican la anorexia.

Una oración especial en la que se renuncia al perfeccionismo y la compulsividad (ver los Pasos hacia la Libertad en Cristo en la segunda sección de este libro) es factor crítico para obtener la libertad completa.

Si ha habido abuso sexual, en el Paso Seis ella puede hallar libertad completa de todo enlace pecador que haya tenido lugar con el abusador. Renunciando a toda manera en que su cuerpo fue malamente usado en lo sexual, ella puede dar un paso final a dejar atrás su pasado.

Confrontar la atadura generacional

Finalmente, en el Paso Siete, se asestará un golpe mortal a toda atadura generacional. Por cierto que esto es factor causal en muchos casos de anorexia. Coordinadamente con la declaración y la oración de este Paso, contribuirá mucho a la curación que un padre o madre u otro pariente que hubiera aportado a la anorexia, pide perdón a la adolescente.

Una historia de libertad y victoria

Podrían narrarse muchas historias de libertad y victoria acerca de la lucha contra los trastornos del comer. La siguiente viene de una niña de 17 años que está bien encaminada hacia la libertad de la bulimia que empezó después de ser sexualmente atacada. Ella no ha recorrido todavía todo el camino pero ¡ha andado mucho!

Yo soy una que conoce el poder del material de la Libertad en Cristo y toda la libertad que da... ¡si uno permite que esa sanidad tenga lugar! Mirando atrás, no cambiaría nada de la manera en que tuve que tratar todo lo que salió en ambas citas para la libertad en que participé. Aunque hubiera deseado, por un tiempo, haber podido mantener en secreto todo durante los años venideros.

Ya no tengo más miedo de los libros de Neil Anderson y, lo más importante, ¡puedo leer mi Biblia! (¡algo que nunca podía hacer o que nunca pensé que podría hacer de nuevo!)

Lo increíble es que estaba exageradamente bulímica antes de dar los siete pasos por segunda vez. Estaba vomitando por lo menos 3 a 6 veces por día, luego de comer apenas algo. Pero nunca hubiera reconocido eso a nadie.

Desde la última vez que los vi [hace como un mes] no puedo decir que no haya estado enferma o que mis hábitos de comer sean completamente normales pero puedo afirmar que sólo me he enfer-

mado unas 5 veces desde entonces. ¡Ustedes NO tienen la más mínima idea de lo bien que se siente uno al haber vencido algunas de las batallas más grandes que tengo que enfrentar a diario sobre lo que como! Se siente tan bien poder ir a cualquier restaurante y ¡pedir lo que quiera sin preocuparme después que termine de comer!

Muchas gracias por tomarse el tiempo de hablarme. Realmente necesitaba volver a dar los pasos de nuevo. Otra vez han cambiado mi vida y estoy más que dispuesta a decir que fue para mejor. No quiero volver a perder mi libertad nunca más y, si por alguna razón la pierdo, ahora tengo las herramientas para recuperarla.

A menudo ayuda a una persona, como a esa niña, dar más de una vez los Pasos hacia la Libertad en Cristo. Esto es especialmente cierto cuando ha habido varios aspectos de traumas mayores en la vida de la persona.

La libertad llega para algunos con tanta facilidad como pelar una banana. Una sesión es todo lo que se necesita. Para otros, la esclavitud se suelta por etapas, como las capas finas de una cebolla. El Señor es amable y sabe cuánto podemos tolerar. Nuestro papel de "exhortadores" es ser sensibles al amable Jesús y no empujar a la gente más allá de lo que son capaces de manejar durante una sesión.

Casi podría decirse que los D.D.A y D. HK.D.A. son las enfermedades "finas" de la década de los 90. Para algunos no son más que chivos emisarios para eludir la responsabilidad.

Las enfermedades "Finas" de los 90

Otro problema corriente de los adolescentes es lo que se llama desorden por déficit de la atención (D.D.A) o desorden hiperkinético por déficit de la atención (D.HK.D.A.) y, casi puede decirse que son las enfermedades "finas" de los 90. Para algunos estos son, sin duda, diagnósticos útiles y exactos. Para otros, no son más que chivos emisarios para eludir la responsabilidad.

Un juez de un tribunal de jóvenes de una localidad revisaba el caso de un adolescente que había sido rebelde a la autoridad. El joven dijo confiadamente "soy un D.D.A". Sin duda que esperaba clemencia o, al menos, algo de simpatía.

El juez lo miró severamente y dijo: "Todos los que vienen aquí dicen que son D.D.A. Hijo, mejor que no uses eso como excusa de tu mala conducta". Fue sentenciado a una rígida libertad condicional vigilada.

Para ser honesto con usted, tendríamos que agregar nuestro amén de todo corazón a la advertencia del juez.

Tenga la seguridad de que no abogamos por una negación completa de todo lo que dice el mundo médico sobre este trastorno, que es un problema químico.

Muchos padres han visto que la Ritalina y otros estimulantes les salvaron la vida cuando estaban al final de sus recursos para manejar a sus adolescentes hiperactivos.

Sin embargo, decimos que el solo hecho de que una droga sirva para aliviar síntomas no significa que cure el problema de raíz. Una aspirina disminuye el dolor de cabeza y permite que la persona funcione pero, en primer lugar, ¿qué causó el dolor de cabeza? Un tranquilizante puede calmar los nervios de alguien para que pueda dormir pero... ¿ha sido curada la fuente real de la tensión?

Recordando la amonestación de Jesús a buscar primero el reino de Dios y Su justicia (ver Mateo 6:33), ¿por qué no ver si hay alguna raíz espiritual en el problema? Quizá la persona esté oyendo voces que le están haciendo perder la cabeza. Quizá el enemigo está poniéndole pensamientos que lo distraen para que no pueda concentrarse.

Si el estado persiste, luego de dar los Pasos hacia la Libertad en Cristo, no se ha perdido nada. Como mínimo ¡estará realmente listo para la comunión del domingo próximo!

A un amiga íntima de alguien de nuestro personal le diagnosticaron D.D.A. y ella lo había aceptado en calidad de hecho de la vida. Muchos aceptan pasivamente el diagnóstico médico asumiendo que "así es como soy yo, supongo". El miembro de nuestro personal fue escéptico en este caso, así que preguntó: ¿cuándo tienes que luchar más para poder concentrarte?"

Oh, cada vez que estoy en la iglesia o cuando trato de leer la Biblia, contestó ella sin darle importancia.

Piensa un minuto en eso. Si esto fuera simplemente un problema químico de tu cerebro, ¿por qué tendrías que luchar más por concentrarte cuando tratas de acercarte a Dios?

Las luces empezaron a encenderse en su cerebro y admitió que muy bien podía haber sido engañada. Al ir dando los Pasos hacia la Libertad en Cristo se le confirmó que su D.D.A. era, en realidad, una batalla por su mente. Ahora ella está aprendiendo a ponerse firme en su autoridad en el Señor y llevar cautivo cada pensamiento a la obediencia de Cristo. La diferencia es profunda.

Complete todo el proceso de los pasos

En cualquier situación de consejería con un adolescente, recomendamos dar todos los siete Pasos hacia la Libertad en Cristo, cosa que vale para el adolescente que simplemente no parece motivarse a andar con Dios hasta aquellos metidos en el ocultismo, satanismo y brujería.

Nosotros tendemos a adoptar un enfoque de la consejería por partes y trabajar el síntoma más evidente, pensando que eso curará el problema. Lo que vemos puede ser sólo el síntoma superficial de un problema más profundo. Un adolescente que duerma demasiado puede ser algo más que perezoso; puede estar muy deprimido. Una niña que no obedezca los toques de queda y ande con un grupo nuevo, puede estar en algo más que "pasando por otra etapa", puede estar metiéndose en el ocultismo.

Cuando guiamos a un adolescente por todo el proceso de los Pasos hacia la Libertad en Cristo, damos amplia oportunidad al Espíritu de Dios para que saque a superficie todos los asuntos de raíz. Antes que intentar figurarnos por cuenta propia cuáles son, dejamos que Dios haga el trabajo detectivesco. Pablo dio un amplio principio de consejería cuando escribió:

> "Así que, no juzguéis antes de tiempo, sino esperad hasta que el Señor venga, el cual sacará a la luz las cosas ocultas en las tinieblas y también pondrá de manifiesto los designios de los corazones; y entonces cada uno recibirá su alabanza de parte de Dios" (1 Corintios 4:5).

En otras palabras, deje que sea Dios quien dirija la película. Haga que el aconsejado invite al Espíritu Santo a recordarle las cosas que deben ser renunciadas. Él sacará a la superficie lo que es necesario en el momento oportuno. Obrando paciente y amablemente a través de los siete Pasos, le da a Él la oportunidad de hacer brillar Su luz en las áreas tenebrosas de la vida de la o el joven. Entonces, una vez que la luz haya penetrado en las sombras y rincones oscuros de la vida del adolescente, él o ella encontrarán de nuevo el gozo de sentir la afirmación y alabanza ¡del mismo Dios!

Así pues, ¿qué podemos esperar que ocurra en la vida del adolescente que da los Pasos hacia la Libertad en Cristo? Para contestar eso debemos diferenciar primero entre "libertad" y "madurez". Considere la siguiente tabla:

Libertad	Madurez
Libertad es estar liberado del sostén que el enemigo tuvo en nosotros debido a nuestro pecado.	*Madurez es ser transformado por medio de una mente renovada, de modo que la carne y los hábitos de la vida propia estén sometidos al Espíritu Santo.*
Libertad es poder ser capaz de elegir por fe creer la verdad independientemente de los sentimientos.	*Madurez es un estilo de vida que enfoca las cosas que son verdaderas, honorables, justas, puras, amorosas, etc. (ver Filipenses 4:8).*
Libertad es poder ser capaz de sentir la amplia gama de emociones humanas sin dejarse dominar por ellas.	*Madurez es el carácter de Cristo demostrado por la maduración (no la perfección) del fruto del Espíritu y la expresión de emociones santas.*
Libertad es estar libre de rencor, odio y rabia al escoger perdonar a los demás de todo corazón.	*Madurez es desarrollar un corazón lleno de compasión, bondad, misericordia, benignidad y paciencia.*
Libertad es sentir un hambre renovado por la Palabra de Dios y la oración y tener la habilidad de concentrarse en ellas.	*Madurez es un profundo amor y confianza en Dios por medio de un estilo de vida de oración, tiempo con la Palabra, obediencia y soportar tiempos difíciles.*

La libertad está concebida para cada hijo de Dios, sea o no adolescente, sin que importe cuán joven o viejo sea en Cristo. Por otro lado, la madurez es el proceso vitalicio de ir llegando a ser como

Cristo. Nunca alcanzamos la perfección de este lado del cielo, pero siempre tenemos que estar yendo hacia adelante hacia una madurez cada vez mayor (ver Filipenses 3:13).

Corre fuerte en la carrera

La vida cristiana puede compararse con una carrera de caballos. Muchos cristianos son como los caballos atrapados en la salida cuya puerta se atascó, que nunca pueden unirse a los demás que ya van volando por la pista hacia la línea final de la llegada. Otros "se ponen a cojear" en alguna parte de la carrera y no son capaces de terminar.

La libertad permite al creyente meterse en la carrera y empezar a correr fuerte. La madurez capacita al cristiano para terminar la carrera y ganar.

La libertad permite al creyente meterse en la carrera y empezar a correr fuerte. La madurez capacita al cristiano para terminar la carrera y ganar.

Sin que primero se sienta la libertad no puede haber esperanza de madurez y victoria.

El autor de Hebreos lo dice así:

> Por tanto, puesto que tenemos en derredor nuestro tan gran nube de testigos, despojémonos también de todo peso y del pecado que tan fácilmente nos envuelve, y corramos con paciencia la carrera que tenemos por delante, puestos los ojos en Jesús, el autor y consumador de la fe, quien por el gozo puesto delante de Él soportó la cruz, menospreciando la vergüenza, y se ha sentado a la diestra del trono de Dios (12:1,2).

La libertad es dejar de lado las cosas que nos pesan y desenredarnos de los pecados que nos hacen lentos, para que podamos correr. La madurez es fijar nuestros ojos en la meta final, Jesús, corriendo la carrera de la vida con resistencia.

Es una carrera larga y, a veces, dura pero, al contrario de las carreras de caballos y acontecimientos en las pistas de hoy, no estamos compitiendo contra los otros corredores. Tenemos el gozo y la oportunidad de correr juntos con nuestros hermanos y hermanas en Cristo, tomados del brazo y estrechando filas armadas juntos mientras todos nos esforzamos para llegar a la "meta final" de caer en los brazos de Jesús.

Esperamos que ahora esté claro que no creemos que los Pasos hacia la Libertad en Cristo

sean una panacea universal para las luchas de la persona. Las luchas, el dolor, las dificultades y las cosas duras son parte natural de la carrera de la vida, y la vida cristiana no es una excepción. La mayoría de los adolescentes no se entusiasmarán especialmente por esta realidad pero deben conocerla. De lo contrario, el enemigo no tendrá problemas para tenderles emboscadas a medida que van presentándose las pruebas de la vida.

Sin duda que hemos sido llamados a librar la batalla contra el mundo, la carne y el diablo, pero estas son batallas que se pueden ganar porque Cristo ya ganó la guerra.

Jesús nos advirtió sobre la "guerra del mundo" y nos dio palabras de consuelo en Juan 16:33.

> Estas cosas os he hablado para que en mí tengáis paz. En el mundo tenéis tribulación; pero confiad, yo he vencido al mundo.

Pablo describió la guerra entre el Espíritu y la carne en Gálatas 5:16,17

> Digo, pues: Andad por el Espíritu, y no cumpliréis el deseo de la carne. Porque el deseo de la carne es contra el Espíritu, y el del Espíritu es contra la carne, pues estos se oponen el uno al otro, de manera que no podéis hacer lo que deseáis.

La guerra sigue cuando nos encontramos con los poderes de las tinieblas. Se nos manda que nos pongamos la armadura de Dios para que "fortaleceos en el Señor, y en el poder de su fuerza" (Efesios 6:10). El lenguaje de la guerra vuelve a surgir cuando Pablo escribe:

> "Porque nuestra lucha no es contra sangre y carne, sino contra principados, contra potestades, contra los poderes de este mundo de tinieblas, contra las huestes espirituales de maldad en las regiones celestes" (Efesios 6:12).

Le hacemos un pobrísimo favor a los adolescentes si les damos la impresión de que dar los Pasos hacia la Libertad en Cristo significa el fin de las batallas que han estado enfrentando, pues lo que encontrarán es, no obstante, una habilidad acrecentada para aguantar, para pelear y ganar las batallas por su mente antes que ceder y rendirse.

Los Pasos hacia la Libertad en Cristo son una herramienta de entrenamiento. Cada vez que un adolescente pasa por este proceso (queriendo sinceramente arreglar cuentas con Dios), pasan por lo menos dos cosas críticas.

Primero, que el joven ve el asombroso poder libertador de Dios desencadenado en su vida. Segundo, el adolescente es entrenado para manejar el pecado de su vida de modo que si se da cuenta de algo, más adelante ese día o al día siguiente o al siguiente no tendrá que acudir al exhortador en pos de socorro. Tendrá los Pasos como referencia y sabrá qué hacer.

Líbrese de la basura de la vida

Imagínese por un momento que una señora anciana vive al lado de su casa. Es un poco excéntrica pero básicamente inofensiva; sin embargo, un día usted sale de su casa y ve que hay ejércitos de moscas que envuelven la casa de ella. Entonces usted capta un aroma que le hace volver a entrar rápidamente. Usted está seguro de que ese olor sale de la casa de ella.

No queriendo causar problemas a la anciana señora, usted llama a la policía, menciona su preocupación y les pide que investiguen. Muy pronto ve un automóvil de la policía que se estaciona en la entrada de la anciana y dos oficiales uniformados van hasta la puerta y golpean.

Al abrirse la puerta, una hediondez saluda la nariz de los policías como algo que nunca antes habían olido. Prácticamente con arcadas, se dan cuenta que el pasillo, detrás de la mujer, está lleno de bolsas de basura, ¡apiladas hasta el techo! Tienen que esquivarlas cuando entran, y al instanteson bombardeados por lo que parece una plaga de moscas. El problema es evidente: ¡la anciana no ha sacado la basura de su casa durante años!

Oh, a veces resulta muy molesto, oficiales, pero he aprendido a aguantarlo. La anciana sonríe un poco débilmente a los hombres uniformados.

Pero, señora, ¿no se da cuenta que si sólo las saca a la puerta, alguien vendrá y se las llevará? Le apuesto a que eso ayudará mucho para solucionar su problema de moscas, también. Mire, déjenos ayudarle a sacarlas.

La anciana se regocija mucho cuando empieza a ver muebles, alfombra y bellos cuadros en la pared que reaparecen después de estar ocultos durante años. Hacía mucho que había perdido la esperanza de volver a ver cosas lindas de nuevo pero, de a poco, esmeradamente eso pasa justo delante de sus ojos.

Luego de horas de dura labor, la montaña de basura es llevada a la calle. Los oficiales abren las ventanas, echan las cortinas a la máquina lavadora y empiezan a lavar los pisos y la alfombra. Mientras tanto, la anciana limpia los tapizados y pule los muebles de madera. Al terminar el día, toda la suciedad desapareció, y también las moscas. El lugar huele fresco y limpio de nuevo.

Muchachos, no tengo palabras para agradecerles lo suficiente por toda su ayuda, exclama la anciana llorosa mientras da unos pasitos de baile en su alfombra recién lavada.

Bueno, usted avanzó mucho hoy, señora, pero tiene que recordar sacar su basura a la calle. De lo contrario, volverá a llegar el momento en que le vuelva a pasar lo mismo otra vez, ¿entiende? Los oficiales miran fijamente a la mujer asegurándose de que ella asienta antes de despedirse.

De eso se tratan los Pasos hacia la Libertad en Cristo. Sacamos la basura de nuestra vida, confesando pecados, renunciando a mentiras y perdonando a los que nos han herido, de modo que Jesús puede llevársela. Abrimos las ventanas de nuestro corazón, por medio de la humildad y la sumisión, para que las frescas brisas del

Espíritu de Dios puedan volver a soplar. "Fregamos" espiritualmente esos lugares muy manchados de nuestras almas, tirando abajo fortalezas de modo que "el señor de las moscas" (Satanás) se vaya en pos de lugares más hediondos.

- Confesión
- Arrepentimiento
- Renuncia a mentiras
- Perdón de las ofensas contra nosotros
- Echar abajo las fortalezas del pensar mal y de la vida carnal.

Ese es el camino hacia la libertad.

Suponemos que usted podría pasarse todo el tiempo matando moscas y que avanzaría algo pero... ¿no sería más simple y más efectivo sacar la basura? Líbrese del material de desperdicio y las moscas se irán.

Las potestades de las tinieblas son atraídas al pecado de la manera en que las moscas son atraídas a la basura. Santiago 4:7 da la solución: "Someteos, pues, a Dios; resistid al diablo, y huirá de vosotros". En esencia, eso es lo que son los Pasos hacia la Libertad en Cristo: una guía práctica para aplicar Santiago 4:7 a nuestra vida.

Una vez que esté terminado el trabajo, qué gozo es para nosotros esa libertad recién hallada, y ni mencionar lo maravilloso que es "oler" para todos aquellos que están a la distancia.

La parábola de la vida de una adolescente

El siguiente testimonio nos fue bondadosamente presentado por una adolescente cristiana para que lo usemos. Ella empezó a escribirlo a los 17 años mientras iba a consejería. Fue incapaz de terminarlo hasta que dio los Pasos hacia la Libertad en Cristo, a los 19 años.

Yo soy una jardinera. Eso es lo que hago. Parece que siempre lo he hecho. Aun de niña me arrodillaba al lado de mi madre mientras ella trabajaba la tierra. Acostumbraba a hallar mucho gozo y entusiasmo en mi jardín. Era emocionante ser parte de tan glorioso regalo de Dios. Me encantaba sentir en mis manos el suelo sin plantar. Esperaba el momento en que plantaría mis semillas. Me gustaba regarlas y alimentarlas sabiendo que estaba nutriendo a un ser vivo. A menudo era necesario que yo cuidara mis plantas en aras de su supervivencia. Me sentía importante y necesaria. Hasta esperaba sacar las malezas. Me arrodillaba y arrancaba estos molestos invasores que les quitaban el suelo, el alimento y el agua.

Pero al pasar los años empecé a desinteresarme. Se me volvió aburrido y mundano. Estaba demasiado ocupada con cosas más importantes que cuidar mi jardín. Corría de tarea en tarea, descuidando una actividad que una vez significara tanto para mí. A menudo me escurría por la puerta principal dejando que las malezas que crecían, vencieran a las plantas que una vez había cuidado con ternura.

Pasaron los años y mi jardín, una vez radiante y floreciente, se convirtió en un desierto de malezas. Honestamente, no toleraba verlo. Casi me enfermaba. Empecé a dejar cerradas las cortinas para no tener que mirar el desorden.

Pensé contratar un jardinero pero decidí que no, creyendo que un día yo misma volvería a mi jardín. Creía que podía hacerlo yo.

Nunca hice nada contra las malezas hasta que un viejo y querido amigo me convenció amablemente para que le permitiera darle una mirada a mi jardín. Me dijo que aunque él tenía la fuerza y el poder para arrancar las malezas en el suyo, sería mucho más beneficioso si yo trabajaba con él. Me recordó que el jardín era mi responsabilidad. Después de mucho pensarlo, decidí que tenía razón.

Un día frío y nublado empezamos la obra difícil y vigorosa. Mi amigo y yo trabajamos muy duro con las malezas; a menudo yo me cansaba y quería dejar, pero sacaba fuerzas de la aparentemente inagotable energía de mi amigo. Luego de unos cuando días, vi que tenía ampollas en las manos. Era un trabajo agotador y parecía interminable. Nunca me había dado cuenta de lo grande que era mi patio, pero llegó el momento en que el trabajo agonizante empezó a rendir fruto.

Llegó el día en que todo lo que podía verse de mi jardín era tierra. Fue un día gratificante. Me sentí feliz. Era liberador ver que las malezas habían desaparecido. Empezamos el proceso de volver a plantar, una vez exterminadas las malezas. Escogimos cui-

dadosamente plantas que rellenaran el espacio desnudo abierto por las malezas recién arrancadas. Plantamos y plantamos hasta que llenamos todo espacio de tierra disponible. Pasó tiempo hasta ver realmente los frutos de nuestros trabajo pero, oportunamente, empezamos a ver brotecitos verdes saliendo del suelo.

No tardó mucho hasta que empezaron a aparecer nuevas malezas entre mis plantas que crecían. Me sentía desanimada. Mi querido y paciente amigo me recordó que la eliminación de las malezas no era un proceso "de una buena vez para siempre". Aún sería necesario que yo me las viera con esas malezas. Sólo que esta vez pude encargarme de ellas antes de que se me descontrolaran.

De nuevo encontré gozo en mi jardín. A la primera señal de malezas, puedo tratarlas sin que destruyan mis bellas plantas. Y mientras mis plantas siguen creciendo y desarrollándose, sé que el sequedal una vez lleno de malezas nunca más volverá.

La parábola explicada

Esta historia se trata de mi vida. Yo tuve un jardín como la jardinera del cuento. Sólo que mi jardín estaba dentro de mí. Empezó como un jardín bello y tranquilo. Yo fui una niña relativamente libre de traumas. El jardín de mi corazón y emociones estaba, en cierta medida, libre de escombros. Luego de enfrentar el horrendo dolor del abuso sexual, empezaron a infiltrarse en mi jardín interior unas malezas de rabia, rencor, falta de perdón e ira. Al pasar el tiempo, las malezas crecían dentro de mí tal como las malezas del jardín de mi personaje. Ni siquiera podía reconocer lo me había pasado. Era demasiado doloroso. Ignoré las señales de trastorno por un largo tiempo.

El querido viejo amigo de mi cuento fue en mi vida real Jesús. Yo había escogido ser una seguidora de Cristo a edad muy temprana pero, debido a la atadura de mi vida, Jesús había sido echado fuera. Llegó un momento en mi vida en que el Señor me convenció bondadosamente para que le diera una mirada a mi 'jardín'. Fui a consejería y traté algunos aspectos, pero sólo hicieron una incisión en las "malezas" y los "escombros".

No fue sino hasta que leí los libros *Victory Over the Darkness (Victoria Sobre la Oscuridad)* y *The Bondage Breaker (Rompiendo las Ataduras)* que empecé a entender que no sólo estaba esclavizada a mi pasado sino que no conocía mi identidad en Cristo.

Un exhortador laico preparado me guió por los Pasos hacia la Libertad en Cristo y, al ir dándolos, confesé y renuncié a mis pecados y perdoné a los que me hirieron. Al igual que las capas de una cebolla que deben quitarse de a una por vez, así también pasó con las capas de mi corazón.

Fue necesario aunque diera los Pasos por mi cuenta para que el Señor revelara nuevas áreas de esclavitud en mi vida. Llegó el día en que, igual que en la historia, no pude ver más 'malezas'. Por la gracia y el poder del Señor Jesucristo yo fui libre de mi doloroso pasado.

Ahí fue cuando empezó el proceso de replantar o renovar mi mente. También fue cuando los hábitos dañinos empezaron a ser sustituidos por hábitos sanos. Las malezas brotan de nuevo tal como descubrió mi jardinero, pero ahora sé que soy una hija del único Dios Vivo y Verdadero, y que comparto una herencia con Cristo. Así, pues, cuando las 'malezas' empiezan a levantar sus feas cabezas, sé cómo eliminarlas rápidamente. Qué emocionante es saber quién soy en Cristo y que la verdad me ha hecho libre (ver Juan 8:32).

Oración de los padres por protección para un adolescente cristiano

Amado Padre celestial:

Traigo a (nombre del adolescente) ante Tu santo trono. Nada está oculto de Tu vista y te agradezco que mires a mi hijo/hija que es Tu hijo/hija con profunda compasión y completa comprensión. Señor, por favor, fortalece y protege a (nombre) del maligno. Abre sus ojos a toda estratagema, tentación, acusación o engaño mentiroso que el enemigo trate de desencadenar contra él hoy. Oro para que en este día se vista del Señor Jesucristo y no haga provisión para la carne y su lujuria. Oro que (nombre) te busque a Ti con todo su corazón y que se enamore profundamente de Ti cada día. Que su amor por Ti se fortalezca tanto que no pueda amar al mundo ni a las cosas de este mundo. Enséñale, Señor, a temerte y reverenciar Tu gran santidad para que odie todo pecado y lo abandone. Por favor, dale buenas compañías que sean de aliento para su fe. Da a mi hijo/hija una audacia santa para dar testimonio de Cristo y para permanecer firme hoy contra la impiedad que le rodee. En el nombre del Señor Jesucristo oro que Tú, Señor, pongas Tu protección en torno a (nombre). Enséñale, Señor, cómo ganar hoy la batalla por su mente. Señor, escúdalo especialmente del pecado sexual, y que su mayor anhelo sea tener un corazón puro. Que las palabras de su boca y la meditación de su corazón sean aceptable a Tus ojos, Oh Señor, mi Roca y mi Redentor. Oro en el nombre de Jesús. Amén.

Oración de los padres por protección para un adolescente rebelde

Amado Padre celestial:

Traigo a mi hija/hijo (Nombre) ante Tu trono de gracia. Necesita Tu gran misericordia y gracia, Señor. Por favor, ten misericordia de él/ella y hazle volver en sus cabales. Dale arrepentimiento para que pueda llegar al conocimiento de la verdad y escape del lazo del diablo que lo/la ha tenido cautivo/a. Por favor, derriba las fortalezas de rabia, orgullo, rebeldía, rencor y pecado carnal que lo/la han engañado. Señor, es Tu bondad la que lleva al arrepentimiento. Abre los ojos de (nombre) para que vea Tu múltiple gracia y misericordia obrando en su vida. Mientras oro, Señor, examíname, Oh dios, y conoce mi corazón. Pruébame y conoce mis pensamientos ansiosos, y ve si hay iniquidad en mí y guíame a la vida eterna. (Pase un momento callado permitiendo que el Señor le hable, y confiese cualquier pecado que Él le revele). Señor, confieso la parte que me toca en la rebeldía de (nombre) y aquí y ahora cancelo todo acceso que el enemigo haya ganado en la vida de (nombre) por medio de mi pecado. Pido y espero ver la victoria total de la crucifixión, resurrección, ascensión y glorificación de Jesús obrando en la vida de mi hija/hijo. Muéstrame, Señor, cómo demostrarle Tu amor firme y tierno a ella/él hoy. Dame sabiduría, Señor, para establecer límites apropiados para (nombre) mientras que demuestre siempre la gracia y la aceptación de Jesús. Oro en Su nombre. Amén.

Oración de los padres por un adolescente herido

Amado Padre celestial:

Tú eres el Padre de las misericordias y el Dios de todo consuelo. Traigo hoy ante Ti a Tu hijo/hija (nombre). Señor, eres el Dios que diariamente lleva nuestras cargas, así que sé que estás profundamente enterado del dolor que él/ella está pasando. Padre, que Tú ministres Tu gracia y misericordia a (nombre) para que pueda optar por caminar de Tu mano a través de este tiempo de dolor. Capacítalo/a para perdonar a los que le hirieron de modo que Tu poder sanador sea derramado en su corazón roto. Capacítalo/a para perdonarse a sí mismo/a también. Fortalécelo/a para que fije sus ojos en Jesucristo y Su obra consumada en la cruz. Que no ceda al pecado ni rinda su vida. Recuérdale que Jesús vino para darle vida y vida en abundancia. Señor, (nombre) tiene que vivir esa preciosa intimidad y afecto de "Abba, Padre" contigo por medio de Tu Espíritu. Al someter su vida a Ti por entero en Tus manos fieles, dale coraje para resistir al diablo poniéndose toda la armadura de Dios. Por favor, trae a otras personas santas a su vida para que lo/a rodeen con sus brazos y sus armaduras también. Que el dolor que Tú le has permitido pasar, le sirva como proceso purificador para que su fe como oro brille todavía más con Tu gloria. Dame sabiduría, Señor, para que yo sepa cómo orar por (nombre) y cómo puedo ser Tu siervo/sierva para animar su débil corazón. Oro en el nombre del manso y humilde Jesús que es nuestro Sanador. Amén.

Parte Dos

Dando los pasos

Capítulo seis

Armando el escenario

Una vez que alguien vive la libertad para la cual Cristo nos ha hecho libres (ver Gálatas 5:1), es lo más natural del mundo querer ayudar a que otros también encuentren su libertad en Cristo. ¡Así es como debe ser!

¿Entonces, quién está "calificado" para guiar a los demás por los Pasos hacia la Libertad en Cristo? Primero, usted no tiene que ser un consejero profesional preparado para usar esta herramienta de ministración. Miles de padres y otros laicos (como también clérigos) ya han sido entrenados para usar eficazmente los Pasos.

Tampoco debe sentirse constreñido a dominar todo el material de este libro antes de guiar al prójimo por los Pasos. Yo (Neil) poco sabía de este material cuando empecé la primera vez y aprendí la mayor parte a través de la prueba y el error ¡Mucha prueba y muchísimos errores!

Guiar al prójimo por los Pasos no requiere un don espiritual especial aunque Dios usará los dones que uno tenga mientras se ministra.

Lo que se requiere es depender de Dios, un corazón de amor como el de Cristo y la habilidad de aplicar la Palabra de Dios a la necesidad de otra persona. Personalmente, usted tiene que estar caminando en su libertad en Cristo: viviendo consistentemente sometido a Dios y resistiendo al diablo en su propia vida (ver Santiago 4:7).

Si ha leído *Victory over the Darkness (Victoria sobre la Oscuridad)* (o *Stomping Out the Darkness [Emergiendo de la Oscuridad]*) y *The Bondage Breaker (Rompiendo las Ataduras)* (edición para adultos o jóvenes), y si tiene una comprensión clara de los conceptos de esos libros y tiene una actitud genuina de afecto y no enjuiciadora para con la gente joven, ¡puede empezar hoy mismo a guiar adolescentes por los Pasos hacia la Libertad en Cristo!

Así, pues, ¿con quién empezar? *Cualquiera* que desee una cita personal para dar los Pasos es un candidato. La palabra "desee" es crítica en este punto. A menudo, yo (Rich) recibo una llamada telefónica de un padre o una madre que está muy preocupado por un adolescente rebelde o apático. El padre o madre espera que yo pueda "arreglar" a su hijo.

Siempre mi primera pregunta es "¿*Quiere* él/ella ayuda?" Muy a menudo me contestan que no.

Los Pasos hacia la Libertad en Cristo no son una herramienta efectiva si el o la joven que los da no quiere estar ahí. La persona se siente atrapada, ansiosa y, probablemente, resentida contra el 'exhortador' (consejero) como también contra la persona que lo hizo ir, para empezar.

Lo siguiente que pregunto al padre/madre que llama es si su cónyuge o él/ella estarían dispuestos a venir primero para tener citas para las libertad a nivel individual. Al trabajar con adolescentes es crucial —de ser posible— trabajar a través de las líneas de autoridad del hogar. Una vez que papá y mamá captan los conflictos espirituales y personales de sus propias vidas, están en mucho mejor posición para ayudar a sus hijos. Muchas veces, aunque ciertamente no siempre, sus hijos entonces querrán *ayuda* también.

La libertad recién hallada de los padres anima a sus adolescentes

En una conferencia sobre jóvenes realizada en Carolina del Norte por mí (Rich) hubo dos incidentes que me empaparon completamente esta verdad. Un esposo y su esposa estaban por tirar la toalla, sin tener idea sobre cómo ayudar a su hijo rebelde. Ambos se humillaron y dieron los Pasos hacia la Libertad en Cristo y Él los hizo indudablemente libres. Sin una palabra de ánimo de parte de sus padres, el muchacho se apareció en la conferencia a la mañana siguiente, deseando dar los Pasos ¡Dios hizo libres a toda esa familia en ese fin de semana!

Otra madre reconoció su esclavitud al miedo y al perfeccionismo y pasó por una cita personal para la libertad en la tarde del sábado de esa misma conferencia. Halló su libertad en Cristo. Al mismo tiempo, su hija dio los Pasos con otros 400 adolescentes en un ambiente de grupo y fue una de las jóvenes que pasaron al frente a compartir lo que Dios había hecho en su vida.

¿Adivina de qué la había liberado el Señor? Correcto: del miedo y del perfeccionismo.

Preparación preliminar

La mejor preparación para los adolescentes que quieren dar los Pasos hacia la Libertad en Cristo es haber asistido a una conferencia juvenil sobre *Emergiendo de la Oscuridad* o haber leído los libros *Stomping Out the Darkness (Emergiendo de la Oscuridad)* y *The Bondage Breaking (Rompiendo las Ataduras), Edición Juvenil.* Hablando en general, mientras más verdad pueda digerir el joven antes de dar los Pasos, mejor es.

Los adolescentes tendrán cierto entendimiento de qué se tratan los conflictos espirituales y personales de sus vidas y cómo resolverlos en Cristo. Recibirán cierta enseñanza crítica sobre su identidad en Cristo y su posición y autoridad como creyentes.

Si un joven no está dispuesto a darse el tiempo y la responsabilidad personal de asistir a una conferencia o de leer los libros, cuestionaríamos su seriedad para querer ponerse bien. Algunos adolescentes quieren que la gente les preste atención pero no son sinceros en su querer arreglar cuentas con Dios. Hacer que den un paso de acción y responsabilidad como éste le ayuda a discernir su sinceridad.

La excepción a este principio podría ser el caso de la gente joven que están tan bombardeada por pensamientos acusadores, distractores, acosadores o blasfemos que encuentran imposible concentrarse en el material. En ese caso, está bien guiarlos primero por los Pasos.

La cita para la libertad

Hablando en general, la cita para la libertad de un adolescente llevará de dos a cuatro horas. Le exhortamos a que aparte suficiente tiempo para que ambos, usted y el aconsejado, no tengan apuro y puedan pasar por todo el proceso.

Hay mayor resolución cuando usted escucha que los jóvenes cuentan sus casos y confrontan todo su pecado y dolor mientras los recuerdos y las emociones están en la superficie y frescas en su mente. Dar un paso por vez (por ejemplo, en un grupo de jóvenes que se junta semanalmente) dejará a esos jóvenes vulnerables a los ataques del enemigo.

El cirujano que abre una herida tiene sumo cuidado para limpiarla y cerrarla durante la misma operación. De lo contrario, seguro que se infectará y perturbará el proceso de curación. Desafortunadamente, la mayoría de las sesiones de consejería se enfocan en el proceso de abrir la herida, pero fallan en llevar al aconsejado a la resolución. El diablo actúa como una infección bacteriana que alegremente se aprovechará de las heridas abiertas del alma del adolescente y las atacará.

El equipo de ministración

En la mayoría de los casos, el mejor escenario para la cita hacia la libertad es un exhortador adulto y de sexo masculino, y un socio de oración, también adulto y varón, para que trabajen con el varón adolescente, y una exhortadora, adulta mujer, y una socia de oración, adulta mujer, para que trabajen con la mujer adolescente Cuando esto no sea posible, por lo menos uno del equipo de ministración debe ser del mismo sexo del aconsejado.

No obstante, los adolescentes deben sentirse completamente libres para lavar y ventilar toda la ropa sucia de sus vidas o verdaderamente no hallarán su libertad.

Si uno o ambos miembros del equipo de ministración tiene una relación continua con el adolescente, es mucho mejor, pues puede proveer aliento y la responsabilidad de rendir cuentas continuas, cosas críticas para ayudar al joven a que mantenga la libertad una vez que termina la cita.

Como dijimos antes, es excepción más que regla, que los padres puedan guiar a sus propios adolescentes por los Pasos hacia la Libertad en Cristo.

Sin embargo, si florece una fuerte relación de amor y confianza en la familia y no hay relaciones de enemistad entre los padres y el adolescente, es posible que los padres ministren de esta manera a sus hijos. No obstante, los adolescentes deben sentirse completamente libres para lavar y ventilar toda la ropa sucia de sus vidas o verdaderamente no hallarán su libertad.

Los padres deben ser extremadamente sensibles aquí y no forzar a sus hijos adolescentes. Que la misma gente joven decida si mami y/o papi deben estar en el proceso de la consejería.

A veces, los adolescentes pedirán que se traiga a la cita a uno de sus amigos adolescentes. Explique que su libertad depende de que ellos sean totalmente abiertos y honestos sobre todos los asuntos de su vida presente y pasada. Si tener esa amiga o amigo presente le inhibirá esa honestidad, es mejor que el amigo o amiga no esté presente. Además, si este amigo tiene graves conflictos espirituales y personales en su vida, debe pasar primero por la cita para la libertad antes de participar como socio de oración.

Por otro lado, debemos respetar la necesidad de estar a salvo y seguros que tienen los adolescentes. Este proceso puede parecerle intimidante a cualquier joven. La persona puede temer un encuentro demoniaco violento. El aconsejado debe saber que será respetado, se le creerá y se le ayudará en una forma tranquila y controlada. Tener un amigo de confianza presente puede darle al adolescente la necesaria sensación de seguridad.

El socio de oración está ahí para bañar toda la sesión en oración, elevando pedidos específicos a medida que avance el proceso. Cuando surgen conflictos que al aconsejado le cuesta manejar, el socio de oración realiza inmediatamente batalla espiritual por él o ella. Esto libera al exhortador para concentrarse en el joven, dando ánimo y verdad bíblica para derrotar las mentiras del enemigo.

El socio de oración está presente también para propósitos de entrenamiento. Luego de pasar por la preparación del aula o libros sobre cómo guiar a otras personas por los Pasos hacia la Libertad en Cristo, el siguiente paso lógico es observar una sesión dirigida por un exhortador entrenado. A menudo, luego de estar en sesión una o dos veces como socio de oración, el "entrenado" queda listo para dar el próximo paso y trabajar como exhortador.

Sin embargo, dese cuenta de que algunos intercesores dotados desempeñan un papel más estratégico quedándose como socios de oración. Se debe exhortar a estos preciosos guerreros de oración para que sigan en ese papel sin sentirse como si fueran ¡ministros de segunda clase!

Si el adolescente está bajo la atención de un consejero profesional entrenado pero aun quiere dar los Pasos, debe permitirse que ese consejero venga a al cita. Saber cuáles asuntos se cubrieron en la cita para la libertad le permitirá al consejero efectuar el seguimiento con mayor efectividad y seguir el proceso de recuperación y discipulado.

El lugar

El lugar donde se realice la cita para la libertad es importante. Busque un lugar tranquilo, que tenga sillas cómodas, temperatura ambiente adecuada y libre de interrupciones como llamadas telefónicas, mascotas y gente que pase por la sala. Dese cuenta que el enemigo querrá interrumpir la sesión en toda forma posible. Un salón privado de su iglesia probablemente sea el mejor ambiente para la cita que el hogar del aconsejado.

Asegúrese de que haya fácil acceso a un baño. Disponga agua para beber, pañuelos y toallas de papel y un canasto para los papeles.

Qué esperar

También importa que el aconsejado tenga una idea general sobre qué debe esperar por anticipado. Suponiendo que haya leído los libros o asistido a la conferencia de jóvenes, explique lo que sigue:

1. Durante la cita para la libertad, habrá un guía que oirá lo que diga y luego la guiará por los Pasos hacia la Libertad en Cristo.
2. La cita durará muy probablemente de dos a cuatro horas.
3. No hay nada que temer aunque haya pensamientos condenatorios, de duda y temor que traten de impedirle ir a la cita, la cual será un proceso tranquilo y controlado para ayudarle a resolver conflictos espirituales y personales.

4. Nada se hará para violar su voluntad. El adolescente tiene la libertad de venir a la cita y la libertad de irse en cualquier momento.
5. Habrá presente por lo menos un socio de oración.
6. Lo que el adolescente diga será mantenido en estricta confidencialidad a menos que el guía sienta que el aconsejado corre peligro personal o que es un peligro para alguna otra persona (*Nota: esto se discutirá más adelante en este capítulo*).
7. Esta cita no se cobra.

Algunos exhortadores prefieren hacer que el adolescente llene un "Cuestionario Personal Confidencial" antes de dar los Pasos. El cuestionario sirve mucho cuando el adolescente puede llenarlo y devolverlo antes de la cita para que el guía pueda tomar conciencia por anticipado de posibles aspectos conflictivos. Si esto no es posible, recomendamos que el exhortador use las preguntas del Cuestionario como guía para obtener una historia corta del aconsejado, antes de empezar el Paso Uno.

Bañar la sala en oración

Si se puede hacer, sirve mucho que el equipo de ministración llegue por lo menos 15 minutos antes que el aconsejado, para orar en el salón que van a usar. Tenemos el privilegio de ser buenos mayordomos de lo que el Señor nos han confiado.

Empiece por pedirle al Señor que examine sus corazones, por si hubiera algún "pensamiento ansioso" o "mal camino" (ver Salmo 139:23,24). Dé tiempo a cada miembro del equipo para que escuche del Señor y, luego, en voz alta consagren el lugar y ustedes mismos a Él en oración.

Algunos consideran útil pedir al Señor que rodee el lugar con Sus ángeles protectores y que pongan un vallado de protección contra las influencias del enemigo.

Tome su posición en la autoridad de Cristo y declare verbalmente que ustedes son siervos de Jesús que tienen toda la autoridad en el cielo y en la tierra (ver Mateo 28:18) y, por tanto, Satanás no tiene autoridad en este momento, en este lugar ni en sus vidas.

Preparativos para el aconsejado

Asegúrese de que el salón esté listo y de que haya una copia de los Pasos hacia la Libertad en Cristo para cada persona. Debe haber papel y lápiz para uso del exhortador y el aconsejado durante la sesión.

Disponga la sillas de modo que el adolescente quede sentado frente al exhortador a una distancia cercana pero cómoda. Siente al socio de oración al lado, fuera de la línea directa de visión, entre el exhortador y el aconsejado.

Cuando llegue el aconsejado, asegúrese de que todos se presenten cálidamente al joven. Entonces haga que el adolescente llene la "Declaración de Entendimiento" (ver el Apéndice), explicando que usted no es un consejero ni un terapeuta profesional (a menos que lo sea) sino un exhortador de la fe cristiana. Recuerde al aconsejado que no se cobra por la consejería y que tiene la libertad de irse en cualquier momento.

El líder debe expresar, por el equipo de ministración, su compromiso a mantener la confidencialidad después de que termine la sesión. Sin embargo, hay dos excepciones primordiales a esa regla que deben explicarse brevemente al aconsejado:

Si el adolescente es menor de edad y aún vive bajo la autoridad de sus padres, el exhortador debe honrar esa relación padres-hijo respondiendo, con gracia, todas las preguntas de los padres sobre la sesión. Sin embargo, el exhortador tratará de dar respuestas lo más generales que pueda mientras que exhorta a los padres a conversar personalmente con su hijo sobre la sesión.

En el caso de que el adolescente devele que está en peligro inminente (por ejemplo: ideas suicidas, víctima de abuso, etc.) o que es un peligro para los demás (por ejemplo: es un abusador), el exhortador tiene la obligación legal y moral de obtener ayuda para el adolescente y/o proteger a los demás del adolescente.

Requisitos legales que honrar

La mayoría de los estados de Estados Unidos de América exigen que se informe el maltrato o abuso a un organismo estatal o a un oficial de la ley. Para proteger al adolescente, a la sociedad y a usted mismo (de las consecuencias legales) averigüe cuáles son los procedimientos legales del estado donde vive (si vive en EUA) que se exigen en caso de informar sobre abuso.

El siguiente extracto de las leyes del estado de Tennessee es bastante típico de los estatutos legales referidos a este punto:

> Toda persona, incluyendo sin limitarse a, toda(3) persona que ejerce una profesión confiándose únicamente en medios espirituales para sanar. (8)Vecino, pariente, amigo o cualquier otra persona, que tenga conocimiento de o que sea ayudado a prestar socorro a un niño que sufra o haya sufrido una herida, lesión, incapacidad o estado mental o físico que sea de tal naturaleza que indique razonablemente que ha sido causado por brutalidad, abuso o descuido informará de inmediato ese daño, por teléfono u otro medio, al juez que tenga la jurisdicción juvenil o a la oficina del condado del departamento o al oficial del comisario o principal oficial de la ley de la municipalidad donde reside el niño.

Además de lo que legalmente se exige hacer, la guía de una persona joven por los Pasos hacia la Libertad en Cristo le ayudará a tratar el dolor y el rencor por el maltrato y quedar libre de toda esclavitud espiritual resultante de ello. A medida que el adolescente experimenta la fresca intimidad con su Padre celestial amoroso y fiel, podrá empezar a dirigir su vida en el amor de Cristo. En última instancia, esa es la mayor ayuda que uno puede darle a una víctima de malos tratos.

Para otras cosas que surjan, consulte a un abogado, de ser necesario, para protegerse legalmente y obedecer la leyes de su estado. Por ejemplo, ¿qué le exige la ley que haga en el caso de que un aconsejado confiese un delito que ya cometió? ¿Qué debe hacer usted si él le revela su intención de cometer un delito?

En momentos de incertidumbre es siempre sabio orar "La Oración de Josafat": "Y no sabemos qué hacer; pero nuestros ojos están vueltos hacia ti" (2 Crónicas 20:12). Su pastor puede conocer las exigencias legales para estos casos.

De todos modos, siempre es sabio exhortar al adolescente a que haga restitución en todo delito cometido (ver Mateo 5:23,24) y que se arrepienta de toda intención de cometer un delito futuro.

Las ideas o impulsos de suicidio persistentes (más allá de un pensamiento pasajero) deben tomarse muy seriamente aunque el joven parezca obtener una resolución significativa durante los Pasos. Una vez que usted ha concluido los Pasos hacia la Libertad en Cristo, converse de nuevo con el adolescente sobre su obligación legal y moral de informar a sus padres, padres adoptivos o tutor legal acerca de esta lucha.

Vaya con el adolescente para asegurarse de que cumpla este paso. Por cierto que debería traerse al círculo a un pastor, líder de jóvenes o consejero de confianza en aras de la protección y responsabilidad de rendir cuentas.

No suponga que ha ocurrido sanidad y resolución completas por medio de los Pasos. A menudo pasa eso pero suponerlo no vale el riesgo de perder la vida de un adolescente. Comprométase asimismo a ser una fuente continua de oración y aliento para esa joven persona.

Cree una atmósfera distendida

El equipo de ministración debe procurar que se cree una atmósfera cálida y relajada durante la cita para la libertad. El aconsejado puede estar ya luchando con pensamientos como: *Esto no va a servir. Esto es una pérdida de tiempo. No puedo tener confianza en esta gente. Esto va a ser doloroso y avergonzante. Si les digo lo que realmente me está molestando, ellos me rechazarán o se reirán de mí.*

El equipo de ministración puede ayudar a que esos temores se alivien comunicando con gracia la aceptación incondicional del adolescente, sin que importe cómo se viste, actúa, habla o la actitud que transmite.

Luego de las presentaciones, se consolará al aconsejado asegurándole lo siguiente:

> Nada que cuentes me va a impactar o avergonzar. Nada que puedas decir me hará pensar mal de ti. Sabemos quién es el enemigo, que es el diablo, no tú. Puede que te tome de sorpresa oír esto pero, luego de escuchar la historia de un joven, nos interesamos más profundamente por él porque podemos entender algo del trauma terrible que ha vivido.

Presente los pasos

Luego de decir esas palabras de ánimo, siga y lea el Prefacio de los Pasos hacia la Libertad en Cristo al aconsejado. Al ir familiarizándose cada vez más con este material introductorio, siéntase libre para parafrasearlo, pero sin descuidar ninguno de los principios claves ahí contenidos. Luego de años de usarlos, yo (Rich) me guío básicamente por lo escrito lo cual funciona perfectamente para mí.

> **El Señor Jesús es el "Admirable Consejero" y así debe ser quien esté a cargo de la sesión. Él ejerce Su autoridad por medio de la Iglesia.**

Haga que el aconsejado siga silenciosamente la lectura de los Pasos en su copia mientras usted lee en voz alta la suya. Los puntos clave a cubrir son los siguientes:

1. Un vistazo de la base bíblica de los Pasos hacia la Libertad en Cristo;
2. Breve descripción de lo que es la libertad espiritual;
3. Recordar que nuestra responsabilidad de cristianos es hacer lo necesario para obtener y mantener nuestra libertad;
4. Dar una palabra de aliento tocante a la victoria de Cristo y la derrota de Satanás: abriendo el camino para nuestra restauración y sanidad;
5. Precaver sobre cómo tratar los pensamientos que se interpongan y los malestares físicos que pueden surgir durante la sesión.

El Señor Jesús es el "Admirable Consejero" (Isaías 9:6) y así debe ser quien esté a cargo de la sesión. Él ejerce Su autoridad por medio de la Iglesia, y usará al equipo de ministración para que mantenga el control de la sesión. El papel del socio de oración es estar atando continuamente en oración la actividad del diablo. La responsabilidad del exhortador es estar alerta a la interferencia que experimente el aconsejado y buscar dejarla al descubierto antes de que se torne abrumadora.

Por eso el líder tiene que animar al adolescente a que hable de la interferencia tan pronto como la sienta. Esa interferencia está siempre concebida para hacer, de alguna manera, un cortocircuito en el proceso de Dios de hacer libre al aconsejado. Algunas formas posibles de interferencia comprenden:

1. *Engaño:* el adolescente expresa creer algo que es claramente mentira (por ejemplo, "no creo que tenga que decir todas estas oraciones en voz alta. Me parece estúpido"). La mejor respuesta es llevar a ese joven, con amabilidad, a la verdad de la Palabra de Dios porque es la verdad lo que nos hace libres.
   En este caso se puede decir: "sé que al comienzo uno se siente un poco incómodo de orar en voz alta pero Santiago 5:16 dice: 'Confesaos vuestras ofensas unos a otros, y orad unos por otros, para que seáis sanados'. Nosotros estamos aquí para ayudarte y para orar por ti para que tú puedas ser sanado. Por eso estás aquí, ¿verdad? (espere una respuesta afirmativa). Muy bien, entonces, sigamos adelante".
2. *Miedo y huida:* el adolescente se para y sale del salón. En tal caso, nunca trate de sujetarlo o de obligarlo a volver. Simplemente oren juntos, como equipo de ministración, y esperen con paciencia. Habitualmente volverá dentro de poco tiempo. Esta clase de conducta se da rara vez pero, a veces, el adolescente estallará diciendo "¡siento como que tengo que irme de aquí!"
   Si eso sucede, agradézcale amablemente por decir eso. Dígale que se puede ir cuando quiera pero que el enemigo está tratando de provocarlo a huir porque no quiere que él sea libre. Habitualmente, el adolescente se quedará.
3. *Interferencia mental:* confusión, ruido, pensamientos veloces o molestos, voces acusadoras o amenazantes en la cabeza. Mire los ojos del aconsejado. ¿Están nublándose? ¿Parece como que estuviera perdiendo el

enfoque o se estuviera yendo lejos mentalmente? Si es así, haga que vuelva a prestar atención preguntándole qué le está pasando por la cabeza. Es muy importante que diga los pensamientos que está teniendo o usted puede perder el control.
Cuando el adolescente lo dice, agradézcale por decirlo y siga adelante. No importa cuán vil o amenazante sea ese pensamiento, no se detenga en ese punto. Usted puede preguntarle: "¿es verdad ese pensamiento?" Normalmente el adolescente meneará su cabeza. Entonces, siga sencillamente con el proceso.

4. *Interferencia física:* dolores de cabeza palpitantes, náuseas u otros síntomas físicos. Habitualmente, el solo reconocimiento de parte del adolescente bastará para que cesen o disminuyan. Si persisten y distraen al joven, trate directamente el problema por medio de la oración, afirmando que el enemigo es enemigo derrotado y que no tiene autoridad para infligir dolor corporal. Luego, siga adelante.

El principio importante que se debe recordar en esta etapa de la cita para la libertad es no dejar que el diablo establezca la agenda del día haciendo que usted trate de ponerse a apagar un montón de pequeños incendios. Trate cualquier cosa que surja en forma breve, como se dijo, y siga adelante. La mayor parte de la interferencia, (si es que no toda) disminuirá y desaparecerá al seguir usted fielmente moviéndose por los Pasos.

La oración y la declaración del comienzo de los Pasos de la Juventud reconoce nuestra dependencia de Cristo y nuestra autoridad en Él. Al leer la declaración, inserte en los blancos el nombre de pila del aconsejado.

Oración

Amado Padre celestial:

Sabemos que Tú siempre estás aquí y presente en nuestras vidas. Tú eres el único Dios que todo lo sabe, todo lo puede y siempre está presente. Te necesitamos desesperadamente porque sin Jesús nada podemos hacer. Creemos en la Biblia porque nos dice lo que realmente es verdad. Rehusamos creer las mentiras de Satanás. Nos afirmamos en la verdad de que toda autoridad en el cielo y en la tierra fue dada al Cristo resurrecto. Porque estamos en Cristo, compartimos Su autoridad para hacer seguidores de Jesús y liberar a los cautivos. Te pedimos que protejas nuestros pensamientos y mentes y que nos conduzcas a toda la verdad. Elegimos someternos al Espíritu Santo. Por favor, revélanos en nuestra mente todo lo que quieres tratar hoy. Te pedimos Tu Sabiduría y en ella confiamos. Oramos por Tu completa protección para nosotros. En el nombre de Jesús. Amén.

Declaración

En el nombre y la autoridad del Señor Jesucristo, mandamos a Satanás y a todos los espíritus malignos que suelten a (nombre) para que (nombre) pueda ser libre para conocer la voluntad de Dios y optar por hacerla. Como hijos de Dios, sentados con Cristo en los lugares celestiales, acordamos en que todo enemigo del Señor Jesucristo sea confinado al silencio. Decimos a Satanás y a todos sus siervos del mal que no pueden infligir ningún dolor ni impedir o estorbar en ninguna forma para que hoy se haga la voluntad de Dios en la vida de (nombre).

Repaso del cuestionario

Si el adolescente ya ha llenado el Cuestionario, haga todas las preguntas aclaratorias que se le ocurrieron cuando lo revisó por anticipado. La idea es que usted se forme un concepto básico de los asuntos clave de la vida del adolescente que han contribuido a sus luchas actuales. Si el Cuestionario no se contestó de antemano, tómese un tiempo y plantee las preguntas y anime al adolescente a que conteste brevemente. Después de recorrer brevemente su vida, pregunte si se le ocurren otros incidentes que tengan que contarse.

Escuche paciente y atentamente. El solo hecho de que un adulto se tome el tiempo para escuchar sin reaccionar con brusquedad o con interrupciones desagradables, puede ser un tremendo aliento para el adolescente.

Sin embargo, recuerde que no debe compartirse detalles en este punto. Lo necesario para la libertad del aconsejado sale a superficie generalmente con el detalle suficiente cuando se procesa cada Paso.

Hundirse en la historia del adolescente puede, no obstante, dar importantes indicios sobre la fuente de las luchas de esa persona. Saber de los abuelos y padres del adolescente es de gran ayuda. ¿Son cristianos? ¿Participaron alguna vez en alguna secta o en prácticas ocultistas? Tenemos que saber si hay cosas generacionales que podrían contribuir a los problema de la persona.

Más allá de lo que usted quisiera que ellos cuenten brevemente, vea lo siguiente:

- Vida familiar desde la infancia hasta la fecha;
- Problemas familiares (por ejemplo: separación, divorcio, alcoholismo, abuso);
- ¿el aconsejado es adoptado? ¿Está en cuidado sustituto?

Siga afirmando su amor por el adolescente sin que importe lo que cuente. Mencione que usted tomará notas para recordarse los puntos importantes, pero mantenga el contacto ocular con el adolescente lo más que pueda.

¿Cuáles son algunos de los asuntos primordiales que usted busca?

- Trasfondo familiar disfuncional: enfermedad mental, depresión o enfermedad crónicas, adicciones, participación en el ocultismo o religiones falsas, legalismo exagerado, control, permisividad o descuido, adopción, vivir en el extranjero bajo influencias paganas;
- Problema personales como depresión, miedo, ansiedad, rabia, rencor, lujuria, orgullo, rebeldía, adicciones, ocultismo, enfermedad física o mental, violación, abuso, aborto, conducta compulsiva, una presencia mala o que asusta, conducta sexual desviada;
- Problemas espirituales como falta de seguridad de la salvación, creencias falsas sobre Dios, ellos mismos, la Iglesia o Satanás.

Repetimos, no se abrume aquí. Mientras más guíe a la juventud por los Pasos, más aprenderá qué buscar. Dios será fiel para sacar a superficie los asuntos críticos en la medida en que usted confíe en Él. Sólo cuide de no dedicarse sólo a escuchar la historia. Rara vez necesitará más de media hora para esto. Una vez que tenga una buena idea de cuales son los hechos clave de la vida del adolescente, es tiempo de proceder al primer Paso.

El estado del aconsejado

Los Pasos hacia la Libertad en Cristo están diseñados para un adolescente que ya tiene una relación personal con Cristo. Sin embargo, muchos jóvenes que no tienen la seguridad de la salvación, son los que quieren ayuda. Eso no debe sorprendernos porque muchos están siendo molestados por el enemigo y se han tragado sus mentiras —anzuelo, línea y plomo. El hecho mismo de que estén preocupados por su caminar con Cristo y que recurran a usted en pos de ayuda espiritual, sugiere que ya son cristianos.

Tenga conciencia de que el acusador de los hermanos, Satanás, quiere que cuestionemos y dudemos de nuestra salvación porque procura robar, matar y destruir nuestra esperanza. A menudo pondrá en la cabeza de una persona joven ideas como: *¿cómo puedes ser cristiano y pecar así?* o *No veo cómo podría amarme Dios siendo yo tan malo*. Los cristianos sinceros que están atrapados en la red del pecado expresan estas preocupaciones frecuentemente, así que no suponga que el aconsejado no conoce a Cristo.

Si las respuestas de los jóvenes a sus preguntas sobre cuándo y cómo supieron que eran salvos son vagas o indican claramente un enfoque de salvación 'por obras', usted puede preguntar sencillamente: "¿te gustaría seguirme en una oración de fe ahora mismo para asegurarte de esa relación con Cristo?" Si se interesan, guíelos en una oración como la siguiente:

> Señor Jesús: te agradezco por morir en la cruz para pagar todo el castigo de mis pecados. Ahora confieso con mi boca que Tú, Jesús, eres mi Señor y te levantaste de los muertos. Ahora abro mi corazón a Ti y te recibo como Salvador y Señor. Gracias te doy por venir a mi vida, perdonar mis pecados y hacerme hijo de Dios, mi Padre.

Ejemplo exitoso

Yo (Rich) conocí a José en un estudio bíblico para adolescentes en la casa de su pastor de jóvenes. José era un joven honesto que estaba muy entusiasmado por aprender la verdad espiritual pero tenía un problema que le atormentaba. Era adicto a la pornografía.

El pastor de jóvenes de José y yo nos reunimos un día después de clases con él para guiarlo por los Pasos para la Juventud. Al conversar, quedó claro que José tenía hambre espiritual pero nunca había confiado en Cristo para que lo salvara. Gozosamente compartimos el evangelio con él y José recibió fervoroso a Jesús como Salvador y Señor.

De todos modos, procedimos a guiarlo por los Pasos (no tardamos mucho) y el cambio fue profundo. Antes de irse a su casa, Dios lo había despojado de su adicción a la pornografía y sabía que esto ya no tenía más efecto sobre él.

No pedimos a la gente que simplemente recite oraciones de memoria; estamos tratando de ayudar a que la gente se conecte a Dios.

Fue a su casa y tiró a la basura montañas de revistas pornográficas que había apilado en su cuarto, y nunca volvió atrás.

Sin embargo, en muchos casos, la única persona insegura de la salvación del aconsejado será ¡el mismo aconsejado! Al ir dando los Pasos, volverá a encender su relación con el Señor y hallará asimismo la seguridad de salvación.

Ruegue por la guía del Señor

Al ir guiando a una persona joven por los Pasos hacia la Libertad en Cristo, mantenga su sensibilidad a la guía del Señor. No pedimos a la gente que simplemente recite oraciones de memoria; estamos tratando de ayudar a que la gente se conecte a Dios.

Aprenderá a reconocer evidencias de una fortaleza o de mentiras que el aconsejado ha creído, a medida que vaya guiando por los Pasos a más y más gente.

Por ejemplo, cuando Susana dio los Pasos, primero habló de una familia que la apoyaba y del amor por su mamá y papá. Después, reveló que alguien le había robado su inocencia abusando sexualmente de ella cuando era pequeña.

Desafortunadamente, cuando ello se lo dijo a su papá, él no hizo nada y hasta cuestionó la sinceridad de ella. De repente , en la sesión, ella estalló, "¡odio a mi padre!" Ella no había querido enfrentar y reconocer ese odio antes.

La manera en que el padre se relacionaba con ella, como asimismo los abusos sufridos de parte de otros hombres, habían desarrollado una fortaleza en su vida que le impedían confiar en los hombres y en Dios como su Padre.

Cuando Susana reconoció y renunció a las mentiras que decían que ella no valía nada y que no podía confiar en nadie, ganó la batalla. Más tarde, me abrazó (a Neil) -lo que era significativo por su desconfianza previa. Dijo "creo que ahora puedo confiar".

Los adolescentes necesitan pelear sus propias batallas

Una gran batalla suele estar librándose por la mente de la juventud a la cual usted ayuda. Aunque usted ore por ellos y les dé ánimo, no puede pelear por ellos. La batalla será ganada solamente en la medida en que ellos opten personalmente por la verdad. Su libertad será el resultado de lo que *ellos* escojan creer, confesar, perdonar, renunciar y abandonar.

Mientras la batalla ruja y surjan recuerdos dolorosos, la tendencia natural es acercarse con amor y tomarle las manos o darle palmaditas en la espalda. La gran mayoría de las veces es mejor evitar tocar al aconsejado hasta que termine la sesión.

En casos graves, hasta que la persona quede libre, el conflicto dentro de ella puede resistirse al Espíritu Santo que está en usted y tocarla podría, realmente, estorbar el avance. Además, las víctimas de abusos sexuales fácilmente pueden malinterpretar el propósito de la caricia.

En cambio, es más fácil comunicar su compasión por medio de expresiones faciales, palabras y lágrimas (si son verdaderas) durante la sesión. Después, se impone un abrazo apropiado.

Finalmente, reconozca que algunas fortalezas, en particular las adicciones, necesitarán más trabajo después de la sesión. Aunque se deje al descubierto aquellas áreas de esclavitud y se las confiese y renuncie, probablemente se necesitará más disciplina y apoyo.

Gane pero también mantenga la libertad

Tomás estaba atrapado en una red de conducta homosexual. Luego de dar los Pasos en una cita personal, anduvo entusiasmado por la sensación de libertad y gozo que sentía. Una carta recibida pocas semanas después hablaba de que él creía que ahora estaba libre del peso de su pasado. Una segunda carta, recibida a los pocos meses luego de la primera, pintaba un cuadro diferente.

Tomás había hecho un paso atrás pero no había olvidado lo aprendido al dar los Pasos. Se daba cuenta de que no había ganado una victoria "de una vez por todas", y que una cosa es ganar libertad y otra es mantenerla.

Luego de la confesión, empezó a practicar resistiendo al enemigo y optando diariamente por la verdad. Cuando lo vimos casi un año después de haberlo guiado por primera vez por los Pasos, Tomás estaba *manteniendo* su libertad diariamente.

Muchas veces hay cosas adicionales que salen a la superficie después de haber terminado la cita para la libertad. El diablo lanza de inmediato sus ataques y burlas. *¡Mira, ya ves, no sirvió! ¡Nada cambió!* En realidad, lo que está pasando es que sencillamente hay otra capa de la cebolla que está revelándose. Anime a la gente joven con que usted trabaja a ser fieles para manejar cada cosa que el Señor saque a la superficie, y la libertad será mantenida.

¿Qué pasa si los adolescentes luchan contra recuerdos del pasado? ¿Qué pasa si oran y nada sale a la superficie? Entonces, señáleles su identidad en Cristo porque ahí es donde están sus esperanzas, de todos modos. Como dijo Pablo:

"Olvidando lo que queda atrás y extendiéndome a lo que está delante, prosigo hacia la meta para obtener el premio del supremo llamamiento de Dios en Cristo Jesús (Filipenses 3:13,14).

Capítulo siete

Desenmascarando al enemigo

Paso Uno:

Falso contra real

El primer Paso hacia la Libertad en Cristo es que el joven renuncie a toda participación pasada o presente con toda actividad o grupo que niegue a Jesucristo, ofrezca guía contraria a la Biblia, o exija oscuras ceremonias o pactos secretos. Esto abarca a todo el ocultismo, las sectas y las falsas creencias, costumbres y objetos religiosos que se asocian con ellos.

El diccionario define la palabra "renunciar" como: "hacer entrega voluntaria, dimisión o apartamiento de una cosa que se tiene, o del derecho y acción que se puede tener. Despreciar o abandonar".[1]

La palabra del Nuevo Testamento que se traduce como "renunciar" es la palabra griega *apeipon*. El *Diccionario Expositivo de Palabras del Antiguo y Nuevo Testamento de Vine* define *apeipon* literalmente como "desconocer"(del inglés: "to tell from") significando un acto de repudio. Su empleo en la Septuaginta, 1 Reyes 11:2, conlleva el significado de "prohibir". Por tanto, el concepto de renunciar también admite el sentido de "prohibir el acercamiento a las cosas repudiadas".[2]

Pablo usa una forma de la raíz de la palabra *apeipon* en 2 Corintios 4:1,2.

> Por tanto, puesto que tenemos este ministerio, según hemos recibido misericordia, no desfallecemos; sino que hemos renunciado a lo oculto y vergonzoso, no andando con astucia, ni adulterando la palabra de Dios, sino que, mediante la manifestación de la verdad, nos recomendamos a la conciencia de todo hombre en la presencia de Dios.

La declaración pública: "yo renuncio a ti Satanás y a todas tus obras y a todos tus caminos" ha sido, históricamente, parte de la profesión de fe de la Iglesia desde sus más tempranos días. Aún hoy los católicos y los miembros de otras iglesias litúrgicas hacen ese mismo pronunciamiento en la confirmación. Sin embargo, para que la renuncia sea completa debe ser más que genérica. Debe ser específica (como "yo renuncio a todo involucramiento con los adivinos").

Renunciar a un grupo, actividad, creencia o costumbre significa expresar verbalmente nuestra decisión de darle la espalda a eso. Cuando se hace auténticamente, es una declaración verbal de un arrepentimiento sentido de todo corazón.

Ejemplos bíblicos de arrepentimiento

El arrepentimiento siempre significa, bíblicamente, un cambio de corazón o mente demostrado por el cambio de estilo de vida. Juan el Bautista captó este sabor del arrepentimiento cuando reprendía a los fariseos y saduceos que venían a bautizarse:

> Generación de víboras, ¿quién os enseñó a huir de la ira que venidera? (Mateo 3:7,8).

Juan cuestionaba los motivos de los líderes religiosos para ser bautizados, desafiándolos a entregar pruebas de un cambio de corazón y vida, dando fruto. El arrepentimiento genuino siempre empezará por dentro y se manifestará por fuera.

El precedente bíblico de la renuncia abierta se halla en Hechos 19:18-20. Muchos de los cristianos nuevos de Efeso habían estado profundamente metidos en falsas religiones y ocultismo por medio de la adoración en el templo de Artemisa. Lucas escribe en el versículo 18: "Y muchos de los que habían creído venían, confesando y dando cuenta de sus hechos".

La exposición abierta de las prácticas ocultistas fue seguida por la acción positiva de desembarazarse de todo lo asociado con esas tinieblas. "Asimismo muchos de los que habían practicado la magia trajeron todos los libros y los quemaron delante de todos; y hecha la cuenta de su precio, hallaron que era cincuenta mil piezas de plata" (versículo 19). El precio de los libros (50 mil piezas de plata) era elevado, pero no impidió que los creyentes los destruyeran. Su arrepentimiento fue genuino.

Algunos creyentes se muestran reacios a renunciar verbalmente a las prácticas de maldad, temiendo que puedan ser culpables de pronunciar un 'juicio tajante' contra Satanás, cosa prohibida en 2 Pedro 2:10,11 y Judas 8,9. En realidad, renunciar a la participación de uno en el ocultismo es obedecer Santiago 4:7 que nos manda: "someteos, pues, a Dios; resistid al diablo, y huirá de vosotros".

Tenemos que resistir a Satanás verbalmente porque él no puede leer nuestra mente, por tanto no está obligado a obedecer nuestros pensamientos (solo Dios conoce nuestros más íntimos pensamientos: 1 Reyes 8:39; 1 Crónicas 28:9; Jeremías 17:9,10). El mismo Jesús resistió al diablo verbalmente durante su tentación en el desierto, diciendo tres veces la Palabra de Dios en voz alta a Satanás (ver Mateo 4:1-11). Si un ser humano fuese capaz de resistir al diablo tan solo con un pensamiento, hubiera sido Jesús, pero él habló intencionalmente la Palabra (*rhema*) de Dios (ver Deuteronomio 8:3; 6:13,16). También se nos dice que tomemos la espada del Espíritu, que es la Palabra (*rhema*) hablada de Dios (ver Efesios 6:17).

Nada siquiera parecido remotamente a pronunciar un 'juicio tajante' contra Satanás hay en la costumbre de renunciar a nuestras propias costumbres pecadoras. De todos modos, solo Dios puede emitir juicios contra el diablo. Nosotros sencillamente declaramos nuestra decisión de no tener nada que ver con el maligno ni con ninguno de sus caminos. Esta es la responsabilidad mandada por Dios a cada hijo de Dios.

Denunciar *todas* las fortalezas

Cuando guiamos a los jóvenes por los Pasos hacia la Libertad en Cristo, no siempre nos damos cuenta de lo que aun necesita ser expuesto. Hasta el aconsejado puede no darse cuenta de que ciertas experiencias religiosas u ocultistas pueden haber dado una posición firme al enemigo.

En este primer Paso, los adolescentes orarán y pedirán a Dios que traiga a sus mentes toda participación previa con sectas o costumbres ocultistas, religiones falsas y falsos maestros, sea que se hayan metido a sabiendas o no. A menudo Dios traerá a su memoria cosas que hace mucho olvidaron, cosas que los afectaron profundamente.

Una niña de 16 años, luego de orar al Señor para que le revelara las cosas a las cuales debía renunciar, empezó a citar una lista de toda una gama de cosas como escritura automática, sueños con visiones, adivinar la suerte, Bloody Mary (el juego ocultista, ¡no el trago!) y otras tantas. Entonces recordó que, cuando era pequeña, había sido visitada día y noche por una 'niñita' vestida de blanco. Hablaban y jugaban juntas. La niñita real se había ahogado años antes. La "amiga" de la aconsejada era, por supuesto, un demonio disfrazado del "espíritu" de la niña fallecida.

Hasta el momento de la cita para la libertad, esta adolescente se había olvidado por completo de su "amiga" de la infancia, considerándola como una relación inocente. Ella debía renunciar por entero a esa amistad, cosa que hizo gozosamente.

Durante el Paso Uno se cumplirán dos objetivos importantes. Primero, se dejarán al descubierto las fortalezas de los falsos sistemas de creencias, las cuales se rompen poniéndose de acuerdo con Dios por medio de la renuncia verbal. Segundo, la gente joven será equipada para manejar las mentiras y las fortaleza que puedan surgir después.

Al empezar este Paso, ayude a los adolescentes a que recuperen el terreno ganado por el enemigo en sus vidas, cosa por cosa, paso por paso.

Explique que todo lo dicho en la sesión se dice en voz alta, porque no hay pruebas en la Biblia que revelen que el diablo puede leer nuestra mente. Solo Dios conoce nuestros pensamientos más íntimos

mos, pero Satanás no es Dios y siempre es peligroso adscribirle atributos divinos.

Luego de leer el párrafo inicial al aconsejado, haga que el adolescente empiece orando en voz alta la primera oración del Paso Uno:

> Amado Padre celestial:
> Te pido que guardes mi corazón y mi mente y que reveles todo lo que he hecho o lo que alguien me haya hecho que sea espiritualmente malo. Revélame toda participación que haya tenido, sabiéndolo o no, en sectas o prácticas ocultistas y/o maestros falsos. Pido esto en el nombre de Jesús. Amén.

Para la gente joven es crítico entender que aunque hayan participado en algo como un juego o una broma o chiste, tienen que renunciar a eso. Aunque hayan estado ahí observando que los demás lo hacían, tienen que renunciar a su consentimiento y participación pasivos.

Satanás es un eximio oportunista que puede aprovecharse de toda violación de la santa ley de Dios aunque esas transgresiones se efectúen por ignorancia (ver Efesios 4:27). Diga al adolescente que no conocemos las formas específicas en que el diablo podría haber ganado terreno en su vida, así que iremos a la segura y seremos muy minuciosos para tratar todo lo que se venga a la mente.

El "Cuestionario de experiencias espirituales no cristianas"

Haga que los aconsejados lean el "Cuestionario de Experiencias Espirituales no Cristianas" y marque al lado todas las actividades en que hayan estado personalmente metidos. Ya le han pedido al Señor que les muestre aquellas áreas, así que confíen que el Señor responderá a sus oraciones.

Dios da arrepentimiento, guiando a conocer la verdad, para que podamos escapar del lazo del diablo.

Dios da arrepentimiento, guiando a conocer la verdad, para que podamos escapar del lazo del diablo (2 Timoteo 2:25,26). Resulta esencial no pasar por alto nada de lo que Dios quiere sacar a la superficie; por tanto, ellos deben tomar en serio toda impresión que reciban y marcar donde corresponde. Si no están seguros de su participación, puede expresar su renuncia así: "Señor confieso que puedo haber participado en"...

El Cuestionario de Experiencias Espirituales no Cristianas dista mucho de ser exhaustivo, así que, después de revisarlo y marcar lo que corresponda, pídales que anoten otras cosas que Dios les esté trayendo a la mente.

Si el adolescente tiene una pregunta legítima sobre qué es uno de los puntos del Cuestionario (porque sospecha que lo hizo), y explíquele qué es esa costumbre o creencia en particular. Sin embargo, no es necesario que el aconsejado sepa la definición de cada uno de los puntos del Cuestionario para hacer este ejercicio.

Los "espíritus sexuales" es un punto que, a veces, tiene que explicarse. Se refiere a ataques de espíritus que tratan de excitar sexualmente a la persona, lo que ocurre habitualmente en el cuarto del adolescente. Si el adolescente permitió que operaran los espíritus sexuales, tendrá que renunciar a eso; si los resistió en el momento, ya no tiene que renunciar.

Los espíritus sexuales pueden ser metidos en la vida de un joven por medio del acoso y del abuso sexual, la experimentación sexual en la infancia y por haberse expuesto a la pornografía. Si el niño o el adolescente demuestra un conocimiento, curiosidad o compulsión nada sanos y desacostumbradamente grandes en lo sexual, puede que haya espíritus sexuales involucrados.

Tenga cuidado con ponerse a dar largas explicaciones de cada punto del Cuestionario, cosa que puede ser mucho trabajo y causar una demora innecesaria en la resolución de los asuntos propios del aconsejado.

Si una persona joven confiesa que era un verdadero militante de una secta o falsa religión antes de conocer a Cristo (por ejemplo, de los mormones), anímelo a renunciar muy específicamente a las prácticas y creencias de esa grupo. Estudiar el *Libro de Mormón*, ir a los servicios, participar en los bautismos por los muertos y cosas por el estilo, son ejemplos de cosas específicas a las que se debe renunciar.

Debe renunciarse a la fascinación u obsesión por las cosas del ocultismo, demostrada por el hambre de conocer detalles de las cosas oscuras, ocultas y misteriosas. Si usted capta que al aconsejado le sucede esto, haga que renuncie a esa curiosidad junto con los otros puntos marcados.

La lista "anticristiana"

En la cultura juvenil actual se considera "bueno" una gran parte de lo que es oscuro, malo, siniestro, grotesco y horroroso. La sección del Cuestionario da espacio para que el adolescente marque las películas, la música, los programas de televisión, los juegos de video, libros, revistas e historietas que haya visto [leído, mirado], oído o jugado.

Aunque hay ciertos grupos de rock, películas y cosas por el estilo que se enfocan muy evidentemente en el diablo, no los mencionamos aquí por razones obvias. Primero, la lista quedaría pasada de moda casi antes de publicarse porque la cultura cambia muy rápidamente. Segundo, estamos confiando que el Espíritu de Dios revele a la mente de los jóvenes las cosas que *Él* quiere que expongan. Dios tiene Su lista particular para cada adolescente que viene a una cita para la libertad.

Habitualmente, si el adolescente está listo para arreglar cuentas con Dios, habrá poca resistencia en este punto. Si parece que el adolescente no puede recordar algo, anímelo a que le pida a Dios nuevamente y que escriba todo lo que se le venga a la mente, sin que importe cuán "bueno" *piense* que sea lo que le viene.

No se permita ponerse a discutir en este punto. Sencillamente anime al adolescente a que obedezca lo que el Señor le ha mostrado que haga.

Exhorte al aconsejado a ser sensible al Señor, revelando cosas en que participó que hayan glorificado a Satanás, que fueron groseramente violentas o que produjeron miedos o pesadillas al aconsejado. Debe renunciar a cosas que vio hace años, a medida que el Señor las traiga a la mente.

Siete preguntas acerca de los espíritus malignos

Luego de terminar con las listas anticristianas, haga que el aconsejado siga con las siete preguntas que siguen:

1. ¿Alguna vez has visto u oído o sentido que haya un ser espiritual malo en tu cuarto?
2. ¿Tienes ahora o tuviste un amigo imaginario, guía espiritual o ángel que te ofreciera guía y compañía?
3. ¿Has oído voces en tu cabeza o has repetido pensamientos negativos molestos como *soy tonto, soy feo, nadie me quiere, no puedo hacer nada bien*, etc., como si hubiera una conversación en tu cabeza? Explica.
4. ¿Has consultado alguna vez a un médium espiritista o psíquico?
5. ¿Qué otras experiencias espirituales has tenido que se considerarían fuera de lo corriente (contacto con seres extraterrestres, etc.)?
6. ¿Has participado alguna vez en adoración satánica de alguna clase o asistido a un concierto en que Satanás fuera el centro?
7. ¿Has hecho alguna vez un voto o pacto?

El aconsejado puede escribir sus respuestas o compartirlas con usted. De cualquier manera, anímele a que describa brevemente sus experiencias.

La pregunta uno está concebida para sacar a la superficie toda táctica directa de intimidación del diablo: ataques al sentido de estar a salvo y seguro que tenga el adolescente. A veces, puede desarrollarse una fortaleza de miedo en la infancia a partir de esas clases de incidentes, lo que sigue siendo un mecanismo impulsor en la vida adolescente de la persona. Haga que el adolescente renuncie a todos y cada uno de esos incidentes aterradores como asimismo a cualquier miedo que, como resultado, hubiera ganado terreno en su vida.

La pregunta dos explora las maneras en que los demonios pudieron haber sido invitados a la vida de los jóvenes bajo el disfraz de "guías espirituales" o "amigos imaginarios".

Si responden afirmativamente esa pregunta, pida los nombres asociados a esos seres y haga que los anoten en el espacio en blanco. Deben renunciar a esos guías por nombre, si se lo conoce. La relación continua con un amigo imaginario mantiene abierta la puerta a la operación de ese espíritu demoniaco disfrazado.

Todo niño tiene, por supuesto, una imaginación maravillosamente vívida, que crea juegos, fantasías y personajes. Si los amigos imaginarios contestan, dan consejos o se vuelven compañeros principales de ese niño o joven, entonces, ¡no son imaginarios!

Los que están metidos en el ocultismo o en la Nueva Era suelen buscar un guía o más que vienen del mundo espiritual. Frecuentemente se identifican como "ángeles guardianes" y dan sus nombres. Hasta pueden usar el nombre "Jesús". No es raro que la gente se muestre reacia y hasta triste ante la idea de romper sus relaciones con los guías espirituales, pensando que sus vidas se verán de alguna manera disminuidas al renunciar a ellos.

La pregunta tres se enfoca directamente en la batalla por la mente. Aquellos que oyen voces audibles, ruidos o que tienen pensamientos repetitivos y molestos, reconocen que están siendo acosados. Sin embargo, hay muchos que han creído que ellos mismos eran la *fuente* de sus pensamientos negativos.

El diablo es el acusador de los hermanos. Casi todos han enfrentado, en uno u otro momento, pensamientos condenadores que vienen directamente del enemigo o indirectamente de la programación dañina de su mente. En todo caso, esos pensamientos dañinos deben ser tomados cautivos y no permitirles el poder de controlar nuestras vidas (ver 2 Corintios 10:5).

El tema es: ¿quién fija el orden del día? ¿Quién decidirá qué pensamos? Puede que usted desee decir lo que sigue al aconsejado adolescente:

> Suponte que estás mirando TV y muestran un aviso muy seductor de cerveza. Tienes el control remoto en tu mano así que tienes el dominio completo sobre lo que miras y lo que no miras. Puedes cambiar rápidamente el canal y mirar algo sano o puedes sentarte pasivamente y mirar el comercial. De la misma manera, el enemigo trata de cargar tu mente con tentaciones, men-

> tiras y acusaciones. Cuando lo hace, tú tienes una elección que hacer. Puedes optar por permitir que esos pensamientos vengan a tu mente o puedes "cambiar el canal" y pensar en algo que sea bueno para ti. Si no haces nada, le dejas que él establezca el orden del día. Para tomar cautivos tus pensamientos debes escoger pensar y creer lo que es verdadero, correcto y puro.

Puede que algunos jóvenes no se den cuenta que pueden elegir cuál "programa" van a permitir en su mente. Anímelos para que hagan la opción difícil y responsable en este punto, a fin de tomar el control de sus pensamientos y enfocarse en las cosas buenas y verdaderas.

Si se han acostumbrado a permitir pasivamente que entre cualquier cosa en su mente, o han creído las mentiras del enemigo sobre Dios o sobre ellos mismos, sería útil que oraran lo siguiente:

> Señor, confieso haber prestado atención al enemigo y haber creído las voces condenadoras y acusadoras en mi cabeza. Esas voces están en contra de lo que es verdad y de lo que creo verdaderamente. Yo renuncio a toda y cada influencia y participación con esas voces y pensamientos mentirosos y te agradezco que soy perdonado en Cristo.

La pregunta cuatro trata la costumbre de buscar guía de otras fuentes que no son Dios. Esto está claramente prohibido en Levítico 19:31; Isaías 8:19,20 y otros pasajes de la Escritura. Como creyentes, tenemos el privilegio de ser guiados y dirigidos por el Espíritu Santo. Buscar orientación por medios ocultistas es una ofensa al santo Dios, a la cual debe renunciarse. También abre al adolescente a la guía fraudulenta o falsa que, de creerse, pueden funcionar como maldición o profecía autocumplida, manteniendo a ese adolescente bajo su cruel poder.

La pregunta cinco se relaciona con las experiencias religiosas o sobrenaturales que no eran de Dios. Esto incluye meterse en casas "embrujadas" y ver fantasmas, ser contactado por "extraterrestres" y hasta participar en prácticas no bíblicas en una iglesia.

Aunque hay ciertos dones espirituales auténticos y legítimos, también los hay falsos: de la carne y demoniacos. Los sanadores de la Nueva Era y los ocultistas, por ejemplo, practican el hablar en lenguas y realizan milagros ocultistas. Si un adolescente expresa preocupación por un incidente en que se ejerció un 'don' sobre él o que se le impartió, puede orar sencillamente: Señor, si este don de _______ no proviene de Ti, yo lo repudio en el nombre de Jesús". Deje que el *Señor* se lo traiga a la mente; luego, simplemente siga adelante luego de animarlo a orar.

Probar los espíritus (1 Juan 4:1) es algo que es mejor que haga el aconsejado. Si el joven no tiene clara la fuente del don, experiencia o 'profecía', anímele a orar pidiendo al Señor que le muestre su verdadera naturaleza.

Un joven dijo que la voz de su cabeza le suplicaba: "No me eches. Yo quiero ir al cielo contigo". Siendo exhortado, oró: "Señor, por favor, muéstrame la verdadera naturaleza de esta voz". Antes que pudiera terminar la oración, exclamó disgustado. Supo de inmediato que no era de Dios.

La pregunta seis menciona la adoración satánica. Esto incluye toda clase de ritos practicados en grupo o individualmente, sea hecho en forma activa o pasiva, estando ahí. Esto también incluye toda participación en conciertos de rock donde se cantaron canciones para adorar o glorificar o fomentar en alguna forma al diablo o la violencia diabólica, el sexo, las drogas o la rebelión.

Si existe alguna historia de ritos satánicos o secretos en la familia o en la vida personal del aconsejado (o recuerdos sospechosos bloqueados), haga que lea la lista "Reino de las Tinieblas, Reino de la Luz" del Paso Uno, luego de la oración de confesión y renuncia.

La pregunta siete se refiere a todos los acuerdos impíos hechos entre el aconsejado y otra persona o entre el aconsejado y un ser sobrenatural. Tenemos que vivir solamente bajo las promesas y las condiciones de nuestros nuevo pacto con Jesucristo por medio de Su sangre derramada. Debe renunciarse a todo otro pacto de sangre. También debe renunciarse a todo voto o promesa iracundo hecho contra Dios.

Una vez que se haya visto el Cuestionario y las preguntas, ayude al aconsejado a confesar su participación en cada punto que haya salido a la superficie, repitiendo en voz alta la oración que sigue. La oración debe decirse en forma separada por cada punto individual que deba ser renunciado.

Señor, yo confieso que he participado en________
Yo renuncio a toda y cualquier influencia y participación en____________, y te agradezco que soy perdonado en Cristo.

Esté alerta a las necesidades especiales

Que usted mantenga el control mientras guía a la gente joven por los Pasos, significa que usted está consciente de lo que está pasando con los adolescentes a los que está ayudando. Así, pues, permanezca en guardia. Mire sus ojos y las expresiones de sus rostros y escuche todas las omisiones del Cuestionario o de las preguntas previamente completadas. Si parece que los aconsejados están luchando, pídales que describan toda interferencia que puedan estar teniendo, sea mental o física.

Habitualmente el sencillo acto de decirle a usted lo que está pasando en su mente o cuerpo es suficiente para romper el enganche. Si no es así, anime al aconsejado a ejercer su autoridad en Cristo orando contra la actividad del enemigo. Si el ataque es severo, el exhortador y el socio de oración pueden orar en voz alta también.

Un principio importante que recordar es que el exhortador debe ejercer su autoridad espiritual por cuenta del aconsejado solamente en la medida necesaria para permitir que el aconsejado ejerza su propia autoridad en Cristo. El proceso de dar los Pasos hacia la Libertad en Cristo es un entrenamiento concebido para equipar a la gente joven para obedecer Santiago 4:7, aprender a someterse a Dios y resistir al diablo por sí mismos. Los aconsejados deben aprender a apoyarse en Dios, no en el exhortador, durante la cita para la libertad, de modo que las luchas futuras sean llevadas al Señor, no a usted.

Los aconsejados deben aprender a apoyarse en Dios, no en el exhortador, durante la cita para la libertad, de modo que las luchas futuras sean llevadas al Señor.

La mayoría de la gente joven que usted guíe por los Pasos no tendrá que hacer las renuncias del "Reino de las Tinieblas, Reino de la Luz" pero usted tendrá que usarlas si algo de lo que sigue fuera verdadero:

- Recuerdos presentes de abuso ritual satánico o de otras actividades satánicas;
- Historia familiar de participación en el ocultismo o sectas;
- Gran número de ítems sobre ocultismo o sectas marcados en la lista;
- Pesadillas severas;
- Historial de haber sido abusado sexualmente cuando era niño/niña;
- Historial familiar de adoración de espíritus o religión de los indios nativos de los Estados Unidos de Norteamérica.

Estas renuncias/anunciaciones deben leerse a través de la página, de izquierda a derecha, bajando de esa manera por la lista de declaraciones.

La gente joven que ha estado metida en ritos satánicos y otras prácticas tienen que renunciar a ellas de a una por una, como el Señor se las revele. Algunos ya estarán conscientes de las cosas pero puede que otros tengan recuerdos que afloran a superficie mientras van trabajando las declaraciones del "Reino de las Tinieblas, Reino de la Luz".

Aunque existen indudablemente casos de trastornos de la personalidad múltiple en adolescentes, son raros y es muy improbable que se encuentre con uno. Además, ese trastorno es sumamente complejo y escapa al ámbito de este libro. Lo animamos que lea las páginas 150-151 de *Helping Others Find Freedom in Christ (Ayudando a Los Demás a Encontrar la Libertad en Cristo)* para obtener más información sobre este tema.

Tenemos que darnos cuenta de que no todo lo que dicen los aconsejados que les pasó, ha ocurrido en realidad. El enemigo puede crear recuerdos falsos al esforzarse por acusar con una calumnia a los padres o a un líder cristiano. Los "recuerdos" que surgen por medio de sueños o las así llamadas "palabras del Señor" que no sean corroborados por evidencias externas, son sumamente sospechosos y nunca se debe confiar en ellos.

Si usted discierne que lo que ellos están "recordando" no son sino mentiras engañosas, haga que oren, pidiendo al Señor que revele la fuente de sus recuerdos. Si persisten en creer sus sueños o las "palabras del Señor", haga que perdonen a los que creen que les hicieron daño (vea el Paso Tres) y siga adelante.

Lo importante es que a medida que usted confíe en el Espíritu Santo para que lo guíe, Él lo hará. Imposible es prepararse para todo posible "quiebre" del fluir uniforme del proceso de dar los Pasos hacia la Libertad en Cristo. La mente y el corazón del ser humano son demasiado complicados para eso, de todos modos.

Observando, aprendiendo, haciendo

Las dos primeras veces que yo (Rich) estuve como socio de oración, observé a Ron Wormser y, luego, a Carole, su esposa, guiar gente por los Pasos, salí de esas sesiones meneando mi cabeza, preguntándome cómo podría ser que yo pudiera tener la clase de discernimiento, amor y bondad que ellos demostraban.

Antes de que pasara mucho tiempo, el Señor "me echó del nido" y dijo: "Bien, Rich, te toca a ti". Así que sintiendo mucho temor y temblor, empecé a guiar a otras personas por los Pasos. Hubo otra gente que vino como socios de oración, como es nuestra costumbre normal.

Me figuré: "Bueno, Señor, el mismo Espíritu Santo que obra por medio de Ron y Carole está también vivo y activo en mí, así que, por favor, dame sabiduría y discernimiento más allá de mis años". ¡Para mi asombro, Él lo hizo!

Lo divertido fue que aquellos que participaron como mis socios de oración salían de las sesiones, meneando sus cabezas y diciendo: "yo nunca podría tener esa clase discernimiento y penetración que usted demostró".

Me reía y les decía que era exactamente lo mismo que yo había dicho pocas semanas antes. Dios es bondadoso y está lleno de gracia. Él quiere hacer libres a los cautivos y Él es Aquel que lo hace. Sencillamente está buscando y ansía usar una vasija rendida a Él.

Si surgen asuntos que no están cubiertos específicamente en este Paso (o en ninguno) sólo deje que el Espíritu lo dirija.

Una mujer fue llevada a una vida de prostitución por su madre y recordó que, siendo muy joven, una adivina le había dicho: "Querida, tienes un cuerpo y una cara bonitos. Eso te ayudará a vivir". Se le exhortó a que renunciara a esa maldición y la mentira que decía que ella usaría su aspecto y cuerpo para satisfacer sus necesidades, y se la animó a que anunciara en voz alta la verdad que dice que su cuerpo es templo del Espíritu Santo y que Dios suplirá todas sus necesidades (ver 1 Corintios 6:19 y Filipenses 4:19).

Una importante regla de sentido común dice que cada vez que los aconsejados renuncian a una mentira o experiencia falsa, deben afirmar la verdad y práctica cristiana correspondientes. Ese modelo nos es dado en pasajes bíblicos como Efesios 4:20-24, que nos amonesta a "quitarnos el viejo hombre" y "ponernos el nuevo".

La libertad cuesta, pero la atadura también

Finalmente, al concluir de guiar por este Paso a un aconsejado adolescente, puede que tenga que animar a ese joven para que se descarte o destruya algunos libros, fotos, materiales, fetiches, artefactos, música u otras cosas que sean suyos y que puedan estar ligados con prácticas pasadas. Así los hicieron los hechiceros arrepentidos de Hechos 19:19, destruyendo una fortuna en objetos ocultistas.

Para algunos, eso puede parecer un "desperdicio" innecesario de dinero. "¡Esos libros o rollos podrían venderse y usar el dinero para alimentar a los hambrientos o algo así!", seguramente gritaron los pragmáticos y los materialistas de la época. Esa clase de gente nunca puede entender la pureza de la adoración que viene del sacrificio, como quebrar un jarro de alabastro con perfume y vertirlo sobre nuestro Señor antes de Su funeral. Todo lo que ellos pudieron ver fueron signos peso (o *dracma*) deslizándose de sus dedos grasientos. El corazón del arrepentido nunca cuenta los centavos cuando se trata del precio de la libertad.

A propósito, tampoco lo cuenta Dios. El mismo Jesús creyó que nuestra salvación y libertad eran tan valiosas que Él puso en bancarrota las bóvedas del cielo para hacerlo posible. Él derramó Su propia sangre preciosa para hacerlo realidad. Ni siquiera consideró la igualdad con Dios como algo que considerar en vista del valor de redimirnos de nuestros pecados.

La libertad verdadera siempre nos cuesta algo pero así también la esclavitud. La opción es siempre nuestra: pierde tu vida y la hallarás o halla tu vida y la perderás.

Capítulo Ocho

Enfrentando la verdad

Paso dos:
Engaño contra verdad

Yo (Rich) no recuerdo que haya orado con más fuerza por alguien del ministerio, que por Pablo. No sólo era un amigo sino un siervo fiel del Señor, dedicado al ministerio de jóvenes de jornada completa. Sin embargo, su mente era una maraña compleja de pensamientos malos y creencias distorsionadas. Yo sabía que la verdad podía hacerlo libre pero, ¿podría él morder con suficiente firmeza la verdad para sostenerla sin soltarla?

"Al hoyo negro y de vuelta"

Su historia, que he titulado "Al Hoyo Negro y de Vuelta" se repite en miles de formas en la vida de los padres, los obreros cristianos y los adolescentes cristianos de este país. La historia de Pablo es de intenso dolor, centrado en torno a una batalla entre la verdad y el engaño, la cual rugía en su mente. También es un testimonio maravilloso de la victoria en la verdad: Jesucristo. Es una historia de "antes" y "después" que tiene entremedio un período de 18 meses de sanidad. Se darán cuenta del notable cambio de inmediato. Primero, el "antes".

El "antes"

Rich, cuando estaba orando esta mañana le pedí al Señor que me mostrara la basura que ha estado taponando mis pensamientos en relación a mi identidad en Cristo. Gran parte de lo que describí son pensamientos acosadores que surgen en mi mente de tanto en tanto. Algunas cosas están profundamente arraigadas.

Tanto de lo que he escrito está basado en sentimientos de miedo e indignidad personal. Aunque he reconocido esto por mucho tiempo, tengo problemas en filtrar las mentiras. ¿Por qué lucho tanto con esto? Necesito ayuda para "pararme bien" en la verdad e internalizarla.

No se si puedo hacer este trabajo. Tú [hablando a sí mismo] *empezaste con una tonelada de esperanzas y sueños y, tres años después, muy poco ha cambiado aquí. ¿A quién tratas de engañar? Dios no te va a usar para hacer las cosas que quieres que sucedan: un movimiento espiritual con docenas de muchachos viniendo a las reuniones, entusiasmo por Cristo, muchachos yendo a Él, etc.*

Otras personas han sido usadas así pero tú no. Parece que el plan de Dios para ti es que aguantes ahí tratando de permanecer fiel pero viendo menos fruto del que quieres. Vas a tener que aceptar ser menos de lo que quieres.

Pablo, los que están en autoridad sobre ti han perdido la confianza en tu liderazgo. No has recibido personal nuevo en más de cuatro años. Ellos te están observando para decidir si eres realmente capaz de hacer tu trabajo. ¿Recuerdas lo que dijeron de Guillermo [otro ministro de jóvenes]*?: "Él lleva en esto como ocho años sin que pase nada; es hora de seguir adelante". Bueno, Pablo, te llega el turno.*

La razón de que estés luchando tanto aquí es no sabes qué estás haciendo. Parece que no te logras imaginar lo que Dios está tratando de hacer en este lugar. Empezaste lleno de sueños y ellos se han roto de a uno por uno dejándote sin nada más que confusión sobre lo que Dios quiere hacer.

Debes estar lleno de orgullo. ¿Cómo puedes decir, ni siquiera pensarlo, que la voluntad de Dios para tu vida es menos que lo óptimo para ti? ¿Por qué no te tranquilizas y te contentas con tu andar diario con Dios? Eres un desastre.

Tienes tremendo problema con Samuel, tu hijo. Él tiene mucha rabia y rebeldía dentro de sí. Va a luchar así toda su vida y les causará mucho dolor a ti y Margarita (la esposa de Pablo).

Eres uno de esos tipos muy buenos para hablar, pero cuando se trata de hacer, no puedes concretar nada. Nunca lo has hecho, nunca lo harás.

La batalla de Pablo contra la depresión nació de sentirse indefenso, atrapado en una situación que parecía como si nunca fuera a cambiar. Pasamos mucho tiempo hablando por teléfono, elaborando cada una de las mentiras que se había creído. Pablo renunció a las mentiras y optó por la verdad. El resto de la historia habla por sí misma:

El resto de la historia: El "después"

Gracias por darme la oportunidad de escribir y contar lo bueno que Dios está haciendo en mi vida. Me duele el corazón y casi me asusta mirar otra vez mi carta. Mi corazón se rompe de compasión por esa pobre alma que escribió esas palabras... pero salieron de mi propia mano y corazón. La vida es ahora tan diferente para mí. Clamo a Dios con gratitud por librarme de esas horrorosas cadenas de miedo y duda de mí mismo.

Yo estaba apestado por acusaciones dirigidas hacia mi propio valor y aptitud para el ministerio. Tenía un fantasma en mi mente sobre cómo debía lucir y desempeñarse "un ministro de jóvenes de verdad": cuántos estudiantes debían participar, qué clase de estudiantes debían ser, cómo debían ser las reuniones de jóvenes, cuántos adolescentes debían ir a Cristo, etc. Cada vez que la realidad no satisfacía mis expectativas, cosa que era frecuente, me sentía plagado por la culpa, la condenación y la duda. Jesucristo me ha liberado de ese ciclo espantoso.

Además, puedo decir honestamente que ahora ya no lucho más con los pensamientos negativos referidos a mi punto de vista acerca de mi liderazgo. He aprendido cómo rechazar las acusaciones provenientes del abismo con relación a mi valor como líder, y veo victoria con regularidad en este aspecto.

También me acosaba el miedo por uno de mis hijos. Los ataques eran así: él va a terminar preso, nosotros tendremos toda una vida de dolor y tragedia, etc. Los ataques venían con regularidad y el miedo y la desesperación me confundían sobre cuáles eran los pasos apropiados para ayudarlo. ¡Esos ataques se acabaron! El miedo y la duda fueron reemplazados por la esperanza y la confianza de que Dios está en control hasta cuando es difícil saber qué hacer.

La victoria y el crecimiento han sido un proceso gradual para mí, pero el cambio es real. No me siento como "aquella persona" que escribió esa carta dolorosa. Tocante al por qué ocurrió el cambio, yo le doy todo el mérito a Jesucristo. Yo estoy libre porque Él me ha liberado. Creo que en Su bondad y amor por mí, Él trajo a mi vida las enseñanzas de Neil y tuyas sobre este tema. Habiendo leídoVictory over the Darkness (Victoria sobre la Oscuridad) *y The Bondage Breaker* (Rompiendo las Ataduras) *por mi cuenta, nuestro equipo de ministerio vio la serie de videos de esos dos libros. También fui a un entrenamiento sobre cómo guiar a otras personas por los Pasos hacia la Libertad en Cristo.*

¿Cuál es mi punto? Que mi mente fue renovada por la verdad. Las viejas mentiras fueron reemplazadas por la verdad de mi identidad. Aun así, a veces tropezaba en mi camino volviendo a la esclavitud. Pienso que nuestras conversaciones telefónicas fueron lo que me ayudó para cristalizar en mi mente lo que estaba pasando. Supe que los principios eran verdaderos aunque no parecieran durar, porque yo no estaba resguardando mi mente con diligencia contra el regreso de las mentiras.

Durante semanas, quizá meses, leí casi a diario los versículos sobre la identidad. Oraba regularmente oraciones de guerra por mí también. Luego empecé a orar en mi autoridad en Cristo por mis hijos todas las noches cuando los acostaba. Dios estaba reemplazando la basura con Su verdad preciosa.

Se fueron los días en que me condenaba por mis fracasos y faltas. Dios está haciendo tantas cosas en vida ahora, que ¡apenas puedo mantener el ritmo! Cuando me despierto en la noche con pensamientos "sombríos y condenatorios" resisto a Satanás y le mando irse. Por la autoridad de Jesucristo se terminaron los días en que Satanás andaba intimidándome a mí y a mi familia.

La bondad de Dios es tan constante, Su presencia es tan real, Su fidelidad es tan abundante. Su plan es precisamente bueno. Estoy más entusiasmado que nunca con mi ministerio que está más fuerte que nunca y ¡yo lo estoy disfrutando más!

En verdad, Jesús lo dijo perfectamente en Juan 8:32: "y conoceréis la verdad, y la verdad os hará libres". Él hizo justamente eso en mi vida.

Reconociendo la verdad

El testimonio de Pablo ilustra un punto crucial, y el tema del Paso Dos. Creer la verdad de Quién es Cristo, por qué vino y quiénes somos en Él es la esencia del evangelio liberador. Ceñir nuestros lomos con la verdad (ver Efesios 6:14) es nuestra primera línea de defensa contra Satanás, "el padre de mentira" (Juan 8:44). Tenemos que reconocer la verdad en el hombre interior (ver Salmo 51:6), muy profundo en nuestro corazón pues la fe genuina trasciende el mero asentimiento intelectual o la acumulación de conocimiento.

La verdad de Dios está concebida para penetrar el corazón, el núcleo mismo de nuestro ser (ver Hebreos 4:12). Solamente entonces Su verdad nos traerá la verdad y el cambio duradero que deseamos que viva nuestra gente joven.

Sin embargo, la consagración a la verdad implica más que creer la verdad con la cabeza. Es un estilo de consagrarse a "andar en la luz" (1 Juan 1:7), "hablando la verdad en amor" (Efesios 4:15) y "dejando a un lado la falsedad" (versículo 25).

Una característica principal de los adolescentes esclavizados es ésta: mienten. Jesús lo dijo así: "Porque todo aquel que hace lo malo, aborrece la luz y no viene a la luz, para que sus obras no sean reprendidas" (Juan 3:20).

Las bulímicas mienten sobre sus atracones de comida y sus purgaciones. Los alcohólicos esconden sus adicciones y guardan en secreto botellas por toda la casa. Los que están metidos en el ocultismo, hacen ritos y prácticas secretos. Los adictos al sexo pueden mantener escondido su pecado durante años. El primer paso a la recuperación en cualquiera de esos aspectos es salirse de la negación o engaño, llevar la esclavitud a la luz y enfrentar la verdad en la presencia de Dios y de las personas a quienes les importe.

Satanás opera como una cucaracha, escurriéndose en las tinieblas y huyendo a esconderse cuando se encienden las luces. Él trata de convencer a los jóvenes de que la verdad es el enemigo, de modo que a menudo se asustan de andar en la luz y de admitir lo que han hecho. Temen el rechazo o la condena de parte de Dios o de la gente. Están convencidos de que será demasiado difícil arrepentirse y cambiar. Están convencidos de que nunca podrán arreglárselas con la vida sin sus pecados secretos.

Sin embargo, la verdad nunca es el enemigo. Jesús, la encarnación plena de la verdad (ver Juan 14:6) es el mejor amigo que puede tener cualquiera de nosotros.

El poder de Satanás reside en la mentira y la batalla por la vida de una persona joven se gana o se pierde en la mente. Si el diablo es capaz de engañar a los adolescentes cristianos para que crean cosas sobre Dios que no son verdaderas o sobre quiénes son ellos en Cristo, vivirán en derrota espiritual. Sin embargo, cuando se exponen las mentiras y se reemplazan con la verdad, se rompe el poder de Satanás en el creyente.

La historia de una bulímica

Silvia vino a verme (a Rich) durante una de las pausas de una conferencia en que estaba hablando. Su mente era una enredada madeja de rabia, miedo y tristeza. Ella había sufrido abuso sexual en el pasado, y actualmente era bulímica. Tenía una horrible compulsión a tajearse y luchaba para permanecer en la sala donde se estaba predicando la Palabra de Dios.

Sin embargo, la distorsión más devastadora de su sistema de creencias venía del punto de vista que ella tenía sobre Dios. Había llegado a creer que Dios era malo, ruin, indiferente y nada confiable, concluyendo que eran buenas las cosas que el diablo ofrecía. Era casi completamente al revés de la verdad.

Para el final de la conferencia, ella pasó, llorosa, adelante para compartir que "quizá Dios no es la persona espantosa que yo pensé que era". ¡En menos de 24 horas, ella recorrió años luz! Su retorcido punto de vista de sí misma está siendo cambiado por la verdad, como me escribió en una carta, después de la conferencia:

O estamos llamados a disipar la oscuridad; somos llamados a encender la luz.

Este seminario ha representado todo un vuelco para mí, ¡cosa que me entusiasma y asusta a la vez! Qué diferencia es ver la identidad de uno, que el valor de uno viene de Cristo y no de la forma del cuerpo. Sé que la verdad es lo que me hace y me hará libre. Me asombra que mi seguro haya pagado más de medio millón de dólares en los últimos cinco años por hospitales y consejería, comparándolo con todo lo que me pasó y todo lo que aprendí en ¡un seminario de $30! ¡Llevo más de una semana sin tomar las píldoras dietéticas y, a la fecha de hoy, no he tomado purgantes por tres días!

Eligiendo la verdad

Indudablemente la batalla es por la mente de la gente joven y Satanás torcerá la Escritura o dirá medias verdades para engañar sutilmente. Debemos recordar que las armas con que peleamos no son del mundo. Por el contrario, tienen poder divino para derribar fortalezas. En el Paso Dos usamos la verdad para refutar "argumentos, y toda altivez que se levanta contra el conocimiento de Dios, y llevando cautivo todo pensamiento a la obediencia a Cristo" (2 Corintios 10:5).

En el Paso Dos se debe estar en guardia contra la posible interferencia en el aconsejado debido a que la mayoría de los ataques del enemigo ocurren en los primeros dos Pasos.

El enfoque primordial es mantener el control dejando las mentiras al descubierto y revelando la batalla por la mente y, luego, ignorándola. Ayude a la gente joven con la que trabaje a entender el concepto de prestar atención a los espíritus engañadores. Recuerde que la libertad no viene de aplastar las moscas (ejercer constantemente la autoridad sobre las tácticas de acoso del enemigo) sino que viene de sacar la basura (confesar y renunciar pecado).

La forma en que vencemos al padre de mentira es eligiendo la verdad. No estamos llamados a disipar la oscuridad; somos llamados a encender la luz. La aconsejada adolescente experimentará una creciente libertad de los tormentos del enemigo a medida que vaya dando progresivamente los Pasos hacia la Libertad y resuelva sus conflictos espirituales y personales. Todo ruido en su cabeza es sólo un intento del enemigo para descarrilarla del camino que lleva hacia la libertad.

Al empezar a trabajar el Paso Dos de los Pasos para Jóvenes, lea el material introductorio. Luego, haga que la joven reconozca humildemente su necesidad de, y su consagración a andar en la luz orando en voz alta la oración inicial:

> Amado Padre celestial:
>
> Sé que Tú quieres que yo enfrente la verdad, siendo honesta contigo. Sé que optar por creer la verdad me hará libre. Fui engañada por Satanás y me engañé yo misma. Pensé que podía esconderme de Ti pero Tú ves todo y aún me amas. Oro en el nombre del Señor Jesucristo, pidiéndote que reprendas a todos los demonios de Satanás que me están engañando. Por fe te he recibido en mi vida y ahora estoy sentada con Cristo en los lugares celestiales (Efesios 2:6). Reconozco que tengo la responsabilidad de someterme a Ti y la autoridad para resistir al diablo, y cuando lo hago, éste huirá de mí (Santiago 4:7).
>
> Yo he confiado sólo en Jesús para salvarme, así que soy Tu hija perdonada. Porque me aceptas tal como soy en Cristo, puedo tener la libertad de enfrentar mi pecado. Pido que el Espíritu Santo me guíe a toda la verdad. Te pido: "Examíname, oh Dios, y conoce mi corazón; pruébame y conoce mis pensamientos; y ve si hay en mí camino de perversidad, y guíame en el camino eterno" (Salmo 139:23,24). Oro en el nombre de Jesús. Amén.

Confesando tres listas de cosas

Luego de esa oración la aconsejada debe confesar pecados de tres listas: (1) "Maneras en que el mundo puede engañarte"; (2) "Maneras que tú puedes engañarte a ti mismo"; y (3) "Malas maneras de defenderte".

Identificar el aspecto del engaño de parte del mundo y de uno mismo y sus propias defensas carnales, es otra manera que tiene la gente joven para descubrir creencias erróneas y poder optar por andar en la verdad. Usted puede hacer que los aconsejados lean en silencio la lista o usted mismo puede leerles en voz alta las listas.

Una oración de confesión sigue a la primera lista. El aconsejado sólo debe orar eso una vez, llenando el blanco con todos y cada uno de los puntos de la lista que deban ser confrontados. La oración dice algo así:

> Señor, yo confieso que fui engañado por________. Te agradezco por Tu perdón y me consagro a creer solamente Tu verdad. Amén.

Otra oración de confesión sigue a la segunda lista. De nuevo, el aconsejado debe orar esto solamente una vez:

Señor, yo confieso que me engañé por________. Te agradezco por Tu perdón y me consagro a creer solamente Tu verdad. Amén.

La mayoría de los jóvenes trabajarán la segunda lista con escasa dificultad. Puede que se necesite alguna explicación para puntos de la primera lista pero no se ponga a discutir con el aconsejado. Si fuera necesario, mire las referencias de la Biblia, léalas en el contexto y deje que la Palabra de Dios hable por sí misma. Luego invite al adolescente a decir la oración de confesión que corresponda.

Otra oración de confesión sigue a la lista de "Malas maneras de defenderte". El proceso se asemeja al de la lista y oración anteriores, aunque se expresa en forma algo diferente:

> Señor, confieso que me he defendido mal por________. Te agradezco por Tu perdón y me consagro a confiar en Ti para que me defiendas y protejas.

Ésa puede resultar una oración difícil para adolescentes víctimas de abuso. Muchos usan la rabia y el aislamiento como escudos para protegerse de más abuso y tienen miedo de confiar en Dios. Usted puede exhortarles explicando que al ir dándose cuenta de su verdadera identidad en Cristo y de la relación hijo-Padre con el Dios Todopoderoso, irán dándose cuenta poco a poco de que Él es la única defensa que necesitan. A su tiempo, la gente joven maltratada aprenderá a vérselas con el dolor de la vida en formas nuevas y sanas.

La verdad sobre nuestro Padre Celestial

El siguiente ejercicio está concebido para ayudar a que los adolescentes desarrollen esa relación íntima de "Abba, Padre" con Dios. Empezando a destruir "fortalezas, refutando argumentos, y toda altivez que se levanta contra el conocimiento de Dios (2 Corintios 10:5), la gente joven puede ser liberada para adorar a Dios en espíritu y verdad y buscarle con fervor, quizá por primera vez en su vida.

Es un proceso de renunciar a mentiras y optar por la verdad de Quién es Dios. Éste es básicamente el mismo gráfico titulado "La Verdad Sobre Nuestro Padre Celestial", que se halla al final del capítulo 3 de este libro.

Haga que los aconsejados lean las listas de este gráfico, de izquierda a derecha, y de arriba hacia abajo. Cada frase que diga Quién *no* es Dios (al lado izquierdo) debe ir precedida por las plabras *yo renuncio a la mentira que dice que mi Padre celestial es...*

Cada frase que diga Quién *es* Dios (al lado derecho) debe ir precedida por las palabras *yo acepto la verdad que dice que mi Padre celestial es...*

Este ejercicio puede ser un momento de increíble liberación para quienes han estado luchando con vivir una relación íntima con Dios. Una jovencita que sentía que el Señor era como su papá iracundo, controlador y ausente, terminó este ejercicio y siguió entonces con la próxima oración. Empezó orando *Amado Padre celestial...* y se detuvo. Me miró sonriendo y dijo: "He orado a mi Padre celestial toda mi vida porque así es como a uno le enseñan a orar pero, precisamente ahora, cuando dije esas palabras, fue la primera vez que *sentí* algo".

¿Qué le estaba pasando? ¡La muralla entre su cabeza y su corazón se estaba derrumbando! Ella sabía toda la doctrina correcta y podía citar Juan 3:16 de adelante para atrás y de atrás para adelante. Pero nunca había sido libre para sentir el corazón de amor de Dios Padre, hasta entonces.

Jesucristo tiene que ser nuestro único Amo porque Dios es el único objeto legítimo de temor. Sólo Él es omnipresente y omnipotente.

Satanás es un matón que quiere alejarnos del Dios que nos ama. A veces lo hace calumniando el carácter santo de Dios y, a veces, lo hace iniciando ataques de miedo que intimidan. Nuestro "adversario, el diablo, como león rugiente, anda alrededor buscando a quien devorar" (1 Pedro 5:8). Él quiere crear miedo en nosotros para que no andemos por fe en Dios.

El miedo es la antítesis de la fe. El miedo nos debilita, nos hace egocéntricos y nubla nuestra mente para que todo lo que podamos pensar sea lo que nos asusta, aunque el miedo sólo puede dominarnos si lo dejamos.

Sin embargo, Dios no quiere que seamos dominados por nada, ni siquiera por el miedo (1 Corintios 6:12). Jesucristo tiene que ser nuestro único Amo porque Dios es el único objeto legítimo de temor. Solo Él es omnipresente y omnipotente.

Empiece el siguiente ejercicio crítico del Paso Dos haciendo que los adolescentes oren:

> Amado Padre celestial:
>
> Te confieso que he oído el rugido del diablo y permití que el miedo me dominara. No siempre he andado por fe en Ti sino que me he enfoncado en mis sentimientos y circunstancias (2 Corintios 4:16-18; 5:7). Te agradezco por perdonar mi incredulidad.
>
> Ahora mismo renuncio al espíritu de miedo y afirmo la verdad de que no me has dado espíritu de temor sino de poder, amor y dominio propio (2 Timoteo 1:7).
>
> Señor, por favor, ahora revela en mi mente todos los miedos que me han estado dominando para que pueda renunciar a ellos y estar libre para andar por fe en Ti.
>
> Te agradezco por la libertad que me das para andar por fe y no por miedo. Oro en el poderoso nombre de Jesús. Amén.

Hay toda una gama de miedos que pueden ser como plaga para la gente joven: miedo a morirse, miedo al diablo, a las multitudes, al fracaso, al rechazo, a la desaprobación, a la vergüenza, al delito, al dolor o a la locura. Pueden tener miedo de que nadie los ame nunca o que nunca tengan un novio o novia. Pueden temer lo que les sucederá si sus padres se divorcian. Pueden temer volverse homosexuales, ser un caso sin remedio, perder su salvación y ser rechazado por Dios. También pueden tener miedo del futuro, temer que nunca les vaya bien.

Por cada temor que salga a superficie como fuerza controladora de la vida del joven, haga que diga en voz alta la siguiente renuncia. Como pasó con los ejercicios anteriores del Paso Dos, sólo se necesita decir la renuncia una sola vez, llenando el blanco con todos los miedos que el Señor traiga a la mente.

> Yo renuncio al miedo a (nombrarlo) porque Dios no me ha dado espíritu de temor. Opto por vivir por fe en Dios que ha prometido protegerme y satisfacer todas mis necesidades al caminar por fe en Él (Salmo 27:1; Mateo 6:33,34).

Después que los adolescentes hayan terminado de renunciar a todas las áreas específicas de sus miedos dominantes, haga que oren lo siguiente en voz alta y de todo corazón:

> Amado Padre celestial:
>
> Te agradezco que seas confiable. Opto por creerte aunque mis sentimientos y circunstancias me digan que tenga miedo. Tú me has dicho que no tema pues Tú estás conmigo; que no ande buscando ansiosamente a mi alrededor pues Tú eres mi Dios. Tú me fortalecerás, me ayudarás y ciertamente me sostendrás con Tu diestra de justicia (Isaías 41:10). Oro esto con fe en el nombre de Jesús, mi Amo. Amén.

Comprensión de la fe

Luego de completar estos ejercicios, lea en voz alta al aconsejado el material de los Pasos que anteceden a la "Declaración de la Verdad". Considere las preguntas que el joven pueda hacer sobre el contenido de esta sección, que es una comprensión apropiada de la fe.

Mucha gente lucha con esto de andar por fe. Sus emociones y experiencias pueden vociferar tan fuerte a su sistema de creencias que dudan de la confiabilidad de Dios y Su Palabra.

Uno de los valores de ser guiado a través de los Pasos por otro creyente es tener una fuente externa objetiva que ayuda a echar una mirada honesta a la vida de uno. Los adolescentes que presentan más dificultad para trabajar son los que son muy subjetivos y mentalmente pasivos. Creen todo pensamiento mínimo que se les cruce por la mente sin haber asumido nunca la responsabilidad por sus propios pensamientos.

Sus pensamientos y sentimientos les dicen que no tienen esperanza y que necesitan que alguien haga algo por ellos. Son candidatos de primera clase para las sectas o los malos pastores legalistas que ejercen un control cruel sobre su gente diciéndoles lo que deben creer y hacer y que los hacen sentirse culpables si fallan en hacer exactamente lo que les piden.

Estos adolescentes creen que Dios no oye sus oraciones, que no tienen suficiente fe o que esto funciona para otros pero no para ellos. Viéndose "diferentes" creen que son casos sin esperanza ni remedio.

Antes de que se pueda avanzar algo con esta clase de jóvenes, quizás deba hacer que renuncien en forma similar a esta:

> Renuncio a la mentira que dice que yo soy una víctima indefensa sin esperanzas de cambiar alguna vez. Renuncio a la mentira que dice que el cristianismo funciona para los demás pero no para mí y que yo soy la excepción de la ley. Opto por creer que la Palabra de Dios es verdadera para mí y rechazo todas las mentiras que se oponen a la verdad en mis pensamientos y sentimientos.

Ed Silvoso, evangelista y plantador de iglesias, ofrece una definición de fortaleza enemiga: es una "mentalidad impregnada con una sensación de desesperanza que nos hace aceptar como imposible de cambiar aquello que sabemos que es contrario a la voluntad de Dios". Antes de poder atacar y derribar la fortaleza misma (por ejemplo, el alcoholismo), el joven debe convencerse de que es posible cambiar realmente aunque sus paredes no se desplomen sin una gran lucha. La siguiente ilustración puede servir:

Supone que un camino de tierra lleva a tu casa en el campo. Semana tras semana manejas tu camioneta por ese camino, a través de lluvia y barro. Se forman surcos en el camino y se secan al sol quedando duros como concreto.

Estás acostumbrado a manejar por esos surcos pero hay un camino más parejo fuera de ellos. Si haces la prueba, convencido a medias, de sacar el vehículo de los surcos y meterlo en la superficie más pareja, tu vehículo se resistirá a tus esfuerzos. Si realmente quieres salir del camino malo, tienes que efectuar una opción deliberada y tendrás que esforzarte un poco para sacar el vehículo de los surcos.

De igual forma, si no quieres seguir siendo dominado por las fortalezas o "pensamiento en surcos" que en tu mente han cementado el mundo, la carne y el diablo a través del paso de los años, tienes que consagrarte de todo corazón a derribar esas fortalezas y optar por creer la verdad. Lleva todo pensamiento cautivo a la obediencia de Cristo y no dejes que tu mente siga pasivamente tus sentimientos. Al dejar "que la palabra de Cristo habite en abundancia en vosotros" sentirás "la paz de Cristo" reinando en tu corazón (Colosenses 3:15,16).

Declaración de la verdad

Haga entonces que el aconsejado lea en voz alta la "Declaración de la Verdad". Haga que persevere en la lectura aunque le resulte muy difícil terminarla. Ésta es una oportunidad para que el joven afirme lo que cree verdaderamente y contrarreste las mentiras del diablo que pueden haber distorsionado su concepto de Dios, de sí mismo y de la vida cristiana.

Algunas personas jóvenes pueden tener incapacidades de aprendizaje o pueden leer a nivel inferior al promedio. Tenga paciencia con ellos, ayudándoles a pronunciar las palabras difíciles y, de ser necesario, definiendo palabras nuevas.

Para aquellos que no pueden leer por un problema físico o de educación, usted puede hacer que repitan la Declaración frase por frase, con usted.

No suponga que la dificultad de leer tenga necesariamente una explicación natural. No es raro que a los aconsejados se les nuble la vista o tengan pensamientos que los distraen estorbando su habilidad para leer o comprender. Algunos sienten que se les aprieta la garganta o que la lengua se les pone pesada, dificultando así la enunciación.

Algunos pueden decir: "siento como si estuviera leyendo solamente palabras". Ayude a ese joven diciendo: "¿deseas ser sincero en lo que dices? Entonces, renuncia a la mentira que dice que sólo estás leyendo palabras, y declara la verdad que esta Escritura es lo que optas por creer".

Le quedará claro cuando alguien tiene dificultades para leer la Declaración de la Verdad debido a un conflicto espiritual. Los puntos críticos de la verdad serán objetados por el enemigo y el joven luchará para decir las palabras. Al perseverar el aconsejado a pesar de la oposición, se habrá ganado una importante batalla de la verdad sobre el engaño.

Yo (Neil) he usado a menudo la Declaración de la Verdad como una prueba estilo papel tornasol para demostrar a un aconsejado su libertad recientemente hallada, después de completar los siete Pasos hacia la Libertad en Cristo.

He dicho a muchos: "¿Recuerdas cuánto te costó antes leer la Declaración de la Verdad? ¿Por qué no la lees de nuevo y ves si encuentras algún cambio?" Algunos apenas pueden creer la diferencia. De pronto se vuelve comprensible como la Biblia. La mayoría siente un hambre y una sed de la Palabra de Dios como nunca antes.

Soltando y dejando que Dios tome el mando

Sara era una adolescente emocionalmente atada con nudos. Procedía de un hogar roto (su papá se había ido cuando ella tenía cinco años), y habían hecho lo mejor que podía para impedir que su vida se destrozara, aunque estaba profundamente herida por el divorcio.

Llevaba años de cristiana pero sólo tres meses antes de nuestra reunión había dedicado su vida al servicio cristiano de jornada completo. Ahí fue cuando las cosas empezaron a ponerse realmente difíciles para ella. Estaba aplastada por sentimientos de inferioridad, indignidad, culpa y vergüenza abrumadora. Tenía dudas del amor de Dios por ella, de su salvación y hasta de su cordura.

"Estoy teniendo muchos problemas con mi mente que se enloquece con preguntas y preocupaciones", confesó.

Luchando con una intensa rabia, odio, rencor, soledad y depresión, hasta había llegado a temer que ya no tenía remedio o esperanza.

El único problema que me impresionó más que cualquier otro fue el desesperado intento de Sara por controlar a la gente y las circunstancias que la rodeaban. Consecuentemente, se preocupaba por todo. Estaba constantemente ansiosa, en particular por perder a un grupo íntimo de amigos que, recientemente, parecían un poco distanciados. Frenética por no querer perder su intimidad, ella estaba alejándolos más y más sin darse cuenta.

De particular preocupación para ella era la meta que la compelía a casarse con uno de los muchachos de ese grupo íntimo. Sara estaba convencida de que no podría ser feliz si Juan no se casaba con ella. Una voz en su cabeza la atormentaba diciendo: *No soy suficientemente valiosa. No soy suficientemente bonita para é*l. No era pues de asombrarse que estuviera plagada de envidia y celos por las otras muchachas de la iglesia a las que percibía como más lindas que ella.

Luego de renunciar a la mentira de que ella "se las tendría que arreglar por su propia cuenta" y que tenía que estar en control de todo o su mundo se derrumbaría, afirmó gozosamente que Dios la amaba lo suficiente para ocuparse de ella. Pudo liberar a Juan sabiendo que podía confiar en Dios para que le proveyera el muchacho apropiado en el momento apropiado.

Leímos Mateo 6 y ella recordó el cuidado que tiene el Padre por las aves del aire y las flores del campo. También llegó, a entender a nivel de vivencia, que ella era de mucho más valor para su Padre celestial que los gorriones y los lirios.

Y entonces vino la paz. Y el gozo inundó su corazón. Y se fueron las voces. Y la sonrisa volvió a la cara de Sara. Y ésa es la verdad.

Capítulo nueve

La libertad del perdón

Paso tres:
Rencor contra perdón

Yo (Rich) estaba hablando del tema "Perdonar de Todo Corazón" a un grupo de estudiantes de secundaria cuando, a mi izquierda, advertí a un joven en silla de ruedas, llorando. Algunos amigos suyos estaban reunidos en torno a él, obviamente tratando de consolarlo en su dolor.

El milagro del perdón

Luego de terminar la charla, Jorge se dirigió lentamente a mí y me preguntó si podíamos juntarnos para conversar.

"Esta noche ha sido la noche más importante de mi vida", dijo. Así que nos pusimos de acuerdo para reunirnos temprano en la mañana siguiente, junto con Luis, su buen amigo y pastor de jóvenes.

La historia de Jorge era un triste cuento de dolor, rabia y desilusión. Había nacido prematuro y, mientras lo trasladaban de una unidad de neonatología a otra, no le dieron el precioso oxígeno que su cuerpo necesitaba. Como resultado, sufrió grave daño en su cuerpo. Sus piernas se inutilizaron. Su cadera se le salía continuamente de la articulación, tirando la parte superior de su cuerpo hacia un lado o a una posición inclinada. Sus manos, apenas utilizables, estaban cerradas en una posición como de garra.

El estado de Jorge era evidentemente cuestión de error y negligencia humanos, como lo dictaminaron posteriormente los tribunales. Sin embargo, la enorme cantidad de dinero que recibió Jorge como recompensa, no sirvió para eliminar la intensa rabia y rencor que hervían dentro de él contra esos médicos negligentes. Entonces, fue que oyó el mensaje del perdón y optó por soltar su rabia. Finalmente pudo perdonar de todo corazón a estos profesionales de la medicina.

Así, pues, hubo un milagro ese día. No, Jorge no se paró de la silla de ruedas y se puso a caminar. Él siguió "prisionero" de la silla de ruedas pero... ¡por dentro fue un hombre libre! Él sabía que era imposible echar para atrás al reloj y cambiar su pasado, pero ese valiente joven recibió nueva esperanza y gozo y libertad para andar con Dios y, en última instancia, eso es lo que más importa.

¿Cuántos jóvenes cristianos andan por ahí con cuerpos capaces y fuertes pero presos espiritual y emocionalmente al rencor en una esclavitud paralizante?

De los cientos de personas que hemos tenido el privilegio de ayudar a hallar su libertad en Cristo, el perdón ha sido el asunto primordial y, en algunos casos, el *único* asunto que debía resolverse. Sin duda, perdonar al prójimo de todo corazón es el pasaje principal hacia la libertad para el pueblo de Dios, tanto para jóvenes como para viejos.

El perdón parece algo impensable para algunos que han sido maltratados, o en el mejor de los casos, un chiste cruel. Lo ven como otro modo de ser víctima, una continuación de la débil y enfermiza saga de la codependencia.

Aunque perdonar a los demás puede percibirse como una violación del sentido de la justicia del adolescente, eso es un concepto errado. Por el contrario, perdonar es un acto de valor que requiere la gracia de Dios. El perdón no es excusar ni tolerar el pecado; es soltar la rabia y el odio contra el ofensor mientras que se instalan límites bíblicos contra futuras ofensas.

Dejando la rabia y la venganza

A menudo los adolescentes no quieren perdonar porque quieren desesperadamente que la persona que los hirió pague por lo que ha hecho. Sienten que es justo que el ofensor sufra en cambio del sufrimiento que infligió. Así que en su mente castigan una y otra vez a quienes abusaron de ellos, con su amarga rabia, repasando el incidente (los incidentes) doloroso una y otra vez en el videoreproductor de sus cerebros.

Puede que también traten de arruinar la reputación del ofensor, calumniándolo a sus espaldas. O se vengan directamente, procurando dañar a esa persona con sus palabras y actos.

Sin embargo, vengarse está prohibido por Dios. Pablo escribe: "No os venguéis vosotros mismos, amados míos, sino dejad lugar a la ira de Dios; porque escrito está: 'Mía es la venganza, yo pagaré', dice el Señor" (Romanos 12:19). Mientras tratamos de jugar a ser Dios ejecutando nuestra venganza, nos hundimos al mismo nivel del abusador.

Mientras tratamos de jugar a ser Dios ejecutando nuestra venganza, nos hundimos al mismo nivel del abusador.

Tratar de tapar nuestra falta de perdón no engaña a nadie tampoco, menos a nosotros mismos porque: "El corazón conoce su propia amargura" (Proverbios 14:10). El rencor actúa como un cáncer que come por dentro y se desparrama a los demás, contaminándolos también (ver Hebreos 12:15).

Frederick Buechner lo dice así: "De los siete pecados mortales, posiblemente el más divertido sea la rabia. Lamer las propias heridas, relamerse los labios con penas pasadas hace mucho tiempo, saborear hasta el último trocito del dolor que te causaron y del dolor que tú devuelves: en muchas maneras es una festín digno de un rey. El principal problema es que uno se está devorando a uno mismo. ¡El esqueleto del festín eres tú!"

Puede que quiera usar la siguiente ilustración para hacer que los jóvenes con quienes se reúne, entiendan cuán crítico es este asunto del perdón:

> Imagínate por un momento que hace mucho tiempo que estás resfriado y con bronquitis. No parece que puedas mejorarte. Te empiezas a alarmar cada vez más porque estás empezando a escupir sangre cuando toses.

> Así que vas a un médico que te hace muchos exámenes, incluyendo radiografías y una Resonancia Magnética.
> Pocos días más tarde te llama el médico. Ha descubierto una gran masa en tu pulmón que sospecha que sea cáncer. La buena noticia es que es operable y él piensa que puede sacarlo todo. Espera tu decisión acerca de qué quieres hacer.
>
> ¿Le dirías, "bueno, doctor, opere. Abra, métase y trate de sacar la mayor parte de ese tumor. No se preocupe por sacarlo todo, entre el 75 y el 85 por ciento está bien?" ¡Claro que no! ¡Querrías que el médico sacara hasta la última célula cancerosa de ahí! ¿Por qué? Porque sabes que si queda algo del cáncer en tu pulmón, puede desparramarse fácilmente de nuevo y que llegará el momento en que te mate.
>
> La Escritura dice: "Quítense de vosotros *toda* amargura, enojo, ira, gritería y maledicencia, y *toda malicia.* Antes, sed benignos unos con otros, misericordiosos, perdonándoos unos a otros, como Dios también os perdonó a vosotros en Cristo (Efesios 4:31,32; énfasis agregado).

En muchas de las citas para la libertad con la gente joven, se nos ha estrujado el corazón escuchando los recuerdos dolorosos de las indecibles atrocidades perpetradas a niños inocentes. Es casi increíble lo que la gente es capaz de hacerse unos a otros.

Yo (Neil) he dicho a cientos de personas en sesiones de consejería: "Lamento tanto que eso le haya pasado". En lugar de tener padres que los protegieran y proveyeran, tuvieron padres que se aprovecharon sexualmente de ellos. En lugar de tener madres que los consolaran y animaran, tuvieron madres que los maltrataron verbal o físicamente. En lugar de tener pastores que los apacentaran con amor, tuvieron hombres legalistas que trataron de dominarlos bajo una nube de condena y culpa. Lo que algunos hubieran pensado que eran citas seguras resultaron ser citas de violación. La letanía de horror es inacabable.

Perdonando a los perpetradores

En el proceso entero de ayudar a que la gente joven halle su libertad en Cristo, no hay otro Paso que exija mayor paciencia, sensibilidad, o destreza que éste. Como presentación, lea amablemente el contenido antes de la oración de comienzo del Paso Tres. Luego, invite al adolescente a que ore en voz alta, diciéndole que es un pedido a Dios para que revele a su mente toda la gente a la cual tiene que perdonar.

La oración es como la que sigue:

> Amado Padre celestial:
>
> Te agradezco por Tu gran bondad y paciencia que me ha llevado a abandonar mis pecados (Romanos 2:4). Sé que no siempre he sido completamente amable, paciente ni amoroso para con los que me han herido. He pensado y sentido cosas malas por ellos. Te pido que traigas a mi mente toda la gente a la cual tengo que perdonar (Mateo 18:35). Te pido que saques a la superficie todos mis recuerdos dolorosos para que yo pueda optar por perdonar de todo corazón a estas personas. Oro esto en el precioso nombre de Jesús que me perdonó y que me sanará de mis heridas. Amén.

Cuando haya terminado de orar, pídale que anote los nombres que le vienen a la mente. Algunos exhortadores prefieren escribir ellos mismos esos nombres, a medida que el aconsejado los va diciendo en voz alta. De una u otra forma, exhorte al joven a no detallar nada de las ofensas hechas a ellos a esta altura. Eso viene después.

Los nombres de pila o los títulos (como mamá, papá, profesora o maestra de primer grado), son suficientes. Si nunca supo o no puede recordar el nombre de la persona, le vendrá una cara a la mente y una manera de identificarlos, tal como "el hombre barbudo malo". Habitualmente, los nombres del comienzo de la lista son quienes han herido más profundamente al adolescente, a menudo los padres.

El equipo de ministración debe sentarse en silencio, orando, mientras se hace la lista. Escuche cuidadosamente el nombre de alguien que se haya mencionado antes como causante de dolor, por si el aconsejado lo pasa por alto. En ese caso, proceda a recordárselo para que anote el nombre de esa persona. La lista puede ser larga o corta, dependiendo de la historia del joven. Los perfeccionistas tienden a tener listas más cortas porque, con más frecuencia, se culpan a sí mismos más que a los demás. Tenga paciencia y permita que el aconsejado se tome el tiempo adecuado para completar la lista.

Hemos tenido algunas personas que dicen la oración y luego concluyen: "bueno, no creo que haya nadie a quien tenga que perdonar". O puede ser que digan: "Oh, ya hice eso. Yo ya he perdonado a todos".

Usted puede responder: "Puede que sea así pero... ¿quieres decir qué nombres te están viniendo a la mente ahora?" No se sorprenda si de repente aparece una lista de 10 a 15 nombres y ¡usted se pase la media hora siguiente ayudando al adolescente a trabajarla!

Algunos jóvenes expresan confusión con relación al por qué cierto nombre se le viene a la mente. Asegúreles que cuando lleguen a esa persona, el Señor revelará la razón. Muchas veces el "perdón" que un adolescente haya ejercido para con un ofensor ha sido superficial. Temiendo el dolor y sin querer vérselas con el intenso odio y rabia que sienten, han suprimido sus emociones, ahogándolas por dentro. Así, pues, el perdón de ellos no ha llegado al núcleo emocional y aún tienen que perdonar verdaderamente *de todo corazón* (ver Mateo 18:35). Aquellas emociones a menudo salen a la superficie durante los Pasos hacia la Libertad, una vez que el aconsejado haya bajado la guardia y permita que obre el buen Jesús que sana.

Si el aconsejado sigue luchando por recordar más nombres, usted puede sugerir gente que haya sido mencionada en las primeras partes de los Pasos hacia la Libertad. También puede sugerir categorías de gente como parientes, compañeros de escuela, compañeros de equipo, profesores, entrenadores, empleadores, gente de la iglesia, y cosas por el estilo.

No acose al joven. No se puede forzar a la gente más allá de lo que entienden o de su voluntad para perdonar. Debemos pensar también en la posibilidad de que, en algunos casos, el joven haya efectuado en realidad un completo trabajo de perdonar a los demás de todo corazón. En estos casos raros, la razón por la cual muchos nombres no viene a la mente es porque quedan pocos por perdonar, ¡bendito sea Dios!

Saliéndose del anzuelo

Alguna gente joven es el peor enemigo de sí misma. Han abrigado rabia y rencor contra sí mismos, golpeándose por errores, faltas y pecados pasados y presentes. Tienen que poner "yo mismo" en la lista. El concepto de "liberar" el aborrecimiento de sí mismo, la culpa, la vergüenza y la condenación de uno mismo, bien puede no habérseles ocurrido nunca a algunos adolescentes que usted aconseje. Puede ser que siempre hayan pensado que merecieron sentirse mal por lo que hicieron o lo que no hicieron.

Ésa es la belleza de la cruz. "Al que no conoció pecado, le hizo pecado por nosotros, para que fuéramos hechos justicia de Dios en Él" (2 Corintios 5:21). Podemos perdonarnos pues Dios ya nos ha perdonado todos nuestros pecados (ver Efesios 1:7), arrojándolos "como está de lejos el oriente del occidente, así alejó de nosotros nuestras transgresiones" (Salmo 103:12), arrojándolas "a las profundidades del mar" (Miqueas 7:19). Elegir *no* aceptar el perdón de Dios perdonándonos a nosotros mismos es, en esencia, declarar que la muerte de Cristo no fue pago suficiente por nuestros pecados. Sin embargo, Jesús gritó en la cruz: "¡Está consumado!" o, literalmente: "¡Pagado totalmente!"

Es el engaño carnal el que motiva a la gente joven a expiar sus propios pecados. Se nos advierte que no dejemos que "nadie nos defraude de nuestro premio deleitándose en la humillación de sí mismo" (Colosenses 2:18). En cambio, se nos manda a asirnos "de la Cabeza" (versículo 19) que es Cristo. ¿Cuál es el premio del que se habla aquí? La libertad de ser juzgado o condenado por cualquiera, y ¡eso te incluye a ti!

Perdonarnos a nosotros mismos es decir, en efecto: "Señor, yo creo que Tú me has perdonado y limpiado de aquellos pecados que Te he confesado. Debido a Tu gran amor y gracia, no porque yo los merezca, opto por no seguir echándome más en cara esas cosas a mí mismo. Recibo Tu perdón y renuncio a toda culpa, odio de mí mismo y vergüenza que vengan de mi conciencia o del acusador de los hermanos".

Resolviendo la ira contra Dios

El rencor hacia Dios es mucho más común de lo que uno esperaría. La gente joven suele abrigar rabia contra Dios porque Él no contestó una oración en la forma que esperaban (por ejemplo, se murió un ser querido o se divorciaron los padres). A veces, están enojados con Él porque no les dio lo que ellos sentían que necesitaban para tener éxito en la vida (por ejemplo, belleza física, habilidad deportiva, dinero). En el caso de las víctimas de abusos, pueden tener rabia con Dios porque permitió que les pasaran esas atrocidades. Si esto no se resuelve, la rabia de un joven con Dios puede volverse una pared que le impide experimentar esa profunda relación íntima de "Abba, Padre".

Tratar de explicar por qué Dios permite lo que permite es un callejón sin salida. Es un misterio de Su soberanía que Él permita que los hombres malos inflijan dolor y sufrimiento a gente inocente. No trate de defender a Dios de la gente joven dolida. La clave aquí no es dónde *estaba*. Dios sino donde *está* Dios. Usted podría decir algo así:

> Ni siquiera podría empezar a explicar por qué Dios te permitió sufrir como has sufrido. Pero estás aquí en este lugar y también está Dios para que puedas ser liberado del dolor de tu pasado. No podemos echar para atrás el reloj y deshacer lo te fue hecho sino que no tienes que permitir que el pasado te domine. Puedes ser libre para seguir adelante con tu vida y sentir el toque sanador de Jesús, pero eso sólo viene a través de perdonar a los que te han herido.
>
> Algo que me ayuda es darme cuenta que un día Dios enderezará toda la injusticia hecha en el mundo en el trono de juicio de Cristo. Tú quieres justicia ahora, y eso es una reacción natural. Sin embargo, Dios tiene Su horario y no podemos cambiarlo. Por ahora, Dios quiere que te concentres en hallar tu libertad del pasado, perdonando a los demás de todo corazón.

Evidentemente Dios no necesita ser perdonado porque Él es incapaz de hacer nada malo. Sin embargo, todos "los pensamientos enojados contra Dios" tendrán que agregarse a la lista del aconsejado y "soltar" esos pensamientos para hallar libertad. La Escritura dice que tenemos que destruir "especulaciones y todo razonamiento altivo que se levanta contra el conocimiento de Dios, y poniendo todo pensamiento en cautiverio a la obediencia de Cristo" (2 Corintios 10:5).

A menudo es útil explicar a los adolescentes que hay una línea definida en la vida entre las cosas que Dios dice que hará en contraposición con las cosas de la vida de las que somos responsables de hacer. Dios sólo puede salvarnos del pecado, darnos poder para vivir la vida cristiana, convencer a otra persona de pecado y cosas así por el estilo. Si tratamos de salvarnos a nosotros mismos, vivir la vida cristiana por nuestra fuerza o tratar de ser la conciencia de otra persona, lo echaremos a perder todo cada vez.

Por otro lado, Dios nos manda y espera que nosotros hagamos ciertas cosas. Ninguna cantidad de ruego de nuestra parte hará que Dios ceda un poquito.

Por ejemplo, debemos confesar nuestros pecados, renunciar las mentiras, perdonar a quienes nos hieren, ponernos la armadura de Dios, someternos a Su señorío y resistir al diablo. Dios no hará ni puede hacer por nosotros esas cosas. Si no las hacemos, tendremos luchas y dolor en la vida.

A veces la gente joven abriga rencores contra Dios porque él rehusa responder a sus enojadas exigencias. En realidad, eso debería dar seguridad en lugar de inseguridad, a los adolescentes que usted aconseja. Después de todo, ¿quién confiaría finalmente en un Dios que puede ser convencido de hacer nuestra voluntad?

Renovando las relaciones con el Padre Celestial

Jorge (el joven de la silla de ruedas) había abrigado mucha rabia contra Dios por permitir su invalidez. Esa rabia se intensificó cuando su hermana tuvo un accidente de trabajo. Una pieza de maquinaria pesada cayó sobre su pie, aplastándolo. Luego de tres meses de esa incapacidad, su hermana fue a un servicio de sanidad siendo sanada sobrenaturalmente por Dios.

Aunque Jorge estaba feliz por la sanidad de ella, una parte de él clamaba enojada a Dios: "¡Yo llevo 19 años inválido y ella sólo estuvo incapacitada por tres meses! Dios, ¿por qué la sanaste a ella y no a mí? ¿Por qué?"

Al hablar de ese incidente yo oré que nada que yo le dijera a Jorge le sonara como una frase gastada y vacía. Él había tenido mucho más dolor y sufrimiento en 19 años que yo en toda mi vida. Así, pues, hablé amable y cuidadosamente.

"Jorge, tu felicidad en la vida no puede sencillamente depender de tu estado físico. De lo contrario, Dios es un Dios cruel e injusto".

El asintió con su cabeza y replicó: "ya lo sé".

Después de más ánimo, Jorge pudo soltar su ira contra Dios. Confesó que se había sentido justificado al abrigar rencor contra el Señor porque Él no lo había sanado. Eso abrió el camino para una bella renovación de la relación de amor de ese joven con su Padre celestial de tierno corazón.

Entonces Jorge dio un paso más a la salud espiritual, agradeciendo a Dios por cada una de las partes de su cuerpo que no funcionaban bien. Eso no fue todo. Entonces oró y pidió a Dios que se glorificara por medio de ese cuerpo inválido atado a una silla de ruedas. Se podía sentir una dulzura tal en su oración mientras las lágrimas rodaban de sus ojos, que no pude evitar ser tocado también.

Hubiera sido inútil tratar de decirle a Jorge: "bueno, ¡no deberías sentirte así con Dios!" Eso le hubiera llegado como una sutil forma de rechazo hacia él y, probablemente, hubiera cerrado la puerta a todo otro compartir profundo de su parte.

Dios sabe exactamente cómo nos sentimos para con Él (hasta el odio) y no nos condena (ver Romanos 8:1). Tenemos que dar a la gente la libertad plena para ventilar sus emociones durante la cita y, una vez que hayan sido verdaderos con nosotros, entonces podemos suavemente apuntarlos hacia la verdad que los hará libres.

El significado del perdón

Una vez que esté completa la lista del aconsejado es hora de tratar el significado del perdón. No podemos suponer que la gente sabe cómo perdonar de todo corazón, así que dese tiempo para leer y discutir con el adolescente que aconseje, la explicación del Paso Tres de los Pasos hacia la Libertad en Cristo.

Los puntos claves que se destacan se hallan impresos en negrita en los Pasos Juveniles y son los siguientes:

1. Perdón no es olvido.
2. El perdón es una opción, una decisión de la voluntad. Puesto que Dios nos requiere perdonar, es algo que podemos hacer.
3. Al perdonar, uno suelta de su anzuelo a la gente pero ellos no quedan sueltos del anzuelo de Dios.
4. Uno perdona por uno mismo para poder ser libre. El perdón es principalmente cuestión de obediencia entre uno y Dios. Dios quiere que usted sea libre; ésta es la única forma.
5. Perdonar es ponerse de acuerdo para vivir con las consecuencias del pecado ajeno. Pero uno vivirá con las consecuencia quiéralo o no. La única opción es si lo hará esclavizado al rencor o con la libertad del perdón.
6. ¿Cómo se perdona de todo corazón? Uno deja que Dios traiga a la superficie la agonía mental, el dolor emocional y los sentimientos de dolor para con aquellos que lo hirieron.
7. El perdón es una decisión de no usar la ofensa de ellos en contra de ellos.
8. Para perdonar no espere hasta sentirse con ganas de hacerlo. Por ahora, es la libertad que se ganará, no necesariamente un sentimiento.

Desde el acontecimiento en el huerto del Edén, la humanidad juega el "juego de echar la culpa" (ver Génesis 3:11-13). Aunque apuntar con el dedo al prójimo y rehusarse a soltar nuestra indignación puede ser síntoma de un corazón más proclive a la venganza que al perdón.

De eso se trata siempre el perdón: gente inocente que soporta las consecuencias de los pecados de los culpables.

El perdón es un acto de la voluntad por el cual renunciamos a nuestro reclamo a buscar venganza por una ofensa contra nosotros.

Dios hubiera podido sencillamente optar por derramar Su ira sobre nosotros por nuestros pecados pero, bondadosamente, lo tomó sobre Él mismo. De eso se trata siempre el perdón: gente inocente que soporta las consecuencias de los pecados de los culpables.

Jesús tomó sobre Sí mismo las consecuencias eternas de nuestro pecado: la muerte espiritual. Al perdonar al prójimo de todo corazón, nosotros optamos por aceptar las consecuencias temporales del pecado ajeno. Enfrentemos, entonces, la realidad; llevaremos esas consecuencias nos guste o no. La única opción que tenemos es si lo haremos en la esclavitud del rencor o en la libertad del perdón.

Yo (Rich) estaba guiando a una joven por los Pasos hacia la Libertad en Cristo. Ella acababa de romper con su novio y me alegré porque él era un idiota total. En un momento de la relación él había tomado un cuchillo y le había cortado la cara desde el ojo al mentón. Ella tenía una cicatriz como recuerdo permanente del pecado de él. Aparte de la cirugía plástica costosa (que ella no podía pagar) iba a llevar esa marca de violencia por el resto de su vida. Ella perdonó a ese hombre y así fue liberada del enganche emocional y espiritual que él tenía sobre ella.

Un adolescente que usted aconseje puede gritar: "¡pero eso no es justo!" Correcto; no es justo aunque es la realidad de la vida en un mundo imperfecto, caído e injusto. Todos vivimos con las consecuencias de los pecados ajenos. Todos vivimos con las consecuencias del pecado de Adán: la muerte física.

Ejerciendo misericordia

Jesús es nuestro modelo. Aun en Su estado glorificado Él ha optado por llevar las marcas eternas de nuestros pecados en Su cuerpo: las huellas de los clavos en Sus manos y pies. La victoria de Jesús sobre el pecado y Satanás fue ganada, pero tuvo un costo. Nosotros accedemos a esa victoria asimismo por medio del perdón.

¿Cuál es la alternativa? Vernos atormentados por el acusador de los hermanos como lo describe tan claramente Mateo 18:21-35. Esa parábola enseña que tenemos que seguir perdonando al prójimo sin que importe cuántas veces ellos pequen contra nosotros. Además, tenemos que perdonar a los demás como fuimos perdonados por

Dios, ¡pues ninguna cantidad de pecado contra nosotros siquiera puede compararse con la gravedad de nuestro pecado contra Dios!

Tercero, Dios nos trató con misericordia sabiendo que nunca podríamos pagarle por nuestros crímenes contra Su trono, así que también debemos tratar con misericordia al prójimo. Si rehusamos perdonar, Dios en Su amorosa disciplina nos entregará a los torturadores hasta que aprendamos a perdonar.

Satanás tiene una clara ventaja sobre nosotros cuando rehusamos perdonar (ver 2 Corintios 2:10,11) y le damos la oportunidad de obrar en nuestra vida por medio de nuestra ira sin resolver (ver Efesios 4:26,27).

Dios es serio tocante a que Su pueblo, adolescentes incluidos, ejerza misericordia. Lucas 6:36 dice: "Sed misericordiosos, así como vuestro Padre es misericordioso". Con demasiada frecuencia queremos ejercer justicia, pero eso es cosa de Dios "porque Dios traerá toda obra a juicio, junto con todo lo oculto, sea bueno o sea malo" (Eclesiastés 12:14). Eso es justicia: darle a la gente lo que merece.

Sin embargo, todos nosotros debemos alabar a Dios pues Él ha sido misericordioso y bueno con nosotros en Cristo o todos estaríamos ahora en el infierno. Romanos 6:23 dice: "porque la paga del pecado es muerte, pero la dádiva de Dios es vida eterna en Cristo Jesús Señor nuestro".

La misericordia es suspender el juicio y, en cambio, ejercer amor y bondad. Tito 3:4,5 nos enseña que ésta es la manera en que Dios se emparenta con nosotros en Cristo: "Pero cuando se manifestó la bondad de Dios nuestro Salvador, y su amor hacia la humanidad, Él nos salvó, no por obras de justicia que nosotros hubiéramos hecho, sino conforme a su misericordia".

La justicia de Dios aún tenía que ser satisfecha así que el mismo Jesús llevó la ira de Dios en lugar nuestro.

Sin embargo, Dios va más allá de la misericordia al perdonarnos. Él ejerce gracia. La gracia es darnos lo que no merecemos. La vida eterna, la adopción en Su familia, el don del Espíritu Santo, son sólo algunos ejemplos de la abundante gracia de Dios (ver Efesios 1).

Por eso es que parte importante del proceso de sanidad es que los adolescentes oren por la bendición de Dios para aquellos que los han herido. Esto es un acto de gracia y un indicador verdadero del corazón que ha extendido misericordia y perdonado al ofensor. Lucas

6:27,28 lo dice así: "Pero a vosotros los que oís, os digo: amad a vuestros enemigos; haced bien a los que os aborrecen; bendecid a los que os maldicen; orad por los que os vituperan".

Puede ser peligroso para la gente joven tratar de encontrarse cara a cara con quienes los han tratado mal, así que esto no debe intentarse nunca sin mucha oración y la protección de otros adultos en el lugar. Sin embargo, los adolescentes siempre pueden "hacer el bien" a los que los odian, orando por ellos.

Amar a los enemigos de uno es posible solamente por la gracia de Dios y el poder del Espíritu Santo. Pero perdonar al prójimo es un acto de amor que "no toma en cuenta el mal recibido" (1 Corintios 13:5). Cuando amamos a nuestros enemigos demostramos que verdaderamente somos discípulos de Jesús (ver Juan 13:35) y estamos llenos con el mismo Dios que es amor (ver 1 Juan 4:8).

Considere dos errores importantes

Cuidado con dos errores importantes en relación con el perdón. El primero dice que el perdón es un proceso y que mucha gente "no está lista para perdonar". Conforme a esta idea, deberíamos esperar que los adolescentes expongan todos sus recuerdos dolorosos, hablen de ellos y se libren de su dolor antes de ser capaces de perdonar.

La implicancia es que tenemos que sanar emocionalmente para perdonar cuando, en realidad, lo inverso es la verdad. Primero decidimos perdonar y, luego, tiene lugar la sanidad emocional.

Los consejeros, hasta los cristianos influidos por el mundo secular, pueden ser quienes propongan este enfoque. Nunca podrán dirigir a sus pacientes a la resolución porque el simple hecho de compartir recuerdos dolorosos, no cura nada. Sólo empeorará el dolor hasta que se ejerza perdón.

El segundo error es más común en la Iglesia. En su forma exagerada suena así: "No debes sentirse de esa manera; sólo tienes que perdonar". El perdonar, sin embargo, no comprende negar las emociones sino que permite que Dios las saque a la superficie. Todo intento de perdonar que pase por alto el núcleo emocional será incompleto y violará la Escritura que dice que perdonemos "de todo corazón" (Mateo 18:35).

Justo antes de ayudar a los jóvenes a que oren por sus listas de gente para perdonar, anímelos a no apurarse. Haga que se queden con cada persona hasta que no puedan pensar en más recuerdos dolorosos y, entonces, que sigan con el siguiente de la lista.

Algunas personas tendrán que ser perdonadas por muchas cosas (habitualmente familiares cercanos) mientras que otros sólo cometieron una ofensa contra el aconsejado.

La oración de perdón está concebida para animar al joven que usted guía a que sea específico y vaya al núcleo emocional. Dice así:

Señor, yo perdono a (nombre de la persona) por (decir que le hicieron que le dolió, hirió) aunque me hizo sentir (compartir los recuerdos o sentimientos dolorosos).

Puede ser que la gente joven necesite un poco de tiempo para captar la "onda" de este proceso. Puede ser que se sientan un poco incómodos siendo específicos, pensando que están siendo malos y enjuiciadores para con aquellos que están perdonando. Ésta puede ser una lucha especialmente aguda para adolescentes y padres. Ellos están desgarrados entre los sentimientos de amor y lealtad y su necesidad de enfrentar el dolor que sus padres les han causado. Asegúreles que no están condenando a la gente que perdonan sino reconociendo que no fueron perfectos en algunas cosas.

Ningún padre/madre es perfecto y, muy a menudo, las imperfecciones de los padres de un adolescente son, en parte, resultado de las imperfecciones de los padres de sus padres. Enfrentar la verdad y perdonar a mamá y papá empieza, sin embargo, a detener el ciclo de abuso que haya continuado de generación en generación.

Racionalizando los actos del malhechor

La gente joven puede sentirse como si hubieran merecido el maltrato recibido. Una niña anoréxica llegó a su papá, en la lista y dijo: "siento como que tengo que pedirle a él que me perdone". Yo (Neil) le dije: "quizá, pero no estamos haciendo eso aquí. Estamos tratando tu dolor".

Cuidado con los intentos de los adolescentes de disculpar o racionalizar el pecado cometido contra ellos. Yo (Rich) ministraba a un joven cuyo padre lo había golpeado. Su respuesta fue típica: "Pero yo era malo. No hice lo que me dijeron". Le aseguré que nunca se justifica ser golpeado físicamente por un padre. Hay una amplia diferencia entre la disciplina con amor y el castigo duro y violento.

Primero, algunas de las oraciones de los adolescentes pueden ser vagas y generales como: "Señor, yo perdono a mi mamá por lo que me hizo aunque me hizo sentir mal". Esa clase de oración no dará libertad. Anime a los jóvenes que oran así a que digan específicamente que les hicieron. Pregúnteles cómo se sintieron en ese momento. Pregúnteles cómo les hace sentirse ahora.

Guillermo se acercó a alguien del personal de Libertad en Cristo en una conferencia juvenil "Emergiendo de la Oscuridad". Dijo que había asistido a la parte de la conferencia para el liderazgo, realizada seis semanas antes y que estaba luchando por perdonar a su padres.

Ese miembro del personal le pidió a Guillermo que hablara de su relación con el papá y, sin duda, había mucho que perdonar. Le preguntó si estaba listo para perdonar a su padre ahí mismo. Guillermo dijo: "¡sí!"

Guillermo empezó orando: "Señor, yo perdono a mi papá por todas las cosas que me dijo e hizo que me dolieron de tantas maneras".

El miembro de nuestro personal interrumpió a Guillermo diciendo: "Oye, espera un momento. Esa es una oración muy general. Tienes que perdonar a tu papá por cosas específicas. ¿Qué es lo primero que te viene a la mente ahora que te hizo tu papá?"

"No fue a un gran partido de fútbol donde yo jugué, aunque me prometió que iría. Nunca apareció y yo me pasé todo el partido mirando si estaba".

"Ahora bien, eso es lo que tienes que perdonarle a tu papá" —dijo el miembro del personal— "como también cualquier otra cosa que te sea clara como esa".

Los adolescentes que han sido repetidamente heridos por alguien cercano no recordarán necesariamente todo lo que les hicieron. Los incidentes específicos que vengan a la mente deben ser específicamente trabajados si se quiere ganar libertad.

Considerando las emociones de la gente joven

Para algunos, perdonar de todo corazón será una catarsis emocional mientras que otros expresarán poca o ninguna emoción. Tenemos que comprender que hay una variedad de temperamentos y la inmadurez emocional de muchos adolescentes cuenta. Algunos (especialmente los varones) no están acostumbrados a hablar de cómo se sienten y les costará expresar sentimientos con palabras. Cuando lo hacen, puede ser en forma muy cautelosa porque tienen miedo de desnudar su corazón, no sea que se descontrolen emocionalmente.

Muchos adolescentes varones creen que ser emocional significa ser débil. Por tanto, muchos tendrán amplia resistencia interna a compartir su dolor, especialmente si usted, como consejero, es un extraño. Algunas niñas adolescentes también puede mostrarse dudosas de compartir sus recuerdos dolorosos, especialmente si fueron traicionadas en el pasado por alguien con quienes se abrieron y fueron honestas.

Tenga paciencia y bondad. Pídale sabiduría a Dios para ayudar a que los adolescentes se pongan en contacto con sus núcleos emocionales. Confíe en Él para expresar Su amor incondicional a través suyo y ruegue que los jóvenes que ayuda perciban que los Pasos hacia la Libertad es un lugar seguro y a salvo para ser verdaderos y abrirse.

A menudo oímos gente que dice: "Nunca le he dicho esto a nadie". Ésta es una señal positiva de que la gente joven se siente segura. Debemos creer y aceptar, sin juicios, los sentimientos y las percepciones de los aconsejados adolescentes o ellos se cerrarán emocionalmente a toda velocidad.

Nadie está más inhibido emocionalmente que las víctimas del abuso ritual satánico. Así las han programado. Les dijeron y, probablemente enseñaron al mirar la tortura dolorosa de otros, que alguien saldría herido si ellos gritaban. Yo (Neil) he visto formarse lágrimas en los ojos que rodaron libremente por las mejillas de aquellos que renunciaron a la mentira que les dijo que su llanto causaría la muerte o lesión de alguien. Hasta que no rompan esa fortaleza no pueden perdonar de todo corazón. No piense ni por un instante que Satanás ignora eso.

Hasta algunos jóvenes que tuvieron infancias "comunes y corrientes" han aprendido a no expresar sus emociones especialmente las negativas. Si el adolescente que usted trata de ayudar está emocionalmente inhibido, pregunte: "¿qué te pasaba cuando eras honesto con tus emociones en tu casa? ¿Crees que es malo o débil ser honesto con las emociones?"

Para ser libre, el joven debe perdonar a quienes le prepararon de esa manera y renunciar a las mentiras que le enseñaron acerca de la manera buena y mala de manejar y expresar las emociones. Aquel que está verdaderamente libre en Cristo también tendrá libertad emocional.

Ayude al aconsejado a permanecer enfocado en perdonar al malhechor y no sólo en contar la historia de la ofensa. Si el joven que usted ayuda empieza a hablarle de lo que pasó, anímelo a que se lo digan a Dios. Dirigiéndolos de vuelta a la "oración modelo" del perdón de los Pasos, usted puede seguir adelante. Ciertamente no los apure, pero tampoco deje que se tomen tiempo innecesario.

Darse tiempo para cubrir todo el "asunto"

Probablemente el Paso Tres sea el que más tiempo consume de los siete Pasos porque se necesita tiempo para pasar por el dolor de la vida de una persona joven. La persona puede mirarle con incredulidad diciendo: ¡Usted no tiene suficiente tiempo para que yo cubra todas estas cuestiones!"

Asegúrese de que realmente quiere decir lo que dice: "nos quedaremos aquí todo el día y la noche si tenemos que hacerlo".

Resulta crítico que nunca empiece este Paso sin terminarlo. Eso no significa que otras personas u otros hechos no surjan después, pero es imperativo que cubra completamente lo que está en la lista del adolescente durante la sesión. La única excepción de esta regla es si el mismo adolescente prefiere terminar temprano la sesión o tiene un compromiso previo inevitable. En cualquier caso, póngase a disposición para la primera vez que sea posible terminar el trabajo juntos, si el joven desea hacerlo.

Luego de que el joven termine de perdonar a cada persona y antes de seguir con la próxima de la lista, haga que ore de todo corazón en voz alta esta oración: (como en el Paso Tres):

> Señor, opto por no retener por más tiempo ninguna de estas cosas contra (nombre) . Te agradezco por liberarme de la esclavitud de mi rencor hacia ellos. Opto ahora por pedirte que bendigas a (nombre). En el nombre de Jesús. Amén.

Con frecuencia, esa corta oración puede servir para motivar a los jóvenes a seguir orando por un rato por ese ofensor, especialmente si es un pariente cercano. Eso es sano y debe estimularse. Muchas veces, los adolescentes aprovecharán esta oportunidad para orar por la salvación de un ser querido. Siéntase libre para ponerse de acuerdo con ellos, orando, y luego siga adelante con la siguiente persona de la lista.

El alivio espiritual y emocional que los jóvenes sienten por perdonar de todo corazón a los demás, puede ir desde la exuberancia hasta una tranquila sensación de paz y alivio. Los que hacen un trabajo de perdonar completo y cabal y que llegan al núcleo emocional de su dolor, a menudo, no pueden creer la carga quitada de ellos mismos.

La experiencia "guau" del perdón

Rebeca, una adolescente que vino a una conferencia donde yo (Rich) hablaba, prometió que nunca perdonaría al vecino que había abusado sexualmente de ella durante los primeros seis años de su vida. Hasta les dijo a sus compañeras de cuarto que ella nunca lo perdonaría. En la mitad de la conferencia decidió ir de todos modos a una Cita para la Libertad. Al llegar al Paso Tres, ella siguió con sus votos solemnes de no perdonar nunca al que abusó de ella.

"¿Quieres ser libre, Rebecca?" —le pregunté amablemente.

"Sí, por supuesto que quiero" —replicó.

"Entonces tienes que perdonar. No hay otro camino hacia la libertad".

Primero siguió negándose a personar a ese hombre hasta que, lentamente, fue entendiendo en su corazón que hallar su libertad era más importante que aferrarse a su rabia y rencor.

Así que oró: "Padre, yo perdono a mi vecino por abusar de mí durante los primeros seis años de mi vida aunque me hizo sentir sucia, sola, indigna y violada".

Súbitamente se paró de un salto de su silla y empezó a gritar: "¡Guau!" Su pastor de jóvenes y la esposa de éste, que la amaban como a una hija, levantaron los ojos de su oración, asombrados.

Rebeca se pasó el siguiente par de minutos saltando por el cuarto, gritando: "¡Guau!" No podía creer el cambio dentro de ella. "¡Hace un par de minutos me sentía tan deprimida y ahora siento tanto gozo! ¡Guau!"

Nosotros tres nos deleitamos en la recién hallada libertad que Rebeca estaba sintiendo al perdonar de todo corazón. Cada vez que guiamos personas por este Paso, casi todo lo que podemos decir al final es "¡Guau!" El Señor nunca deja de asombrarnos con Su poder transformador y sanador. ¡A menudo la evidencia queda escrita de inmediato en toda la cara del aconsejado!

Puede que desee hacer una lista de los adjetivos que los adolescentes usan para describirse en este Paso y los otros. Rebeca usó las palabras "sucia, sola, indigna y violada". Una manera poderosa de cerrar los Pasos hacia la Libertad, una vez completos los siete Pasos se debe dar a los aconsejados la lista de las etiquetas negativas y hacer que digan: "yo renuncio a la mentira que dice que soy (citar los adjetivo o etiquetas negativos) porque Dios dice ". Entonces, haga que reciten las verdades bíblicas de su identidad en Cristo usando la lista EN CRISTO que está atrás de los Pasos hacia la Libertad en Cristo. Luego, ¡mire el gozo que llega a sus ojos! (Vea el capítulo 10 si quiere consejos sobre si denunciar a las autoridades a esos ofensores/abusadores).

Buscando la reconciliación

Al pasar los aconsejados por sus listas de perdón, el Señor puede traer a su mente gente a la cual tienen que pedir perdón. Eso es otra cosa diferente que se trata en Mateo 5:23-26. La Biblia nos dice que vayamos al prójimo antes de ir a Él para poder buscar la reconciliación con esa persona, si sabemos que tiene algo contra nosotros. El Apéndice B da instrucciones específicas de la manera cómo hacer esa obra de reconciliación.

Lo importante para recordar es que si hemos herido a alguien más tenemos que ir a esa persona primero, antes de ir a Dios. *Si nosotros hemos sido heridos por otras personas* tenemos que perdonarlas yendo primero a Dios y, solamente a Él en algunos casos. El perdón debe preceder a la reconciliación.

La Biblia dice: "Si es posible, en cuanto de vosotros dependa, estad en paz con todos los hombres" (Romanos 12:18). A veces, no depende de nosotros. Quizá la otra parte haya muerto o se haya ido a un lugar que desconocemos o no está dispuesta a ser reconciliada.

Si nosotros hemos sido heridos por otras personas tenemos que perdonarlas yendo primero a Dios y, solamente a Él en algunos casos. El perdón debe preceder a la reconciliación.

A menudo, los abusadores no quieren admitir sus pecados y buscar perdón. Si se niegan, la reconciliación es imposible. Recuerde, entonces, que la libertad de la víctima del abuso nunca depende de si el abusador confiesa y se arrepiente de su pecado o pide perdón. Los adolescentes que han sido lastimados deben estar dispuestos a perdonar de todo corazón, independientemente de lo que haga o no el malhechor. De lo contrario, los jóvenes maltratados serían controlados por sus abusadores toda la vida.

Nuevamente Jesús es nuestro modelo de perdón. Él optó por orar en la cruz por los que se burlaban de Él y lo crucificaban: "Padre, perdónalos, porque no saben lo que hacen"(Lucas 23:34). Jesús no esperó que sus asesinos se arrepintieran de su pecado (probablemente *nunca* lo hicieron) antes de perdonarlos. Nosotros debemos también perdonar como Cristo perdonó.

Luego de finalizar en oración con la última persona de la lista, hagamos que el aconsejado ore pidiendo a Dios que le revele otra gente o hechos que Él quiere que perdone. Cuando hayan terminado del todo con este Paso crítico, es hora de hacer un descanso, ir al baño, tomar algo o dar una vuelta antes de comenzar el Paso Cuatro.

Una gran parte de los Pasos hacia la Libertad han sido cubiertos. En condiciones normales, usted está en o más allá de la mitad en cuanto al tiempo. Agradezca al aconsejado por su valor y dedicación para arreglar cuentas con Dios y anímelo a quedarse hasta el final y terminar todo bien.

Capítulo diez

Resistiendo la rebelión

Paso Cuatro:
Rebelión contra sumisión

Jeremías es un chico inteligente y cristiano. Él abrió su corazón a Cristo hace un par de años y ha mostrado relámpagos de hambre espiritual. Aunque en su mayor parte, sigue siendo un bebé espiritual, inmaduro en su caminar con Cristo. Sabe básicamente lo que debería estar haciendo espiritualmente pero lucha con motivarse para hacerlo. Al final de cuentas, no parece muy preocupado por su estado espiritual, ni tampoco su papá.

Eso es desafortunado porque deberían estar preocupados. Jeremías ha desarrollado un patrón de costumbres de manipular y engañar. Aprendió cómo controlar a sus padres para poder hacer básicamente lo que quiere en lugar de lo que le mandan.

Es lo que yo llamo un "rebelde blando". Al optar por desafiar a la autoridad con mañas en lugar del desafío franco o la rebeldía pasiva y obstinada, Jeremías está motivado por una fuerza impelente en su vida: pasarla bien. Según su propia confesión, le divierte escapar de los límites de la autoridad, escabullendo su vía de escape. Salirse con la suya, engañando, ha llegado a ser como una aceleración de su adrenalina, una aventura y un desafío a su inteligencia, que se está convirtiendo en una adicción.

Promete volver a casa a cierta hora cuando sale con sus amigos y, luego, se aparece dos o tres días después, faltando a veces a la escuela. Jeremías le dice a sus padres que se quedará a dormir en la casa de cierto amigo en particular y, luego, una llamada telefónica de sus padres en la mañana siguiente revela la verdad: Jeremías nunca estuvo allí.

Como muchos otros jóvenes, Jeremías ha llegado a la conclusión errónea de que las autoridades en la vida le roban su libertad y búsqueda de diversión. Por tanto, como "pasarla bien" es el dios definitivo a quien hay que servir, se debe desobedecer a todos los que se interpongan en la forma de adorar a ese dios, padres incluidos.

Los adolescentes que no muestran imaginación o impulso intelectual cuando se trata del trabajo escolar, pueden llegar súbitamente al nivel de la genialidad cuando se trata de diseñar maneras de evitar la responsabilidad y desobedecer a la autoridad. Las posibilidades son casi infinitas pero las que siguen son unas cuántas de las estrategias más corrientes que pueden emplear los adolescentes, las que son indicadores de un espíritu rebelde. Abarcan:

- Mentir sobre dónde van, qué hacen o con quién se juntan;
- Denunciar ignorancia (decir que no sabía) cuando se lo confronta con la mala conducta;
- Probar deliberadamente los límites de la autoridad de los padres por medio de la transgresión de las reglas;
- Negarse obstinadamente a someterse a, o cooperar con la autoridad aun después de haber sido disciplinado;
- Inventar cuentos enredados para explicar la mala conducta, a fin de disminuir las consecuencias de la rebeldía;
- Echar la culpa a los demás para hacerse el inocente;
- Postergar hasta que la figura de autoridad se olvida de la cuestión o se rinde; ("jugar el juego de esperar");
- Poner a uno de los padres contra el otro para salirse con la suya;
- Crear deliberadamente escenas emocionales para tener la sensación de poder o control sobre las autoridades;
- Comportarse en forma directamente opuesta a las normas de los padres.

La lista podría seguir indefinidamente. Todo adolescente aprendió hace mucho tiempo cómo apretar los botones de los que están en autoridad sobre él, especialmente de los padres.

Un joven me dijo (a Rich) cuánto se deleitaba consigo mismo por saber exactamente qué decir y cómo decirlo para obtener un aumento de lo que le daba su papá. Para él valía la pena toda consecuencia negativa posible que pudiera sufrir con tal de obtener la satisfacción de haber ejercido control y poder sobre un adulto. Sentía que eso era, en sí mismo, recompensa suficiente para dar valor a todo.

Ciertas condiciones del hogar son suelo fértil para cultivar la toma de control de parte de un adolescente rebelde. Incluyen las siguientes:

- Padres que están demasiado metidos en su propio mundo como para pasar tiempo desarrollando una relación íntima con el adolescente;
- Padres que están tan metidos en el mundo de sus hijos adolescentes que el joven se siente asfixiado, ahogado o controlado;
- Grandes crisis (por ejemplo: finanzas, problemas de salud) de otros familiares que le quitan tiempo y atención al adolescente;
- Los padres dan un modelo de conducta rebelde tocante a la autoridad (gobierno, leyes, empleadores, iglesia);
- Tendencia de las autoridades (especialmente de los padres) a reaccionar a las palabras y estilo de vida del adolescente sin permitir, con paciencia, que el joven exprese sus opiniones y sentimientos;
- Los padres tienen un historial (al menos desde el punto de vista del adolescente) de ser no confiables, indiferentes o inflexibles.

No es accidente que el Paso Cuatro siga al Tres porque es virtualmente imposible que un adolescente se someta a la autoridad, Dios incluido, si ese joven está enojado con ellos. La rebeldía suele nacer en la matriz del rencor y resentimiento. Agréguese a ese hirviente caldero de rabia y falta de perdón, un grupo de compañeros que considera que la rebeldía contra la autoridad es algo "bueno" y se tienen problemas. De todos modos, la adolescencia es naturalmente un tiempo sano de apartarse del control de los padres, pero la rebeldía es la independencia que cruzó los límites.

Según 1 Samuel 15:23, "como pecado de adivinación es la rebelión, y como ídolos e idolatría la obstinación". Desafiar a las autoridades nos pone en el campo del enemigo y nos somete a su influencia. ¡Somos necios si desechamos un espíritu rebelde pensando que es una fase inocente que está viviendo el joven! Optar por rebelarse contra Dios o Sus autoridades humanas expone al adolescente a un grave peligro espiritual.

Clara y sobria es la advertencia de las Escrituras sobre el rebelarse contra la autoridad de los padres, según Efesios 6:1-3:

> Hijos, obedeced a vuestros padres en el Señor, porque esto es justo. Honra a tu padre y a tu madre (que es el primer mandamiento con promesa), para que te vaya bien, y para que tengas larga vida sobre la tierra.

La Palabra de Dios promete una gran bendición a los hijos que obedecen y se someten a la autoridad de sus padres: una vida larga bajo la bendición de Dios.

¿Entonces, no podríamos asegurar que lo contrario también debería ser cierto? ¿A los que no se someten a la autoridad de los padres no les irá bien y no vivirán por largo tiempo sobre la tierra?

¿Cuántos problemas de los adolescentes, como adicción a las drogas, enfermedades de transmisión sexual, prácticas del ocultismo, conducta criminal, suicidio y profundo dolor emocional, se pueden atribuir, al menos en parte, a la rebeldía contra los padres? Solo el Señor sabe.

Ciertamente reviste igual importancia la violación del mensaje de Efesios 6:4 que ocurre en demasiados hogares, aun cristianos. Esa advertencia va dirigida a los padres, especialmente a los papás, y declara:

> Y vosotros, padres, no provoquéis a ira a vuestros hijos, sino criadlos en la disciplina e instrucción del Señor.

Cada persona es claramente responsable ante Dios por las opciones que toma en la vida. Los adolescentes no constituyen la excepción. Sin emprender una introspección insalubre ni sucumbir a la culpa paralizante, los padres de los adolescentes rebeldes deberían pedir a Dios que les revele todas las maneras en que ellos han contribuido al problema provocando a ira a sus hijos.

El cambio de un joven puede ser activado por el cambio de los padres. A menudo, ésa es la forma en que funcionan las cosas en el reino espiritual. Para ejercer autoridad espiritual la gente debe estar sometida a la autoridad de Dios. Eso incluye a los padres que triunfan en rechazar los ataques del enemigo en sus hogares, como asimismo a los adolescentes que ganan las batallas espirituales de su propia vida. Un incidente bíblico fascinante deja eso bien claro.

Un ejemplo bíblico

Jesús acababa de terminar el Sermón del Monte y se había ido a Capernaúm cuando un centurión le mandó decir, por medio de unos ancianos judíos, que su esclavo estaba mortalmente enfermo. Los ancianos animaron mucho a Jesús para atendiera el pedido del centurión de sanar a su siervo porque ese soldado era una buen amigo del pueblo judío. Jesús consintió.

Mientras se iba acercando a la casa del soldado, algunos amigos del centurión le llevaron otro mensaje a Jesús de parte de aquél, el cual se halla en Lucas 7:6-8:

> Señor, no te molestes más, porque no soy digno de que entres bajo mi techo; por eso ni siquiera me consideré digno de ir a ti, tan solo di la palabra y mi siervo será sanado. Pues yo también soy hombre puesto bajo autoridad, y tengo soldados bajo mis órdenes; y digo a éste: "Ve", y va; y a otro: "Ven", y viene; y a mi siervo: "Haz esto", y lo hace.

¿Cuál fue la reacción de Jesús ante el mensaje del centurión? Se asombró de él y anunció que nunca antes había visto una fe como ésa, ¡ni siquiera en Israel! ¿Qué hubo en la fe del soldado que asombró tanto a Jesús? Por cierto que fue muy sorprendente que él se diera cuenta que Jesús no tenía que estar en la presencia del esclavo enfermo para sanarlo sino que podía hacerlo a la distancia diciendo una palabra. Pero había más.

Fíjese que el centurión se comparó con Jesús en que él también (como Jesús) era hombre puesto *bajo* autoridad. ¡Esa sumisión a la autoridad superior dio al soldado (y a Jesús) el permiso para ejercer autoridad él mismo!

¿A cuál autoridad estaba sometido el centurión? Al oficial superior por sobre él y, en definitiva, al César. ¿A cuál autoridad estaba sometido Jesús? Al Padre. El mismo Jesús lo dijo en Juan 5:19: "En verdad, en verdad os digo que el Hijo no puede hacer nada por su cuenta, sino lo que ve hacer al Padre; porque todo lo que hace el Padre, eso también hace el Hijo de igual manera".

¡Qué concepto asombroso! Jesús, el Dios eterno y la segunda persona de la Trinidad, optó por vivir sobre la Tierra sometido al Padre. ¿Por qué? Ciertamente no porque Él tuviera que hacerlo. Después de todo, Él era Dios; pero eligió someterse al Padre para ser un ejemplo para nosotros de cómo debemos vivir.

Sometiéndose a Dios

Crítico es guiar a los jóvenes a someterse a las autoridades humanas sobre ellos, como asimismo a la autoridad final que es Dios. Santiago 4:7 lo dice así: "Someteos, pues, a Dios; resistid al diablo, y huirá de vosotros".

¿Entiende por qué el diablo tienta a los adolescentes para que se rebelen contra Dios, los padres y otras autoridades? La rebeldía es una trampa de Satanás para poder salirse con la suya con ellos. La juventud que no se somete a Dios no tiene autoridad para resistir al diablo. Son blancos amplios para sus ataques, básicamente indefensos ante sus estratagemas.

Por tanto es crítico que ore por los adolescentes rebeldes que ama para que sus ojos sean abiertos y, así, vuelvan en sí y vean la trampa espiritual en que están cayendo. Satanás pinta un glamoroso cuadro de rebelión, invitando a los adolescentes a que entren en esa casa de placeres, emociones y poder, mientras todo el tiempo los está engañando para que piensen que se están dando el gusto. En realidad, están siendo capturados por el diablo para que hagan su voluntad y le sirvan (ver 2 Timoteo 2:26).

Negarse a sí mismo es el camino de la cruz. Decir no a nosotros mismos y sí a Dios es la lucha definitiva de la vida, pero las consecuencias de optar por la alternativa pueden ser mortales. Jugar a ser Dios es el error más enorme que podemos cometer.

A muchos jóvenes les parece demasiado sacrificio esto de rendir todo a Dios pero, en realidad, ¿qué están sacrificando? Sacrifican la vida inferior para obtener la vida superior. Sacrifican el placer de las cosas para obtener el placer de vivir.

¿Por qué cosa cambiaría la gente joven el amor, el gozo, la paz, la paciencia, la benignidad, la bondad, la fe, la mansedumbre y el dominio propio? ¿Por unos pocos minutos de diversión o excitación? ¿Por un automóvil nuevo? ¿Por una emoción transitoria? ¿Por la aprobación de sus compañeros? Desafortunadamente son demasiados los jóvenes cristianos que han sido engañados para que piensen que ese intercambio será provechoso, y se han tragado la mentira del mundo.

El joven que sigue a Cristo sacrifica verdaderamente eso que es un "gusto" temporal para obtener lo que es eternamente satisfactorio y recompensador.

El joven que sigue a Cristo sacrifica verdaderamente eso que es un "gusto" temporal para obtener lo que es eternamente satisfactorio y recompensador. ¡Tamaño sacrificio! Aprender a confiar en Dios significa esperar que Dios satisfaga nuestras necesidades en Su tiempo y a Su manera. Los adolescentes rebeldes no quieren esperar. Ellos quieren gratificación ahora en lugar de la satisfacción después.

Sólo cuando los ojos de los adolescentes sean abiertos y vean sus recursos débiles y limitados descubrirán los recursos infinitos y poderosos de Dios. Rendirse al señorío de Cristo entonces se vuelve, no un concepto sofocante y negativo sino el camino mismo a la vida. Si la gente joven hace que Él sea el Señor de su vida, Él también se vuelve el Señor de sus problemas. Sin embargo, alejados de Su autoridad, ellos andan deambulando por cuenta propia, acosados por su adversario, el diablo que anda dando vueltas, como león rugiente buscando devorarlos (ver 1 Pedro 5:8).

El sistema del mundo que nos rodea fomenta el espíritu de rebeldía. Hasta la juventud cristiana se pone a juzgar, con demasiada asiduidad a quienes estén en posiciones de autoridad sobre ellos. Van a la iglesia y se ríen del coro o del director de alabanza, en lugar de entrar a adorar a Dios. Se ponen a juzgar el mensaje del pastor o del pastor de jóvenes antes que dejar que la Palabra de Dios juzgue su vida.

Fácil es hablar mal del presidente (si no estamos de acuerdo con sus puntos de vista), fácil es violar las leyes de tráfico (si estamos apurados), fácil es reirse de los profesores a espaldas de ellos y hacer tonterías en la pista de atletismo cuando el entrenador no está mirando.

Someterse a las autoridades

Sin embargo, Dios nos manda someternos a los que están en autoridad sobre nosotros y orar por ellos. Romanos 13:1,2 dice: "Sométase toda persona a las autoridades que gobiernan; porque no hay autoridad sino de Dios, y las que existen, por Dios son constituidas. Por consiguiente, el que resiste a la autoridad, a lo ordenado por Dios se ha opuesto; y los que se han opuesto, sobre sí recibirán condenación".

El plan de Dios es que nos rindamos a Él y demostremos esta lealtad siendo sumisos con los que Él puso en autoridad sobre nosotros. Rendimos nuestro "derecho a mandar o controlar" y confiamos que Dios obre por medio de Sus líneas de autoridad establecidas para nuestro bien.

Con seguridad que es un acto grande de fe que una persona joven confíe que Dios obra por intermedio de padres, profesores, líderes juveniles, etc., que son menos que perfectos. Pero ése es el camino a la libertad.

Sin embargo, a veces la Biblia enseña que debemos obedecer a Dios antes que a los hombres. Cuando las autoridades gobernantes exigen que los adolescentes hagan algo que Dios les manda no hacer, o tratan de impedir que ellos hagan algo que Dios les manda hacer, ellos deben obedecer a Dios más que a los hombres. Eso es lo que hicieron Pedro y Juan (ver Hechos 5:29).

Los adolescentes tampoco están obligados a obedecer a la gente que trate de ejercer autoridad fuera de sus jurisdicciones. Un empleador o un profesor de escuela no tiene derecho a decirle a un joven qué debe hacer en su casa pero puede dar responsabilidad y cometidos relativos al trabajo o la escuela. Un policía no puede decirle a un adolescente qué creer o dónde ir a la iglesia pero puede decirle que detenga su automóvil.

El ejemplo de Daniel

Daniel fue el epítome de la sumisión y su vida puede ser un gran ejemplo para los jóvenes con relación a cómo responder a una autoridad que ha traspasado los límites de su gobierno dado por Dios.

Daniel no fue insolente con el rey ni con los que ejecutaban las órdenes del rey. El rey estuvo equivocado al querer que Daniel y sus amigos comieran la comida del rey porque violaba las leyes alimenticias de los judíos dadas en la Palabra de Dios. Daniel decidió no contaminarse con esa comida prohibida así que procuró, y obtuvo permiso de su superior inmediato, para comer solamente la comida que Dios permitía. Como no fue desafiante ni irrespetuoso, "Dios concedió a Daniel hallar favor y gracia ante el jefe de los oficiales" (Daniel 1:9). Daniel presentó una alternativa creativa que permitió al comandante quedar bien a ojos del rey y, también, cumplir los deseos del rey de tener siervos sabios y sanos.

La juventud de hoy tiene que aprender, en forma semejante, a tratar a los que están en autoridad sobre ellos con respeto de todo corazón y no de los labios para afuera. Aunque el siguiente pasaje bíblico fue escrito originalmente para los esclavos, su principio también se aplica a la relación entre el estudiante y el profesor, el atleta y el entrenador, el empleado y el empleador:

> Siervos, obedeced en todo a vuestros señores en la tierra, no para ser vistos, como los que quieren agradar a los hombres, sino con sinceridad de corazón, temiendo al Señor. Y todo lo que hagáis, hacedlo de corazón, como para el Señor y no para los hombres, sabiendo que del Señor recibiréis la recompensa de la herencia. Es a Cristo el Señor a quien servís. Porque el que procede con injusticia sufrirá las consecuencias del mal que ha cometido, y eso, sin acepción de personas (Colosenses 3:22-25).

Ver más allá de las autoridades humanas de sus vidas percibiendo al Dios que las puso ahí, es algo que da a los adolescentes la perspectiva necesaria para obedecer gozosamente.

Una nueva actitud para trabajar

Yo (Rich) trabajé como guardavidas en los veranos cuando era joven. Parte del trabajo comprendía limpiar los baños cuando no estaba sentado en el puesto del guardavidas. A veces, durante el día, podía contar con que algún niñito no apuntara bien al inodoro y dejara un oloroso recuerdo en el piso del baño. Eso me enojaba con los niños, sus padres y mi jefe por obligarme a hacer ese trabajo horrible.

Un día leí Colosenses 3:22-25 en mi tiempo de paz matutino antes de irme a trabajar y Dios me habló claramente por medio de Su Palabra. Podía seguir rezongando y quejándome y desagradando a Dios con mi actitud o podía someterme a mi jefe. Opté por lo último y decidí que limpiaría los baños como ¡si el mismo Jesús fuera quien entrara de inmediato a usarlo! Un cambio increíble se traslució en mi actitud. Los niños siguieron tan sucios como siempre pero yo pude hacer el trabajo con sincero gozo en mi corazón.

Compromiso con la autoridad

Otro importante principio de sometimiento a la autoridad es que la gente joven se comprometa genuinamente al éxito de los que están por sobre ellos. Los adolescentes deben abstenerse de cosas que impidan que las autoridades ejecuten las responsabilidades que Dios les da. Nadie que esté como líder puede hacer mucho, eso incluye a los padres, sin el apoyo leal de los que están bajo su autoridad.

La Escritura dice claramente que los que se rebelan no aprovechan nada de su rebelión aunque piensen que sí:

> Obedeced a vuestros pastores, y sujetaos a ellos; porque ellos velan por vuestras almas, como quienes han de dar cuenta. Permitidles que lo hagan con alegría y no quejándose, porque eso no sería provechoso para vosotros (Hebreos 13:17).

Si el corazón de un joven está bien ante los ojos de Dios, libre de ira y rencor para con los que están en autoridad sobre él, podrá sentirse libre para dar a conocer sus peticiones siendo amable y respetuoso. Si ese pedido se basa en una legítima necesidad, a menudo el Señor se moverá en el corazón de esa autoridad para cambiarle las ideas. Puede que eso no pase de inmediato así que el joven que está pidiendo algo, debe ejercer una confianza paciente en Dios.

No obstante, los pedidos que salen de un corazón egoísta o ambicioso probablemente queden sin respuesta. Lo cual está bien. Pocas cosas molestan más a un padre que un hijo ingrato que exige más de lo necesario.

La vida de Daniel también proporciona una instrucción valiosa para los jóvenes que deben seguir su conciencia frente al liderazgo impío. Daniel se dispuso a ser "el almuerzo del león" antes que ceder al edicto del rey Darío de no orar ante nadie sino ante él durante 30 días. El resto es historia.

¿Tenemos la garantía de que el final siempre será feliz como le pasó a Daniel? No. Por ejemplo, José sufrió mucho e injustamente en la cárcel durante años antes de ser restaurado a la libertad, pero la injusticia de los seres humanos nunca niega la fidelidad de Dios. Gran parte del libro de 1 Pedro fue escrito para tratar el tema de cómo vivir bajo liderazgo injusto:

Lo que sigue es un ejemplo de la sabiduría de ese libro:

> Siervos, estad sujetos a vuestros amos con todo respeto, no sólo a los que son buenos y afables, sino también a los que son insoportables. Porque esto halla gracia, si por causa de la conciencia ante Dios, alguno sobrelleva penalidades sufriendo injustamente. Pues ¿qué mérito hay, si cuando pecáis y sois tratados con severidad lo soportáis con paciencia? Pero si cuando hacéis lo bueno sufrís por ellos y lo soportáis con paciencia, esto halla gracia con Dios. Porque para este propósito habéis sido llamados, pues también Cristo sufrió por vosotros, dejándoos ejemplo para que sigáis sus pisadas, el cual no cometió pecado, ni engaño alguno se halló en su boca; y quien cuando le ultrajaban, no respondía

> ultrajando; cuando padecía, no amenazaba, sino que se encomendaba a aquel que juzga con justicia (2:18-23).

¿Qué pasa si la figura de autoridad es abusadora? ¿Es ser rebelde denunciarlo? ¡Absolutamente no! Nos enferma saber de líderes cristianos que dicen a las esposas golpeadas y niños maltratados que se vayan a casa y sean sumisos. Dios ha establecido autoridades de gobierno para proteger al abusado. El corazón de Dios está con el débil, el indefenso y el oprimido.

Denuncie a los abusadores a las autoridades superiores porque han abdicado sus responsabilidades de proveer y proteger a quienes Dios les encargó que cuidaran. Además, nunca es bueno que se permita a los abusadores continuar su maltrato. Ellos mismos son personas heridas que necesitan ayuda. Si no se los detiene, ellos y otros seguirán sufriendo el ciclo del abuso.

Nuestro motivo nunca debe ser buscar venganza sino, más bien, ejercer compasión: para el abusado a la vez que para el abusador. Ambos deben hallar su libertad en Cristo, pero ninguno la encontrará a menos que alguien intervenga para detener el abuso.

Buscando protección para los adolescentes

Después de que los adolescentes perdonen a una figura de autoridad abusiva, ayúdelos a poner límites bíblicos que detengan el ciclo del abuso. A veces, puede resultar necesario cambiar a los adolescentes de escuela, iglesia, hogar, al menos por un tiempo. Los pasos de esta clase puede estar instituidos por las agencias de protección infantil. De lo contrario, el establecimiento de límites protectores de los adolescentes debe hacerse sólo después de buscar al Señor orando, escudriñando cuidadosamente la Palabra de Dios y procurando el consejo sabio y santo.

Aquí debe darse una palabra de advertencia. No decimos que se dé licencia a los jóvenes para que desobedezcan a la autoridad sencillamente porque esa autoridad no sea perfecta. Si ese fuera el caso, nadie se sometería a nadie salvo a Dios.

Determinar cuándo rechazar la autoridad humana requiere discernimiento y la convicción interior profunda, basada en la verdad de Dios que no puede comprometerse independientemente de las consecuencias. Los adolescentes actúan con rebeldía si se niegan a someterse simplemente porque prefieren hacer las cosas a su propio modo.

El sistema del mundo dice que los adolescentes están perdiendo vida, libertad y la persecución de la felicidad si se someten a la autoridad. La Biblia nos dice que esas cosas se encuentran en Cristo "que es nuestra vida" (Colosenses 3:4), que nos hace libres (ver Juan 8:36) y nos promete la plenitud del gozo cuando obedecemos a Dios (ver Juan 15:10,11).

Un joven cristiano que busca aceptación, significado, satisfacción y seguridad por medio del mundo, será muy tentado para que se rebele a fin de "encajar" con los demás. La juventud cristiana que sabe quiénes son en Cristo, y que viven en una relación gozosa con su "Abba Padre" confiará, sin embargo, en que Él obre por medio de autoridades humanas imperfectas, padres incluidos.

Sometimiento es para los jóvenes, primordialmente, cuestión de relación entre la criatura y el Creador, entre el siervo y el Rey, entre el hijo y el Padre.

De todos modos, el sometimiento a las autoridades no es justamente una cuestión 'horizontal' de humano-a-humano. El sometimiento es para los jóvenes, primordialmente, cuestión de relación entre la criatura y el Creador, entre el siervo y el Rey, entre el hijo y el Padre. Cuando los adolescentes sepan que es un privilegio y un honor servir al Rey y andar en una relación de amor con su Padre celestial, no se sentirán ni cerca de rebelarse, manipular o tratar de dominar.

Los adolescentes podrán rendirse al señorío de Cristo, seguros por saber que no pueden ocupar un lugar más elevado que el papel de hijo-siervo del Dios Todopoderoso, el Rey de reyes y Señor de señores.

Zonas de rebeldía

La orden de Dios es ésta: "Someteos, pues, a Dios; resistid al diablo, y huirá de vosotros" (Santiago 4:7). Someterse a Dios capacita a los jóvenes para resistir al diablo. La siguiente oración, que empieza este Paso, es un compromiso para abandonar la rebelión y optar por un espíritu sumiso:

> Amado Padre celestial:
>
> Tú has dicho en la Biblia que la rebelión es lo mismo que la brujería y que ser desobediente es como servir a falsos dioses (1 Samuel 15:23). Sé que he desobedecido y me he rebelado en mi corazón contra Ti y los que has puesto en autoridad sobre mí. Te agradezco por perdonarme por mi rebelión. Por la sangre derramada del Señor Jesucristo te ruego que ahora cierres todas las puertas que yo abrí a los espíritus malignos por mi rebelión. Ruego que Tú me muestres todas las maneras en que fui rebelde. Ahora opto por adoptar un espíritu sumiso y un corazón de siervo. En el nombre precioso de Jesús. Amén.

Cuando el joven a quien usted esté ayudando haya terminado de orar, lea el material de instrucciones que sigue a la oración. Luego, pídales que atiendan a la lista de las posibles zonas de rebeldía y pídales que marquen las que les correspondan:

- Gobierno civil (es decir, leyes del tránsito, leyes sobre el consumo de bebidas alcohólicas, etc.) (Romanos 13:1-7; 1 Timoteo 2:1-4; 1 Pedro 2:13-17) ;
- Padres, padres adoptivos o tutores legales (Efesios 6:1-3);
- Profesores, entrenadores y funcionarios de la escuela (Romanos 13:1-4);
- Su jefe o empleador (1 Pedro 2:18-23);
- Marido (1 Pedro 3:1-4) o esposa (Efesios 5:21; 1 Pedro 3:7). (Nota para los maridos. Tómese un momento para preguntarle al Señor si su falta de amor por su esposa podría estar fomentando un espíritu de rebeldía dentro de ella. De ser así, confiese eso ahora como violación de Efesios 5:22,23);

- Líderes de la Iglesia (pastor, pastor de jóvenes, maestro de escuela dominical) (Hebreos 13:17);
- Dios mismo (ver Daniel 9:5,9).

No será necesario que los aconsejados le expliquen los actos rebeldes. Usted ha escuchado sus historias y ya sabe la mayor parte de las cosas. La juventud que usted aconseje necesita saber que la rebelión no es tan solo un *acto* sino una *actitud.* Dios mira el corazón y desea la verdad en la persona interior.

La oración que sigue es una oportunidad para que la gente joven someta esas zonas de rebeldía a Dios:

> Señor, estoy de acuerdo Contigo en que he sido rebelde con... Te agradezco por perdonar mi rebelión. Opto por ser sumiso y obediente a Tu Palabra. En el nombre de Jesús. Amén.

Como se sugiere en el Paso Dos, los adolescentes que usted aconseja no tienen que repetir la oración para cada punto. Cuando lleguen al espacio en blanco, deben insertar las cosas que marcaron y, entonces, completar la oración.

Sin embargo, cuide que no se pasen por alto ninguna raíz profunda de rebelión. Este Paso puede requerir más consejería para ayudar a que los adolescentes vivan bajo autoridad, especialmente si en su vidas hay una historia de rebelión contra la autoridad o ésta ha abusado de ellos.

En el caso de un abuso continuo en la vida de un adolescente que usted aconseje, siga los procedimientos delineados en el capítulo 9.

Aprender a ser firme y adoptar una posición contra el abuso es algo que será difícil para quien ha estado pasivo por años, al igual que aprender a ser sumiso es algo que costará a los que tienen una naturaleza rebelde.

Testimonio de una joven

Jacky es una niña cristiana sensible, tiene 15 años, le gusta reirse, pasarla bien y estar con su papá. Sin embargo, desde temprana edad ella fue puesta a batallar con la rebelión y la promiscuidad sexual.

A los 4 y 5 años fue repetidamente sexualmente abusada por su abuelo materno y a los 11 años ya tenía relaciones sexuales con un muchacho de 17 años, que vivía en el barrio. Jacky había luchado con intensos sentimientos de rebeldía hacia su mamá, sintiendo como que sencillamente no podía confiar en ella. Cuando su mamá se divorció de su papá, el dolor y el vacío de su corazón se agrandó. Ella echaba de menos a su papá y sentía la soledad de anhelar su amorosa compañía.

Cuando, más adelante, se fue a vivir con su papá y su madrastra, las cosas empezaron a parecer mejores para ella. Pasaba muchas horas conversando con su papá, bebiéndose todo momento de gozo que pudiera tener con él.

De pronto su conducta comenzó a cambiar. Aduciendo que tenía una tremenda carga de tareas escolares, Jacky comía rápidamente, se iba rápido de la mesa a retirarse en su cuarto a hacer las tareas y a hablar por teléfono.

Los muchachos empezaron a llamar y venir y ella disfrutaba de la atención de ellos. Primero las conversaciones eran inocentes pero pronto viraron hacia las cosas sexuales. Durante un mes más o menos, Jacky hizo funcionar su versión de un servicio 900 (servicio de llamadas) desde su cuarto (menos el dinero). A los muchachos les encantaba la excitación y a Jacky, la atención.

Mientras tanto, los padres de Jacky también estaban bajo ataque espiritual, lo que no reconocieron desde el inicio. Ambos tenían pesadillas raras pero no se las contaban uno a otro (sino hasta mucho después). Empezaron a discutir por cosas triviales, lo cual distraía su atención de la batalla real.

El papá de Jacky se despertaba en la noche sintiendo que había un intruso en la casa, pero el "merodeador" era invisible, así que no era detectado. El enemigo había maniobrado astutamente para colocar todas sus piezas, así que las cosas empeoraron mucho. Verdaderamente una casa dividida contra sí misma no puede resistir.

Llegó el momento en que hablar por teléfono no le fue suficiente a Jacky. Se zambulló en el pecado sexual con un par de muchachos y usaba la casa de sus padres mientras ellos estaban trabajando. La rebelión, el engaño y la esclavitud sexual era intensa. Jacky se fue antes de la escuela para tener relaciones sexuales varias veces. Ella abusó de los privilegios de tener su propia línea telefónica particular que se le habían dado. Aceptaba salidas con muchachos sin que sus padres supieran o dieran permiso. También violó los mandamientos del Dios a quien llamaba Padre.

Las cosas tocaron fondo para Jacky después de que un muchacho la convenció de permitirle filmar su relación sexual en video. Ese video fue visto por un montón de amigos suyos en una fiesta. Jacky se sintió avergonzada y asustada.

Finalmente se quebró y se lo confesó todo a sus padres. Ellos se enojaron, naturalmente, pero no la acusaron ni la importunaron. Le expresaron su amor y deseo de ayudarla. También lloraron con ella.

¿Cuál fue el anzuelo que arrastró a Jacky a la rebelión y la esclavitud? Seguro que el sexo era divertido y agradable primero pero después de hacerlo se preguntaba. *¿Por qué hice eso? Eso fue estúpido*. Tenía que haber algo más que seguía atrayéndola, y lo había.

Ella admitió: "yo quería gustarle a los muchachos y que ellos me prestaran atención. Ellos decían, 'eres linda' y eso me hacía sentir bien. No quería perder eso". Así que los muchachos le daban lo que ella creía que necesitaba para conseguir lo que ellos querían. Los muchachos harán eso: dar "amor" para conseguir sexo. Y las niñas harán eso: dar sexo para conseguir "amor".

Eso era una emboscada del enemigo. Una niña que fue sexualmente maltratada y profundamente herida por el divorcio dio lugar al diablo para que obrara, primero en su mente y luego en su cuerpo. ¿Resultado? Rebelión, engaño, inmoralidad, dolor, culpa y llanto.

La hija pródiga había vuelto a casa habiendo vuelto en sí. Ella vio que la oferta del diablo no era oferta en absoluto.

¿Por qué Jacky abandonó su rebelión y regresó al hogar? Sus palabras demuestran que el Espíritu de Dios se estaba moviendo poderosamente como respuesta a las oraciones. Su testimonio fue honesto:

"Me sentía totalmente, totalmente culpable. Estaba abrumada por la culpa y estaba muy asqueada y cansada de mentir y esconder y tratar de mantener todo tapado".

Jacky estuvo bajo condena, experimentando la tristeza santa que produce un "arrepentimiento que conduce a la salvación, sin dejar pesar" (2 Corintios 7:10). Lo que dijo luego fue lo que, evidentemente, marcó la diferencia definitiva:

"Echaba de menos mi relación con papá. Yo quería que todo volviera a estar bien".

Eso es. No valió la pena cambiar el corazón y los brazos abiertos de un papá, ni por toda la atención de todos los muchachos de la escuela.

Ahora Jacky está aprendiendo algo aun más profundo. Tampoco vale la pena cambiar el corazón abierto y los brazos abiertos de su Padre celestial.

A propósito, todo *está* bien otra vez . El arrepentimiento fue completo y la basura de su pasado fue repudiada al dar ella los Pasos hacia la Libertad en Cristo. La cinta de video fue destruida. Las guías íntegras que su papá y su madrastra han instituido son seguidas sin resistencia. Nuevamente una niña de 15 años pasa mucho tiempo después de la cena con el hombre al que llama "papito".

Capítulo once

Depositando confianza en Dios

Paso cinco: Orgullo contra humildad

El orgullo es un asesino. Proverbios 16:18 dice:"Delante de la destrucción va el orgullo, y delante de la caída, la altivez de espíritu". El orgullo es una fea palabra de siete letras que tiene un enorme final: LLO (Yo).

El orgullo dice: "Ya no me importa lo que tú digas, ¡ésta es mi vida!" El orgullo es donde empezó todo el mal, en el corazón de Lucifer.

La Escritura dice lo siguiente de ese ángel caído que ahora se llama Satanás: "Pero tú dijiste en tu corazón: '*Subiré* al cielo, por encima de las estrellas de Dios *levantaré* mi trono, y *me sentaré* en el monte de la asamblea, en el extremo norte. *Subiré* sobre las alturas de las nubes, *me haré* semejante al Altísimo'. Sin embargo, has sido derribado al Seol, a lo más remoto del abismo" (Isaías 14:13-15; énfasis añadidos).

Hasta que el diablo declaró *yo haré*, había habido solamente una voluntad en el universo, la voluntad de Dios. Ahora todo nacido de padres terrenales entra a este mundo con una voluntad propia, la cual se opone directamente a la voluntad de Dios y le es hostil.

El infierno va a estar habitado por hombres y ángeles que se negaron a doblegar su voluntad ante la voluntad del Rey. Ellos dirán por la eternidad: "Mi voluntad sea hecha" mientras que en el cielo los santos y los ángeles santos proclamarán: "¡Hágase Tu voluntad!"

Por ahora es crítico que veamos la peligrosa conexión entre la gente joven que viven en orgullo y el ataque espiritual que resulta. La Escritura nos advierte de ese riesgo en Santiago y en 1 Pedro:

> "Pero Él da mayor gracia. Por eso dice: Dios resiste a los soberbios pero da gracia a los humildes. Por tanto, someteos a Dios. Resistid, pues, al diablo, y huirá de vosotros" (Santiago 4:6,7).
>
> Asimismo, vosotros los más jóvenes, estad sujetos a vuestros mayores; y todos vosotros, revestíos de humildad en vuestro trato mutuo, porque Dios resiste a los soberbios, pero da gracia a los humildes. Humillaos, pues, bajo la poderosa mano de Dios para que Él os exalte a su debido tiempo; echando toda vuestra ansiedad sobre Él, porque Él tiene cuidado de vosotros. Sed de espíritu sobrio, estad alertas. Vuestro adversario el diablo, anda al acecho como león rugiente, buscando a quien devorar. Pero resistidle firmes en la fe, sabiendo que las mismas experiencias de sufrimiento se van cumpliendo en vuestros hermanos en todo el mundo (1 Pedro 5:5-9).

Después que Jesús había alimentado a los 5.000, envió a los discípulos al otro lado del mar de Galilea mientras que Él subió a la montaña para orar. En medio del mar, los discípulos se encontraron con una tormenta: "Y al verlos remar fatigados, porque el viento les era contrario, como a la cuarta vigilia de la noche, fue hacia ellos andando sobre el mar, y quería pasarles de largo" (Marcos 6:48). Creemos que el Señor siempre quiere pasar de largo a los autosuficientes. Sigue adelante y rema que Él te dejará luchar hasta que veas que tienes necesidad de ayuda.

Los discípulos gritaron de miedo pensando que Jesús era un fantasma. Misericordiosamente, Jesús les calmó los miedos y subió al bote. Inmediatamente se calmó el viento y pudieron navegar cruzando el mar. La lección es clara: lo que somos incapaces de hacer en nuestra propia fuerza se vuelve realidad cuando nos humillamos, clamamos a Dios pidiendo socorro y dejamos que Jesús tome el control.

La única respuesta que tiene el mundo para los que están atrapados en medio de las tormentas de la vida es: "¡rema más fuerte!" Ésa es la voz del orgullo. La voz del diablo dice: "puedes hacerlo por tu cuenta pero si necesitas un poco de poder extra, yo puedo arreglarlo... por un precio".

El camino de Dios no es así. Su Palabra nos amonesta:

> Confía en el Señor con todo tu corazón, y no te apoyes en tu propio entendimiento. Reconócele en todos tus caminos, y Él enderezará tus sendas (Proverbios 3:5,6).

La gente joven suele crecer en familias donde la autosuficiencia es un estilo de vida. Ellos viven conforme a la filosofía que dice que todo puede hacerse con mucho trabajo duro, ingenio humano y quizá un poquito de suerte en buena medida.

Dios les dice a ellos: "Yo no interferiré en sus planes. Si quieren tratar de salvarse a sí mismos, arreglen sus propios problemas y satisfagan sus propias necesidades, tienen Mi permiso. Pero, en última instancia, fracasarán porque ustedes me necesitan absolutamente a Mí y, desesperadamente, a los demás".

Jesús pintó el cuadro en blanco y negro cuando dijo:

> Yo soy la vid, vosotros los sarmientos; el que permanece en mí, y yo en él, ése da mucho fruto, porque separados de mí nada podéis hacer (Juan 15:5).

El orgullo puede aflorar en la mejor de las personas. El Rey Uzías fue un hombre santo que reinó 52 años (ver 2 Crónicas 26:3) "e hizo lo recto ante los ojos del Señor" (versículo 4). Sus cometidos cumplidos fueron excepcionales. Organizó un ejército fuerte y fortificó la ciudad. "Por eso su fama se extendió lejos, porque fue ayudado en forma prodigiosa hasta hacerse fuerte. Pero cuando llegó a ser fuerte, su corazón se hizo tan orgulloso que obró corruptamente, y fue infiel al Señor su Dios" (versículos 15,16).

Mientras la juventud cristiana más vea que Dios los usa y más sean afirmados en su espiritualidad por los demás, más en peligro están de volverse víctimas del orgullo espiritual. Más de un líder cristiano ha caído cuando empezó a recibir elogios fulgurantes. "Así que, el que piensa estar firme, mire que no caiga (1 Corintios 10:12).

La fortaleza del orgullo

Esteban era un dotado ministro de jóvenes: fácil de congeniar con todos, le gustaba divertirse, con talento musical y grandioso con los muchachos. Era un "ve por ello" de verdad, la clase de persona que podía desatar una tormenta en las puertas del infierno esgrimiendo una pistola de agua, ¡si eso era todo lo que podía hallar!

En un proyecto de misiones de verano, tuvo una confrontación pública con el director nacional de una organización cristiana. Su actitud fue altiva y totalmente insolente para con el veterano de la fe, más sabio y más viejo. Eso pareció abrir la caja de Pandora de choques con la autoridad en la que Esteban adoptaba consis-tentemente un enfoque porfiado, inflexible y de confrontaciones.

Sin estar dispuesto a oír el santo consejo y advertencias de parte de quienes le amaban y cuidaban sus mejores intereses, hubo que despedir a Esteban del trabajo. A menos que esa fortaleza de orgullo y rebelión sea derribada, probablemente se pase el resto de su vida rebotando de un trabajo a otro. Andará bien por un tiempo en cada lugar hasta que sus jefes se harten de su actitud y le pidan que se vaya.

Sencillamente Dios no bendice la vida de una persona orgullosa: joven o vieja, sin que importe cuán dotado sea. Proverbios 18:12 dice:

> Antes de la destrucción, el corazón del hombre es altivo,
> pero a la gloria precede la humildad.

¿Qué es la humildad? ¿Andar arrastrándose en pobreza, lamentándose de nuestra baja condición social? ¿Declarar que meramente somos "el polvo bajo la uña del dedo chico del pie del Cuerpo de Cristo"? No, eso es la falsa humildad que conduce sólo a la derrota. Pablo dijo "Nadie os defraude de vuestro premio deleitándose en la humillación de sí mismo" (Colosenses 2:18).

¿La humildad es, entonces, proclamar piadosamente que Dios es todo y nosotros somos nada? No, ésa es justamente otra versión de la falsa humildad. ¡Cristo no fue a la cruz por nada! Él fue crucificado para establecer y edificar a una humanidad caída. Por todo el Nuevo Testamento se nos amonesta a que nos edifiquemos unos a otros y se nos advierte fuertemente contra todo intento de derribarnos uno a otro. ¿Entonces, cómo podemos justificar derribarnos a nosotros mismos?

Pablo escribió en Romanos 12:3:

> "Porque en virtud de la gracia que me ha sido dada, digo a cada uno de vosotros que no piense más alto de sí que lo que debe pensar, sino que piense con buen juicio, según la medida de fe que Dios ha distribuido a cada uno"

Ése no es un llamado a rebajarse uno mismo sino un llamado para hacer juicios sanos. Pablo dijo de él: "Pero por la gracia de Dios soy lo que soy, y su gracia para conmigo no resultó vana; antes bien he trabajado mucho más que todos ellos, aunque no yo, sino la gracia de Dios en mí" (1 Corintios 15:10).

¡Todo adolescente cristiano es quién es por la gracia de Dios! Negar eso sería desacreditar la obra que Cristo cumplió en la cruz. Que la gente joven tenga una visión inflada de sí misma o que piense que son productos de sus propia hechura es unirse a las filas de los millones de engañados que cayeron víctimas del orgullo.

La humildad es la confianza debidamente depositada.

La humildad es la confianza debidamente depositada. El testimonio de Pablo era que él no tenía "confianza en la carne" (Filipenses 3:3), aunque tenía, por cierto, el pedigree espiritual para hacerlo si así hubiera querido. La humildad verdadera sabe que "separados de mí [de Cristo] nada podéis hacer" (Juan 15:5) pero también afirma: "Todo lo puedo en Cristo que me fortalece" (Filipenses 4:13). La humildad es fortalecerse "en el Señor, y en el poder de su fuerza" (Efesios 6:10). El orgullo dice con presumida satisfacción: "Lo hice yo". La humildad verdadera dice: "Lo hice sólo por la gracia de Dios".

No glorifica a Dios que la juventud cristiana se meta, incrédula, en un rincón o se cubra con el polvo de la falsa humildad. Puede ser fácil para los creyentes jóvenes caer en esos errores, por querer comunicar humildad mientras que aún disfrutan de llamar la atención. Sin embargo, la Escritura nos instruye que "así brille vuestra luz delante de los hombres, para que vean vuestras buenas acciones y glorifiquen a vuestro Padre que está en los cielos" (Mateo 5:16).

Pretender humildad por medio del orgullo

Yo (Rich) recuerdo divertido que he observado a los cristianos jóvenes reaccionar al sincero aprecio de otros creyentes que comentan su testimonio, canción o mensaje: "no era yo quien estaba ahí arriba, era Jesús". ¡Ésa es la declaración más humilde que puede hacer el orgullo! Un simple "gracias" dicho a la gente junto con el simultáneo "gracias" silencioso a Dios es todo lo que se necesita.

Todos venimos de una gama variada de trasfondos pero el orgullo, la rebeldía y la voluntad propia son comunes a toda la humanidad posterior a la caída. Toda la operación de Satanás está pensada para que se reconozca que el propio interés es la meta principal del hombre, en lugar de "glorificar a Dios y disfrutarlo por siempre" (Catecismo Menor de Westminster). Cuando Jesús reprendió a Pedro en Mateo 16, dijo: "¡Quítate de delante de mí, Satanás! Me eres piedra de tropiezo; porque no estás pensando en las cosas de Dios, sino en las de los hombres" (versículo 23).

Satanás es llamado "príncipe de este mundo" porque su filosofía del interés propio gobierna este mundo. La voluntad propia o iniquidad pasa de una generación a otra y es la característica principal de los falsos profeta y maestros.

Pedro escribió de ellos: "especialmente a los que siguen la carne en sus deseos corrompidos y desprecian la autoridad. Atrevidos y obstinados, no tiemblan cuando blasfeman a majestades angélicas" (2 Pedro 2:10). Estas personas funcionan por espíritus independientes y no escuchan a nadie ni responden a nadie. Un escenario aun más chocante y sombrío es el dado por Jesús en Mateo 7:20-23:

> "Así que, por sus frutos los conoceréis. No todo el que me dice: 'Señor, Señor' entrará en el reino de los cielos, sino el que hace la voluntad de mi Padre que está en los cielos. Muchos me dirán en aquel día: 'Señor, Señor,

> ¿no profetizamos en tu nombre, y en tu nombre echamos fuera demonios, y en tu nombre hicimos muchos milagros?' Y entonces les declararé: 'Jamás os conocí; apartaos de mí, los que practicáis la iniquidad'".

Las fortalezas de orgullo no sólo son pasadas de una generación a la próxima sino que cada nueva generación encuentra también su propia base para el orgullo en el mundo. La gente joven aprende a edad temprana que obtienen caricias por su aspecto físico, desempeño atlético, logros académicos, excelencia musical, etc. Sin embargo, fuera de la gracia de Dios esa área de dones, talentos o excelencia no sólo se volverá cimiento para la autoglorificación propia de los niños sino que también servirá como fuente primaria de su identidad.

La gente joven que sigue ese curso de vida están listos para una gran caída, pues un día, durante una tormenta de la vida, se les derrumbará su casa edificada sobre la arena.

Nada malo hay en destacarse en un aspecto de la vida y ser admirado por eso, si la gente joven tiene conciencia de que Dios es quien los ha dotado de ese modo y que solo Dios es el que debe ser glorificado por medio de esas dotes.

Sin embargo, con demasiada frecuencia, los adultos significativos y el grupo de los compañeros en la vida de un joven refuerzan el don sin señalar a ese adolescente al Dador del don.

Por el otro lado, si el adolescente se considera "promedio" o debajo del promedio, puede luchar con una pobre estima de sí mismo, envidia, resentimiento o depresión, concluyendo erróneamente que le tocó mala suerte en la vida y que tiene poca oportunidad de triunfar.

El centro de la persona joven está en sí mismo y arraigado en el orgullo, sea por la exaltación o el desprecio de sí mismo. El resultado será que se abre a una vida de problemas como advierte Santiago 3:13-16:

> ¿Quién es sabio y entendido entre vosotros? Muestre por la buena conducta sus obras en sabia mansedumbre. Pero si tenéis celos amargos y contención en vuestro corazón, no os jactéis, ni mintáis contra la verdad;

> porque esta sabiduría no es la que desciende de lo alto, sino terrenal, animal, diabólica. Porque donde hay celos y contención, allí hay perturbación y toda obra perversa.

Por increíble que sea nuestra sociedad, saluda al joven que logra su meta en la vida de ser un empresario tenaz, que levanta su propio imperio de empresas y egoístamente anda en pos del dinero. Los adultos se guiñarán el ojo unos a otros y asentirán con una sonrisa, pensando "¡ese joven (o esa joven) está llegando lejos!"

La Biblia dice que ese adolescente se perdió el bote que lleva a la vida y, en cambio, adquirió una sabiduría demoniaca nacida en la matriz del orgullo. Tenga la seguridad que aquellos que viven de esa manera no se detendrán en nada, por malo que sea, para concretar sus metas.

¿Cómo se nota la sabiduría santa nacida de la humildad? No se muestra por lo que diga el joven sino por lo que hace:

> Pero la sabiduría de lo alto es primeramente pura, después pacífica, amable, condescendiente, llena de misericordia y de buenos frutos, sin vacilación, sin hipocresía. Y la semilla cuyo fruto es la justicia se siembra en paz por aquellos que hacen la paz (versículos 17,18).

La humildad verdadera da una dulzura y una benignidad al alma del joven que tiene un atractivo magnético. Desafortunadamente es un bien muy escaso en una sociedad que glorifica al yo y felicita al hombre humilde que triunfa en la vida por esfuerzo propio. Esta mentalidad de la "deificación de la superestrella" ha invadido a la Iglesia también, y deberíamos estar en guardia. Nosotros debemos estar mirando la colina del calvario en lugar de mirar la Colina del Capitolio o las Colinas de Hollywood, como lo enseñó claramente Jesús en Mateo 20:25-28:

> "Sabéis que los gobernantes de los gentiles se enseñorean de ellos, y que los grandes ejercen autoridad sobre ellos. No ha de ser así entre vosotros, sino que el que quiera entre vosotros llegar a ser grande, será vuestro servidor, y el que quiera entre vosotros ser el

> primero, será vuestro siervo, así como el Hijo del Hombre no vino para ser servido, sino para servir y para dar su vida en rescate de muchos".

Pedro escuchó lo que había dicho Jesús sobre la grandeza verdadera pero tuvo que aprenderlo a la fuerza. Luego de comer la cena de la pascua con Jesús en la noche en que lo traicionaron, Jesús le dijo a Pedro: "Simón, Simón, mira que Satanás os ha reclamado para zarandearos como a trigo; pero yo he rogado por ti para que tu fe no falle; y tú, una vez que hayas regresado, fortalece a tus hermanos" (Lucas 22:31,32). Fíjese que Jesús no dijo que Él detendría a Satanás para que no zarandeara a Pedro como trigo. Él dijo exactamente que oraría (rogaría) por él y que, después, Pedro tenía que ayudar a los demás.

¿Qué derecho tenía Satanás de pedir permiso a Dios? El contexto previo revela que había surgido una disputa entre los apóstoles acerca de quién era el mayor (ver versículo 24). Ese orgullo puede coexistir con las intenciones óptimas, pues Pedro había dicho: "Señor, estoy dispuesto a ir contigo tanto a la cárcel como a la muerte" (versículo 33). La jactancia de Pedro resultó ser la bravuconada carnal que era, cuando horas después ignoró la amonestación de Jesús de seguir alerta y orando para evitar la tentación.

El sentido apropiado del valor propio viene a los adolescentes cristianos de reconocer y apropiarse de la verdad bíblica de que son amados y valorados por su Padre celestial.

Verdaderamente el espíritu de Pedro estaba dispuesto pero su carne fue débil. Apoyándose en él mismo en lugar de apoyarse, orando, en la fuerza de Dios, más tarde esa misma noche negó tres veces al Señor.

El sentido apropiado del valor propio viene a los adolescentes cristianos de reconocer y apropiarse de la verdad bíblica de que son amados y valorados por su Padre celestial. Su valor no se basa en méritos propios sino en el hecho de que son Sus hijos preciosos por quienes Cristo estuvo dispuesto a morir. Cada adolescente en Cristo es bendecido con toda bendición espiritual en los lugares celestes, escogido por Dios, santo y sin culpa ante Él, predestinado a ser adoptado como hijo, teniendo la redención, el perdón de pecados, ¡con las riquezas de Su gracia derramadas sobre sí! (ver Efesios 1:3-14).

Inspeccionando las zonas de orgullo

Al guiar a los adolescentes por el Paso Cinco encontrará que la transición es, por lo general, suave porque ya en el Paso Cuatro trató el orgullo desde el punto de vista del control y la rebelión. Esos dos Pasos están muy ligados (como el Tres y el Cuatro) porque la fuente de un espíritu rebelde puede ser el orgullo, como asimismo el rencor.

Para presentar este Paso, sencillamente lea o parafrasee el material que precede a la oración de apertura. Entonces, haga que el joven a quien ayuda, ore en voz alta lo que sigue:

> Amado Padre Celestial:
>
> Tú has dicho que el orgullo va delante de la destrucción y el espíritu arrogante antes de la caída (Proverbios 16:18). Confieso que he estado pensando principalmente en mí mismo y no en los demás. No me he negado a mí mismo ni he tomado mi cruz diariamente para seguirte (Mateo 16:24). Como resultado, le he dado lugar al enemigo en mi vida. Yo he creído que podía tener éxito viviendo por mis propias fuerzas y recursos.
>
> Ahora confieso que he pecado contra Ti anteponiendo mi voluntad a la Tuya y centrando mi vida en mí mismo en vez de centrarla en Ti. Renuncio a mi orgullo y a mi egoísmo y cierro todas las puertas que abrí en mi vida o cuerpo físico a los enemigos del Señor Jesucristo. Escojo descansar en el poder y la guía del Espíritu Santo para poder hacer Tu voluntad. Te doy mi corazón a Ti y me resisto a todos los ataques de Satanás. Te pido que me muestres cómo vivir para los demás. Ahora opto por dar más importancia a los

demás que a mí y hacer de Ti la Persona más importante de toda mi vida (Mateo 6:33; Romanos 12:10). Por favor, ahora muéstrame específicamente las maneras en que he vivido con orgullo. Esto lo pido en el nombre de mi Señor Jesucristo. Amén.

Luego de orar esto, el adolescente tiene entonces la oportunidad de inspeccionar las áreas de orgullo que puede haber en su vida. Usted puede hacer que el adolescente a quien ayuda lea en voz alta la siguiente lista y marque por sí mismo. Yo (Rich) he visto que sirve leer cada área de orgullo en voz alta, de a una por una, dando un breve explicación de ser necesario, y hacer que el aconsejado las marque a medida que yo sigo el curso.

Las áreas en que el orgullo puede mostrarse en la vida de un joven incluyen lo que sigue, pero esta lista no agota todo. Sea sensible a la guía del Espíritu Santo que trae a la mente otros aspectos de la vida del aconsejado.

- He tenido un deseo más fuerte de hacer mi voluntad que la de Dios.
- Me apoyo en mis propias fuerzas y habilidades más que en Dios.
- Muy a menudo pienso que mis ideas son mejores que las de otras personas.
- Quiero controlar cómo actúan los demás en lugar de desarrollar el dominio propio.
- A veces me considero más importante que los demás.
- Tiendo a pensar que no necesito a los demás.
- Me cuesta mucho admitir cuando me equivoco.
- Es más probable que yo agrade a la gente más que agradar a Dios.
- Me preocupa mucho que me den el mérito por hacer cosas buenas.
- A menudo pienso que soy más humilde que otros.
- A menudo pienso que soy más inteligente que mis padres.
- A menudo pienso que mis necesidades son más importantes que las de otras personas.

- Me considero mejor que los demás debido a mis habilidades y logros académicos, artísticos o atléticos.
- Otras ______________________________

Ejemplos de cosas que no están cubiertas por esta lista podrían ser: orgullo racial o étnico, orgullo por la denominación o iglesia, orgullo por el sexo. Ciertamente no hay nada de malo en estar contento por ser de una raza o etnia, iglesia, denominación o sexo, pero cuando creemos que somos superiores a los demás que son diferentes de nosotros, nos hacemos culpables del orgullo que crea más disensiones.

La enseñanza del apóstol Pablo aclara que nuestra identidad primaria se halla ahora en Cristo y que todas las otras características son secundarias respecto de esa verdad unificadora:

> Pues todos sois hijos de Dios mediante la fe en Cristo Jesús. Porque todos los que fuisteis bautizados en Cristo, de Cristo os habéis revestido. No hay judío ni griego; no hay esclavo ni libre; no hay hombre ni mujer; porque todos sois uno en Cristo Jesús (Gálatas 3:26-28).

Por cada una de las áreas que hayan salido a la superficie de la vida de los jóvenes que usted aconseja, haga que oren toda la oración de confesión. Como se sugirió en el Paso Cuatro, ellos pueden decir toda la oración una vez, pero llenando el espacio en blanco con cada uno y todos los puntos marcados. Anímelos a que se sientan libres de agregar cosas a la oración de confesión, si así lo sienten necesario. Si el egoísmo y el fanatismo han sido cosas mayores en su vida, puede que tengan que expresar su pena con sus propias palabras, además de la siguiente oración:

> Señor, estoy de acuerdo en que he sido orgulloso en________. Te agradezco por perdonarme por este orgullo. Opto por humillarme y poner mi confianza en Ti. Amén.

Un Proceso de limpieza que hace humilde

Cuando yo (Rich) era niño, nuestra familia tuvo un perro, Sam. Era un mestizo de pura raza, leal, amoroso pero engreído. Rehusaba quedarse en el patio así que teníamos que mantenerlo encadenado en el patio trasero la mayor parte del tiempo. Recuerdo una vez que Sam estaba en la casa. Mi hermano iba saliendo por la puerta del garaje y Sam vio que esa era su oportunidad de escapar, así que salió como un rayo antes de que pudiéramos agarrarlo.

Cuando estaba suelto, ese perro era una molestia para todo el barrio. Le ladraba a los transeúntes, trataba de morder los calzados de los ciclistas y se paraba desafiante en el medio de la calle, retando a los vehículos que pasaran. Mientras más corríamos detrás para agarrarlo y traerlo a casa, más lejos corría. Evadir la mano de su amo era como un juego para él.

Normalmente cuando Sam se soltaba, se quedaba a la vista de nuestra casa, trotando alrededor como si fuera el dueño del lugar pero cierta vez fue diferente. Se fue por un largo rato y ya empezábamos a preocuparnos.

Apareció de repente, corriendo por la calle derecho a nuestra casa. Nos figuramos que tenía sed porque había pasado largo rato desde que se había ido, así que acercamos su plato de agua a la puerta para atraerlo. Ni nos hubiéramos molestado, ya que pasó velozmente por al lado del plato y se metió en la casa.

Entonces lo olimos. ¡A Sam lo había rociado un zorrino! Lo que siguió fue una histeria colectiva en la que dos adultos y dos niños trataban frenéticamente de agarrar al hediondo perro antes de que toda la casa apestara a zorrino.

Finalmente mi mamá lo agarró y lo arrastró hasta el garaje donde lo remojó con jugo de tomate para quitarle el olor.

¡Qué cosa tan humillante para un perro tan macho! Ser rociado por un zorrino era bastante malo, pero ser lavado con jugo de tomate tiene que haber sido la humillación final. Pero era necesario que pasara por ese proceso de limpieza para poder salir del garaje y volver a entrar en la casa.

El orgullo va delante de la destrucción. Antes del honor va la humildad. Estos son principios de vida que toda persona joven tiene que aprender. Algunos lo aprenden fácilmente, leyendo y obedeciendo la Palabra de Dios. Seguro que tienen sus batallas con el orgullo pero son escaramuzas menores de las cuales aprenden.

Otros son como Sam. Disfrutan la excitación de andar por su cuenta desafiando al mundo a impedirles que hagan lo que quieren.. Hacen bastante en lo espiritual (creen) para mantener a Dios "lejos de sus espaldas" pero, en realidad, juegan a la iglesia. La Escritura dice: "de Dios nadie se burla; pues todo lo que el hombre siembra, eso también segará. Porque el que siembra para su propia carne, de la carne segará corrupción, pero el que siembra para el Espíritu, del Espíritu segará vida eterna (Gálatas 6:7,8).

A ellos les está llegando el "grande". El día que se golpeen contra la pared de ladrillos. El día en que los rocíe un zorrino. No será agradable para ellos ni para los que los aman. Todos sufrirán.

Así, pues, ¿cuál es nuestro papel? Estar esperando con la puerta abierta cuando los pródigos vengan corriendo a la casa para que Dios pueda lavarlos y limpiarlos. Esta vez no con jugo de tomate sino con la sangre preciosa de Jesucristo, el perfecto e inmaculado cordero de Dios.

Capítulo doce

Rompiendo las cadenas

Paso seis:
Esclavitud versus libertad

Imagínese por un momento que es uno de los santos ángeles de Dios y que puede ver la batalla espiritual que se libra por las almas de la gente joven que le rodea. Usted se concentra en Daniel, un adolescente cristiano que acaba de descubrir cómo entrar a la pornografía de la Internet. Está sentado en su escritorio, preparándose para encender su computadora. Afuera, en la puerta de su cuarto, acecha un ángel malo, sumamente interesado en la batalla que se libra en la mente de este joven.

Disfrazado brillantemente de ángel de luz, este demonio le sugiere a Daniel que siga y eche una miradita. *Vamos, una miradita rápida no te hará mal. De todos modos, es lo que tú quieres. Nadie lo sabrá nunca. Se acabará antes que te des cuenta y tu curiosidad quedará satisfecha. Todos tus amigos han estado hablando de lo bueno que es. Te lo perderás y te quedarás fuera si no lo haces.*

El Espíritu de Dios dentro de Daniel envía una advertencia inmediata a su mente y le ofrece una vía de escape. Sus ojos miran hacia arriba, hacia el lugar donde puede apretar el botón de su ratón y apagar la computadora. Aunque también por dentro de él hay un fuerte apetito por el sexo, la comida y otras cosas programadas previamente para actuar independientemente de Dios. La carne de Daniel quiere ser gratificada y, así, su mente empieza a racionalizar, contrarrestando el aviso del Espíritu de Dios. *¿Qué tiene de malo mirar esto? Son sólo fotos. No haré nada que dañe a nadie. Después de todo Dios me creó con esos deseos. ¿Por qué tendría que enojarse si hice lo que es natural?*

La batalla por la mente de Daniel es intensa. El está experimentando lo que dice Gálatas 5:17: "Porque el deseo de la carne es contra el Espíritu, y el del Espíritu es contra la carne, pues éstos se oponen el uno al otro, de manera que no podéis hacer lo que deseáis". Él opta, en cambio, por ignorar la vía de escape de Dios fallando en llevar "cautivo todo pensamiento a la obediencia a Cristo" (2 Corintios 10:5).

Primero las imágenes pronográficas de la pantalla de su computadora son una delicia para sus ojos y su cuerpo responde con una explosión de sentimientos de éxtasis. El placer dura poco porque "cada uno es tentado cuando es llevado y seducido por su propia pasión. Después, cuando la pasión ha concebido, da a luz el pecado; y cuando el pecado es consumado, engendra la muerte" (Santiago 1:14,15).

Un poco más tarde Daniel se siente pésimo. El ángel malo se aprovecha de la puerta abierta y pasa del papel del tentador al de acusador. *Estás metido en tremendo problema ahora. Tus padres y tus amigos cristianos van a saber lo que hiciste. ¿Y te dices cristiano? ¡Miraste esa cosa inmunda y ahora cargarás con este pecado por el resto de tu vida!*

Con su conciencia abrumada por la culpa, Daniel clama a Dios: "Señor, por favor, perdóname, ¡nunca más lo haré!" Sin embargo, dos días después Daniel está aburrido y un poco solo, así que vuelve a pecar, lo que precipita otro clamor de perdón. Al seguir la espiral descendente del "pecar-confesar-pecar-confesar", Daniel empieza a ceder más y más a la creciente compulsión de la lujuria. Muy por dentro quiere parar pero no puede.

Un día mientras Daniel está absorbido en las imágenes de su pantalla, un amigo cristiano entra al cuarto sin ser advertido. En lugar de actuar como ministro de reconciliación, se une al acusador invisible, apilando más culpa en Daniel.

"¡Estás muy mal!" —le grita mientras Daniel da vuelta la cabeza horrorizado. "¿Cómo puede hacer eso y decirte cristiano? ¡Voy a decirle a tus padres! ¡Mejor que lo confieses y le ruegues a Dios que te perdone!"

Poco sabe el amigo de Daniel que él ya está perdonado por Dios y que ha confesado su pecado cientos de veces antes. El ataque despiadado e insensible de su amigo sólo impulsará a Daniel a mayores profundidades de desesperación y conducta lujuriosa, mientras se revuelca en la autocompasión del rechazo.

¿Producto final? El mundo, la carne y el diablo han llevado a la derrota a otro precioso santo joven. Desafortunadamente, escenas como ésta ocurren a diario en la vida de nuestra juventud cristiana. ¿Cómo ayudamos a los adolescentes para que rompan este ciclo de derrota? ¿Basta con la confesión?

Confesar significa ponerse de acuerdo con Dios o andar "en la luz como Él está en la luz" (1 Juan 1:7). Es el primer paso crítico del proceso del arrepentimiento. Debemos estar de acuerdo con Dios sobre nuestros pecado y encarar la verdad, pero eso sólo no vencerá las ataduras del pecado.

La gente joven que ha confesado genuinamente sus pecados, se han sometido a Dios pero aún no han resistido al diablo (ver Santiago 4:7).

El arrepentimiento completo significa someterse a Dios, resistir al diablo y cerrar la puerta. Romanos 13:14 lo dice así: "Vestíos del Señor Jesucristo, y no proveáis para los deseos de la carne".

La puerta quedará cerrada cuando se haya roto toda la atadura y derribado las fortalezas mentales. Cada vez que el pecado se hace costumbre, el que está atado se ha creído las mentiras del diablo con relación a ese pecado. Para ser liberados, los jóvenes tienen que renunciar a esas mentiras y optar por creer la verdad de Dios.

La aceptación de uno mismo

El Paso Seis está pensado para romper la atadura del pecado carnal y derribar todas las fortalezas mentales de engaño que hayan sido edificadas. Después de eso, el proceso de renovar la mente del aconsejado puede empezar, a fin de que su vida pueda ser transformada (ver Romanos 12:1,2).

¿Cuál es la forma bíblica de reaccionar ante alguien que es sorprendido pecando? ¿Cómo podemos evitar el mismo trágico error que cometió el amigo de Daniel, en nuestro cuento?

Hay varios puntos críticos que entender. Primero, los jóvenes cristianos esclavizados siguen siendo "hijos de Dios" (Juan 1:12) y nuevas criaturas en Cristo (ver 2 Corintios 5:17). Se supone que se consideren a sí mismos como "muertos al pecado, pero vivos para Dios en Cristo Jesús, Señor nuestro" (Romanos 6:11). Pero rara vez los hacen. Las percepciones de ellos mismos son extremadamente negativas e ignoran en gran medida su identidad en Cristo.

Algunos dirán de ellos mismos: "soy malvado" o "no soy bueno". Debemos recordarles la verdad de la Palabra de Dios que dice: "no eres malvado. Eres un hijo de Dios perdonado". Ellos pueden contraatacar: "pero yo me odio", a lo cual debemos responder: "pero Dios te ama, por tanto puedes aceptarte a ti mismo".

Estos adolescentes han sido cruelmente victimizados por el acusador de los hermanos. Nos perturbamos mucho cuando vemos a los "cristianos" legalistas con su justicia propia que andan detrás de un hermano o hermana en Cristo. ¿Por qué estrechamos filas con los pensamientos condenadores del enemigo cuando Romanos 8:1 dice: "no hay ahora condenación para los que están en Cristo Jesús"?

¿Por qué andamos contando sus transgresiones contra ellos mismos cuando Jesús no lo hace (ver 2 Corintios 5:19)? ¿Qué cosa mala hay dentro nuestro que se deleita en denunciar los pecados ajenos cuando la Escritura dice: "el odio suscita rencillas, pero el amor cubre todas las transgresiones" (Proverbios 10:12)?

Confesar y renunciar

José entró a su cita para la libertad luciendo como tres pulgadas más bajo que su altura normal de más de metro ochenta. Era evidente que estaba aplastado por una carga de culpa de la cual sentí que había muy poca esperanza de escapar.

Aunque todavía era sólo un adolescente, José había estado peleando contra pensamientos lujuriosos por las niñas durante casi 10 años. Todo había empezado cuando, de niño, había dormido con su hermana. Mientras estuvieron juntos él había visto el ombligo de la niña y eso le había producido una reacción sexual.

Desde entonces en adelante, José no podía mirar el ombligo de una niña sin tener fantasías sexuales con ella. Estaba convencido de que era una "mala persona" y que todo esto le estaba pasando porque algo en él era insólitamente malo.

Para empeorar las cosas, José se había creído la mentira del diablo que decía que para ser libre tenía que ir a cada niña a la que había deseado lujuriosamente y pedirle personalmente su perdón. Creyendo que ésta era la voz de Dios que le hablaba, la sola imposibilidad de esa tarea lo hundía más y más profundamente en la desesperación y la esclavitud sexual. Ni siquiera podía empezar a recordar a todas las niñas, para ni mencionar lo inútil de tratar de comunicarse con todas.

También temía que Dios no le revelara todos los nombres y que, por eso, quedara a un paso de la libertad para siempre. Él estaba esclavizado a la mentira de que siempre habría una cosa más que tenía que hacer antes de ser completamente libre.

Una vez que José confesó y renunció al mal uso de sus ojos como instrumentos de injusticia, empezó a repuntar. Luego renunció a las mentiras que había creído y afirmó la verdad de que su perdón era cuestión entre él y Dios y no entre él y todas las niñas.

Llegó a darse cuenta de que la libertad es cuestión de apropiarse de lo que Cristo había hecho por él en el Calvario, no una 'obra' imposible que debía realizar. Entonces, recuperó la sonrisa. José supo que estaba libre.

Nuestro ministerio es de reconciliación, no de condenación. Si José hubiese sido reprendido durante su Cita para la Libertad, probablemente hubiera perdido la poquita esperanza que aún tenía.

Luego de la enseñanza de Pablo sobre andar por el Espíritu, en Gálatas 5, la primera aplicación práctica que sigue es:

> No nos hagamos vanagloriosos, provocándonos unos a otros, envidiándonos unos a otros. Hermanos, aun si alguno es sorprendido en alguna falta, vosotros que sois espirituales, restauradlo en un espíritu de mansedumbre, mirándote a ti mismo, no sea que tú también seas tentado (Gálatas 5:26-6:1).

Reconciliación y restauración

El ministerio de un cristiano espiritual tiene que ser de reconciliación y restauración. Tenemos que llevar los unos las cargas de los otros (Gálatas 6:2), no agregarles más peso. Si ese no es su motivo para confrontar a otra persona sorprendida en pecado, mejor que no haga nada en absoluto.

La gente joven atrapada en los patrones de conducta inmoral y de adicciones ya están sometidos a uno de los acosos más crueles por parte del enemigo. Primero, Satanás los tienta a pecar, luego los condena despiadadamente por pecar, atacando su sentido de valoración.

Si está trabajando con los que están atados al sexo, alcohol, o drogas, le recomendamos mucho que lea los libros de Neil *A Way of Escape (Una Vía de Escape)* [o la versión juvenil, en coautoría con Dave Park, *Purity Under Pressure (Pureza Bajo Presión*)]y *Freedom from Addiction (Libertad de la Adicción).*

Estos libros dan la base bíblica para romper la atadura y derribar las fortalezas del sexo y el abuso de sustancias, incluyendo muchas ilustraciones y aplicaciones prácticas.

Los adolescentes cristianos sinceros que luchan y fracasan en liberarse de pecados habituales, suelen cuestionar su salvación. Ellos se preguntan si realmente son hijos de Dios, nuevas criaturas en Cristo, habitación del Espíritu Santo. Muchos piensan que cometieron el pecado imperdonable y han perdido la esperanza. Para cuando haya terminado de dar el Paso Seis, la mayoría habrá recuperado la seguridad de salvación pues "el Espíritu mismo da testimonio" al espíritu de ellos de que son "hijos de Dios" (Romanos 8:16).

Muchas veces los jóvenes confesarán que nunca antes le han dicho a nadie sus pecados secretos y tenebrosos. Puede ser que estén atrapados en una culpa atormentadora por causa del aborto, tendencias homosexuales, acoso sexual o incesto, durante años. Para sobrevivir trataron de soportar viviendo una mentira y permaneciendo en esa negación, rehusando admitir la gravedad de sus pecados y el poder que esos pecados tenían sobre ellos. Con frecuencia, los parientes cercanos y los amigos no se han dado cuenta en absoluto de los problemas de estos jóvenes.

Algunos están tan descorazonados que sencillamente se han resignado a vivir esclavizados, tratando de aguantar hasta el rapto y, de alguna manera, esperando que Dios los acepte en el cielo a pesar de ellos mismos. Muchos, en su desesperación, preguntan lo que planteó Pablo: "¿quién me libertará de este cuerpo de muerte?" (Romanos 7:24). Pablo se contestó su pregunta en el versículo siguiente: "Gracias a Dios, por Jesucristo Señor nuestro".

Hay esperanza y salida para la persona dispuesta a enfrentar la verdad y andar en la luz.

Estos jóvenes no necesitan y no pueden manejar más condenación. La mayoría quiere realmente quedar libres, odiando el estado patético en que están. Anhelan ser liberados de las ataduras pero tienen un miedo terrible de ser rechazados o avergonzados.

Debido a eso, verá que este Paso es el más dificil para que los adolescentes sean totalmente honestos, especialmente cuando se trata del pecado sexual. Pecar sexualmente es pecar contra el propio cuerpo (1 Corintios 6:18) y, por eso, conlleva un monto enorme de vergüenza.

Importa no comunicar espanto, sorpresa o asco cuando la gente joven le confiesa sus pecados de la carne. Asegúrese de no reaccionar con una actitud enjuiciadora o ellos se cerrarán.

Luego de vérselas con un pecado sexual tras otro, alguien dijo: "¡Ay, me olvidé de que usted estaba ahí... ¿Qué piensa de mí?"

Yo (Neil) repliqué: "Te amo por lo que acabas de compartirme".

Qué alivio para ella fue descubrir que, finalmente, había hallado un lugar seguro donde podía tratar esos pecados ocultos y vergonzantes sin temor al rechazo. Cuánto gozo es ver la esperanza en la cara de la gente cuando empiezan a entender que es posible resolver y que no tienen que seguir dominados por el pecado.

La gente joven debe someterse por dentro a Dios mientras que por fuera confiesan pecados, renuncian a las mentiras y optan por la verdad.

Importa recordar a la gente joven que esté dando los Pasos, que no están diciendo tan sólo palabras "mágicas". Deben someterse por dentro a Dios mientras que por fuera confiesan pecado, renuncian a las mentiras y optan por la verdad.

Confesión de pecados habituales

Presente este Paso sencillamente leyendo el material introductorio que está antes de la oración del comienzo. Entonces el aconsejado debe orar en voz alta lo que sigue:

Amado Padre celestial:

Nos has dicho que nos vistamos del Señor Jesucristo sin proveer para los deseos de la carne (Romanos 13:14). Reconozco que he cedido a deseos pecaminosos que están en guerra contra mi alma (1 Pedro 2:11). Te doy las gracias porque en Cristo mis pecados son perdonados, pero he roto Tu santa ley y di oportunidad al diablo de luchar en mi cuerpo (Romanos 6:12,13; Santiago 4:1; 1 Pedro 5:8).

Ahora vengo a Tu presencia para confesar estos pecados y buscar Tu limpieza (1 Juan 1:9) para ser liberado de la esclavitud del pecado. Ahora Te pido que me reveles las maneras en que he roto Tu ley moral y entristecido al Espíritu Santo. En el precioso nombre de Jesús oro. Amén.

Aquí el propósito es permitir que el Espíritu Santo traiga a la mente del aconsejado áreas de pecado habitual como asimismo otros pecados específicos no confesados. La gente joven tendrá, a menudo, una buena idea de lo que deben confesar pero, en algunos casos, necesitarán ayuda para detectar áreas de pecado en su vida. Dirija su atención a la lista de obras de la carne del Paso Seis, luego de la oración de apertura. Deben poner una marca en cualquier punto en que el Espíritu de Dios ponga Su dedo y, entonces, usar la oración de confesión que sigue a la lista para confrontar cada punto.

Sin embargo, en algunos casos, los exhortadores han visto que sirve ir a pasajes de la Biblia como Gálatas 5:19-21 para ver qué dice Dios que es pecado. Preguntas como: "¿hay algo en tu vida que, hasta ahora, te haya avergonzado tanto que no lo has confesado a Dios, o a mí?" pueden servir para exhortar a los adolescentes a ser honestos.

Ellos tienen que saber que Dios es poderoso "para discernir los pensamientos y las intenciones del corazón. Y no hay cosa creada oculta a su vista, sino que todas las cosas están al descubierto y desnudas ante los ojos de aquel a quien tenemos que dar cuenta" (Hebreos 4:12,13). Dios sabe todo acerca de nosotros pero aun así nos ama a pesar de nuestros pecados. Él no está ahí para destruirnos; Él está ahí para restaurarnos, pero debemos andar "en la luz, como Él está en la luz" y "la sangre de Jesús Su Hijo nos limpia de todo pecado" (1 Juan 1:7).

El siguiente aspecto tratado en el Paso Seis es la atadura al pecado sexual. La Escritura coloca en su propia categoría esta faceta de pecado, como lo señala 1 Corintios 6:15-20:

> ¿No sabéis que vuestros cuerpos son miembros de Cristo? ¿Tomaré, acaso, los miembros de Cristo y los haré miembros de una ramera? ¡De ningún modo! ¿O no sabéis que el que se une a una ramera es un cuerpo con ella? Porque Él dice: Los dos vendrán a ser una carne. Pero el que se une al Señor, es un espíritu con Él. Huid de la fornicación. Todos los demás pecados que un hombre comete están fuera del cuerpo, pero el fornicario peca contra su propio cuerpo. ¿O no sabéis que vuestro cuerpo es templo del Espíritu Santo, que está en vosotros, el cual tenéis de Dios, y que no sois vuestros? Pues por precio habéis sido comprados; por tanto, glorificad a Dios en vuestro cuerpo y en vuestro espíritu, los cuales son de Dios.

Responsabilidad de los adolescentes cristianos es no dejar que el pecado reine en sus cuerpos mortales y no obedecer a sus lujurias (ver Romanos 6:12). ¿Cómo puede la gente joven evitar esta trampa?

No presentando "los miembros de vuestro cuerpo al pecado como instrumentos de iniquidad, sino presentaos vosotros mismos a Dios como vivos de entre los muertos, y vuestros miembros a Dios como instrumentos de justicia" (versículo 13).

Un instrumento es un objeto neutro que puede usarse para el bien y para el mal, como una herramienta. Se puede usar un martillo para meter clavos en el marco de madera de una casa en construcción o para romper una ventana en un intento de robo. De igual manera, las partes de nuestro cuerpo pueden usarse para el bien o para el mal.

Cuando usamos nuestros cuerpos para la relación sexual en el matrimonio, los estamos usando como instrumentos de justicia, cosa que complace a Dios. No obstante, la actividad sexual fuera del matrimonio es mala. Una persona joven no puede cometer un pecado sexual, en cualquier forma, sin usar su cuerpo como instrumento de injusticia.

Hemos aprendido que ayudar a los adolescentes para que se arrepientan por completo exige que ellos oren y pidan al Señor que les revele todo uso sexual de sus cuerpos como instrumentos de iniquidad. Entonces, pues, deben renunciar a cada una de aquellas ocasiones que el Señor les traiga a la mente.

El aspecto positivo del ejercicio es que en cuanto se confiesa el pecado sexual, la gente joven puede volver a presentar sus cuerpos "en sacrificio vivo, santo agradable a Dios, que es vuestro culto racional" (Romanos 12:1,2).

Cuando se practican relaciones sexuales fuera del matrimonio, también se produce un enlace impío. El joven se ha vuelto una carne con su compañera. Ésta es la razón que explica por qué una pareja de adolescentes que deberían haber terminado su relación hace mucho tiempo, aún siguen juntos. Ellos se han enlazado sexualmente y se volvieron una carne, de modo que la idea y el acto de romper puede resultarles extremadamente traumático.

Lo trágico es que este enlace también ocurre aun en el caso de incesto o violación. Por injusto que sea, aun sigue siendo realidad.

No se puede cambiar lo que pasó, pero los jóvenes pueden quedar libres de esos enlaces impíos perdonando al que los atacó sexualmente y renunciando al uso injusto de sus cuerpos que hizo el ofensor.

Perdonando el abuso sexual

Hace poco yo (Rich) estaba realizando una de nuestras conferencias "Rompiendo las Cadenas". Luego de guiar al grupo por los Pasos hacia la Libertad en Cristo, hubo por lo menos cuatro o cinco señoritas que contaron que habían sido sometidas a abuso sexual pero que Cristo las había liberado. Entonces pasó adelante Silvia. Ella llevaba en su matriz al hijo del hombre que la había violado y, sin embargo, el gozo del Señor irradiaba entre sus lágrimas cuando testificó de la libertad que Jesús le había dado.

Esa libertad vino por la gracia de Dios cuando Silvia pudo perdonar al violador. Entonces, renunció al crimen que violó su cuerpo, habiendo usado el templo del Espíritu Santo como instrumento de iniquidad. Valientemente ella optó por llevar a término ese precioso niño en su matriz y, ahora, es la madre de una preciosa niña. ¡Eso es libertad de verdad!

Hemos observado que si hay cooperación voluntaria con el abusador sexual, la víctima suele volverse sexualmente activa, evidentemente buscando afirmación. Si el abuso sexual es contra su voluntad, la víctima suele cerrarse a lo sexual.

La Escritura nos advierte fuertemente "que os abstengáis de las pasiones carnales que combaten contra el alma" (1 Pedro 2:11). Ceder a la tentación sexual, aunque sea una sola vez, puede ser autodestructivo. Es como declarar una guerra civil contra su propia alma.

Dios y Satanás conocen nuestra debilidad por las pasiones sexuales. Satanás juega con la debilidad pero Dios da la vía de escape. Su Palabra afirma en 1 Corintios 10:13 que siempre hay una salida:

> No os ha sobrevenido ninguna tentación que no sea humana; pero fiel es Dios, que no os dejará ser tentados más de lo que podéis resistir, sino que dará también juntamente con la tentación la salida, para que podáis soportar.

La gente joven que cree que les es imposible resistir "el impulso sumergirse" es engañada. La salida para escapar de la tentación sexual está abierta para todos y cada uno de los que deseen encontrar la ruta de escape. Está abierto el camino a la libertad de los pecados sexuales pasados para todos y cada uno de los que estén dispuestos a exponer su pecado a la luz.

Muchos jóvenes sienten una tremenda vergüenza cuando se enfrentan con la realidad de tener que admitir sus pecados sexuales. Son corrientes las disculpas como "sería muy vergonzoso contar eso", "usted pensará que soy una persona terrible" o "ni siquiera logro recordar muchas pues la mayor parte del tiempo estaba atontado".

Trate de animarlos diciendo algo como lo que sigue:

> Nada de lo que cuentes aquí hará que yo piense mal de ti. En este lugar no hay condenación. Sólo me intereso por ayudarte a hallar tu libertad. El Señor quiere que seas libre y ésa es la razón por la que Él te está trayendo esas experiencias a la mente. No habrá provecho para

> ti si a esta altura ocultas algo, así que cerciórate de ser totalmente honesto acerca de cada pecado sexual de tu pasado o presente. No conocemos las obras específicas que te han mantenido esclavizado así que tenemos que ser sumamente cuidadosos aquí. No podemos cambiar lo que hiciste pero... ¿no quieres ser capaz de irte de esta cita dejando todo eso atrás de ti?

No queremos poner ninguna piedra de tropiezo en la senda de un joven que anda buscando libertad, de modo que tenemos que tener mucho tacto. A veces, yo (Rich) le he dicho a una niña que está dando este Paso que saldré de la sala mientras ella renuncia sus pecados sexuales. Me aseguro que el socio de oración (una mujer) quiera y pueda manejar esta corta sección por sí sola y salgo del salón para orar hasta que me digan que está hecho el trabajo.

Habitualmente cuando llegamos a este punto de los Pasos hacia la Libertad en Cristo, ya se ha establecido un fuerte lazo de confianza, así que la niña no tiene problemas en que yo me quede en esta sección. Sin embargo, a veces ha servido que yo salga para que la aconsejada sea más abierta y honesta sobre su pasado. Eso es lo que importa realmente.

Como exhortadores debemos estar bien seguros de que nuestro corazón esté puro y que no andemos tratando de satisfacer nuestras propias curiosidades carnales oyendo los relatos de los pecados sexuales de los demás. Eso no sería nada más que voyeurismo.

Confesión de los pecados sexuales y libertad de ellos

Las historias de victorias sobre el pecado son las que, de todos modos, son realmente entretenidas de escuchar siendo nuestro privilegio oír los testimonios de la gente joven a quienes Jesús ha hecho libres de modo poderoso. Una de tales historias es la de Juan.

Él fue el primero que pasó adelante en el salón de reunión una vez que toda la conferencia juvenil pasó por los Pasos hacia la Libertad en Cristo.

A decir verdad, fue refrescante ver llorar tan abiertamente a un conocido jugador de fútbol. Costaba decir si lloraba más por remordimientos, por alivio o por gozo. Al confesar su pecado sexual con su novia y el tormento que había sentido por ocultarlo todo, Juan no se anduvo con pequeñeces.

Más adelante me escribió una carta informándome de la historia de su relación que se había podrido:

> *Conocí a esta muchacha en el verano de 1994 y en el otoño ya estábamos viéndonos y, llegó el momento en que terminamos noviando. Todo andaba bien en nuestra relación hasta que, cerca del Día de Acción de Gracias, los besos dejaron de ser suficientes. Primero empezamos acariciándonos (tocándonos) y para la Navidad eso había pasado de ser sólo caricias. No obstante, decidimos que nunca tendríamos relaciones sexuales (sí, seguro).*

Juan siguió admitiendo que la convicción de culpabilidad de parte del Espíritu Santo era fuerte pero que él optó por cerrarse a las señales de advertencia del Señor y tirarse de cabeza.

> *Pensé que podía resistir al sexo pero un día no pude. Fue un sábado primero de abril cuando tuvimos relaciones sexuales por primera vez.*

No puede evitar divertirme un poco por la ironía de esa declaración. Cometieron por primera vez el pecado de la fornicación en el Día de los Inocentes. ¡Qué adecuado! ¡Se habían estado engañando a sí mismos por mucho tiempo acerca de que nunca tendrían relaciones sexuales!

La cosa se supo prontamente después de ese pecado y el pastor de jóvenes de Juan, sus padres y hermanos se enteraron de todo. Le dijeron que tenía que abandonar el pecado sexual y romper con la niña. Ésa fue la segunda advertencia de Dios.

Nada vale más que la conciencia limpia y la paz mental, por más atractivo, estimulante o excitante que sea.

En lugar de humillarse y admitir su mala acción, Juan endureció su corazón y se rebeló más todavía. Su rebelión resultó ser una vía expresa a más pecado sexual.

Sin embargo, en Su misericordia Dios intervino milagrosamente en la vida de Juan y lo llevó al final de sí mismo. Eso fue cuando vino a la conferencia. Él halló libertad de su culpa y vergüenza durante los Pasos. Obediente a lo que Dios le había mostrado, fue a casa y rompió esa relación destructora.

Esta historia, al contrario de muchas otras. Tiene un final feliz, como Juan concluye su carta:

> *Ahora puedo enfrentar a Dios como hijo de Dios con conciencia limpia antes que como un adolescente malo que perdió su virginidad. Dios también me dio libertad para hablar abiertamente de mi pasado con mis amigos, tanto salvos como no cristianos. Ahora, al mirar atrás... sólo puedo decir una cosa: Por cierto que te hacer sentir bien ser un hombre completamente nuevo.*

La vista retrospectiva siempre es 20/20 (exacta) y nunca lo es más que cuando uno mira el pecado desde la perspectiva de la libertad de la esclavitud. Sin duda que nada vale más que la conciencia limpia y la paz mental, por más atractivo, estimulante o excitante que sea.

Poder mirarse al espejo sin culpa ni vergüenza y andar por el día sin temer que se descubra algo malo de nuestro pasado: ¡*eso* es el éxtasis!

Al llegar a la posición de ayudar a la gente joven a enfrentar todo el pecado sexual de su vida, léales el párrafo del Paso Seis que trata del pecado sexual. Éste tiene una lista de pecados sexuales en que ellos pueden haber participado. Algunos se sorprenderán de lo que ahí se pone porque no han tenido el entendimiento bíblico de lo que es bueno y malo.

Dé una explicación breve de ser necesario, luego cerciórese de que entiendan eso del enlace impío que se entabla por medio del pecado sexual. Luego pídales que oren:

> Señor, te pido que reveles a mi mente todo uso sexual de mi cuerpo como instrumento de injusticia. Oro en el precioso nombre de Jesús. Amén.

Ayude ahora al joven a empezar, leyéndole "A medida que el Señor vaya trayendo a tu mente todo uso sexual de tu cuerpo, sea que te lo hicieron (violación, incesto o cualquier otro tipo de abuso sexual) o que tú hiciste voluntariamente, renuncia a cada ocasión". Ellos deben usar la siguiente oración:

> Señor, yo renuncio a (nombrar el uso específico del cuerpo) con (nombrar la persona) y te pido que rompas ese enlace pecador con (nombre de la persona).

Los aconsejados deben orar eso separadamente por cada persona y/o actividad que Dios les traiga a la mente. Por ejemplo, pueden orar: "Señor, renuncio a haber tenido relaciones sexuales con Jorge y te pido que rompas ese enlace pecador con Jorge" o "Señor, yo renuncio al abuso sexual de parte de mi tío y te pido que rompas ese enlace pecador con él".

Si los adolescentes que usted ayuda no pueden recordar los nombres de los abusadores, pueden decir "ese hombre del bar" o "la rubia de San Luis" o "esa persona cuya cara veo en mi mente". Dios conoce ciertamente la identidad de la persona y eso es todo lo que importa.

En el caso de pecado sexual hecho a solas, como mirar pornografía o la costumbre de masturbarse, la oración se modifica a: "Señor, renuncio a la masturbación y te pido que rompas esa atadura pecaminosa".

No quiera usurpar la guía del Espíritu Santo en la vida del aconsejado pero si capta que hay algunas cosas que se mantienen escondidas, puede que tenga que sondear un poco. Pregunte amablemente: "¿hay otra cosa en el aspecto sexual que no hayas dicho ahora porque te sientes avergonzado? Si es así, recuerda que el diablo obra en las tinieblas y que quiere que mantengamos cosas escondidas para poder usarlas contra nosotros. Dios quiere que nosotros andemos en la luz para poder ser libres".

De ser necesario puede preguntar si han estado involucrados en algunas de las siguientes cosas:

- Juegos sexuales previos que excitan (besos intensos, caricias, masturbación mutua);
- Relaciones sexuales antes de casarse (oral, anal, vaginal);

- Conducta homosexual o bisexual;
- Pornografía (libros, revistas, películas, videos, llamadas telefónicas, Internet);
- Perversiones y compulsiones sexuales (impulso sexual incontrolable, fantasías sexuales, elementos para la estimulación sexual, relaciones sexuales con animales (bestialismo), sadomasoquismo, travestismo, voyeurismo);
- Paidofilia (excitación sexual con niños);
- Violación (incluida la violación en las citas);
- Abuso cometido contra ellos cuando eran niños o incesto (ataque sexual);
- Aborto;
- Espíritus sexuales (íncubos y súcubos).

Debido a la intensa vergüenza que estas cosas producen, puede suceder que usted nunca sepa si el aconsejado fue o no totalmente abierto y honesto con usted. Usted sólo puede hacer lo mejor orando y procurando cultivar una atmósfera de seguridad. Fuera de eso, debe confiar que "Dios es quien obra en vosotros tanto el querer como el hacer para su beneplácito" (Filipenses 2:13).

Algunos adolescentes aconsejados protestarán que ya han confesado estas cosas a Dios o pueden quejarse de tener que sacar cosas que sucedieron años atrás. Explique amablemente que en el aspecto del pecado sexual habitual y del abuso sexual, debe obedecerse Santiago 5:16: "Confesaos vuestras ofensas unos a otros, y orad unos por otros, para que seáis sanados. La oración eficaz del justo puede mucho".

Explique que usted desea que ellos se sanen y que usted y el socio de oración pueden orar efectivamente por ellos. Mencione que la confesión silenciosa está bien en cuanto a lo que Dios concierne, pero que debemos resistir en voz alta al diablo renunciando a los usos de nuestros cuerpos como instrumentos de injusticia.

Aunque la mayoría de los jóvenes luchan cuando tienen que hablar de estas cosas personales, ocasionalmente se encontrará con alguno que parece disfrutar contándolas. Controle amablemente esa tendencia diciendo "no tienes que dar esa clase detalles tan gráficos. Todo lo que necesitamos es que nombres el pecado, no que lo describas". Si persisten, exhórtelos a renunciar en la siguiente forma: "Señor, yo renuncio a la costumbre de contar los detalles de mis experiencias sexuales pasadas con el propósito de excitarme, excitar a los demás o enorgullecerme de mis acciones. Yo afirmo que mi cuerpo es el templo del Espíritu Santo y que Tú, Señor, quieres que todo mi cuerpo y toda mi mente sean limpios".

Al proceder la confesión, usted podrá darse cuenta de las mentiras que el aconsejado se ha creído.

Una niña contó que el abusador le dijo que ella era "especial". Luego de haber sido atacada sexualmente de pequeña, ella se volvió promiscua. En la Cita para la Libertad se la animó a decir: "yo renuncio a la mentira de que debo darle mi cuerpo a alguien para ser aceptada y ser especial. Anuncio la verdad de que ya soy aceptada por Dios en Cristo y que soy especial porque Jesús murió por mí".

Las víctimas de ataques sexuales en su infancia o adolescencia suelen sentirse sucios y culpables por lo que les hicieron y pueden tener sentimientos de asco hacia las relaciones sexuales legítimas dentro del matrimonio. La siguiente renuncia puede ayudar: "yo renuncio a la mentira de que soy malo o sucio por haber sido atacado sexualmente. Te agradezco Señor porque sabes que yo era joven y que necesitaba amor y aceptación. Recibo Tu perdón por todas las maneras en yo haya podido cooperar y opto por perdonarme a mí mismo. Acepto la verdad de que la relación sexual dentro del matrimonio es buena y un regalo maravilloso de Tu parte".

Los adolescentes que se han entregado a perversiones sexuales se beneficiarán orando así: "yo renuncio a todas las maneras en que Satanás ha torcido mi punto de vista sobre el sexo como resultado de mis experiencias pasadas con (nombrarlos). Yo anuncio la verdad de que no tengo que seguir siendo víctima de esas experiencias anteriores sino que ahora puedo andar en la nueva vida que es mía en Cristo. Tú, Señor, haces nuevas todas las cosas, así que te pido que renueves mi mente y transformes mi vida a Tu imagen. Confío en Ti para liberarme para poder disfrutar el sexo y mi sexualidad en la manera que Tú las concebiste".

Cuando hayan terminado de sacar a la luz todos las cosas sexuales que el Señor haya traído a su mente, pídales que oren lo siguiente en voz alta. Anímelos a orar lentamente pensando en la maravillosa limpieza que ha tenido lugar en sus cuerpos por medio de la gracia de Dios:

> Señor, yo renuncio a todos esos usos de mi cuerpo como instrumento de impiedad y, así, te ruego que rompas todas las ataduras que Satanás ha puesto en mi vida por medio de ese involucramiento. Confieso mi participación. Señor, ahora te presento mis ojos, mi boca, mi mente, mis manos y mis pies, todo mi cuerpo a Ti como instrumentos de justicia. Ahora te presento mi cuerpo como sacrificio vivo, santo y aceptable para Ti, y reservo el uso sexual de mi cuerpo solamente para el matrimonio (Hebreos 13:4).
>
> Rechazo la mentira de Satanás que dice que mi cuerpo no está limpio o que está sucio o, de alguna manera, inaceptable para Ti, debido a mis experiencias sexuales del pasado. Señor, te agradezco que me hayas limpiado y perdonado totalmente, que me ames tal como soy. Por tanto, puedo aceptarme a mí mismo y mi cuerpo como limpio ante Tus ojos. En el nombre de Jesús. Amén.

Tratando pecados específicos

La última parte del Paso Seis enfoca "Oraciones Especiales para Necesidades Específicas". A esta altura es probable que usted tenga una buena idea de cuáles de las siguientes facetas son las que deben tratarse específicamente, pero puede que haya uno o más puntos aún escondidos hasta el presente.

Empiece diciendo algo así: "vamos a dar una mirada a otras áreas del pecado carnal que pueden constituir fuente de esclavitud real para los adolescentes. No pienses que te acuso de algo cuando te pregunte si has luchado con estas cosas. Lo pregunto a todos los que dan los Pasos, sólo para estar seguros".

Amablemente pregúnteles, de a uno por uno, si han luchado con cada una de los puntos, alentándolos a que oren en voz alta por cada uno que haya sido un problema, actualmente o antes.

La información que sigue es para su provecho y no tiene que ser compartida con el aconsejado, en la mayoría de los casos. Está pensada para darle una idea del por qué un joven podría estar luchando con estas áreas de pecado.

Homosexualidad

Los deseos o conducta homosexuales pueden tener raíces en la niñez. Puede ser que los hayan atacado en forma homosexual cuando eran niños. Puede ser que "siempre" se hayan sentido diferentes en lo sexual y, quizá, se creyeron la mentira de que Dios los creó "homosexuales". Puede ser que no hayan recibido, temprano en su vida, la afirmación que necesitaban como varón o mujer (especialmente de un padre cariñoso) y, de esa manera, tener mucha confusión en cuanto a la identidad de su sexo. Por ejemplo, la falta de afirmación como varón puede causar que un niño solitario anhele recibir atención de parte de un hombre mayor. Ese anhelo puede erotizarse en la pubertad y los impulsos homosexuales pueden volverse muy intensos en ese adolescente.

Cualquiera sea el problema de raíz, queremos ayudarles a darse cuenta de la existencia de la conducta homosexual, pero que Dios nos creó varón y hembra a Su Imagen (ver Génesis 1:27) para relacionarnos en forma apropiada con el sexo opuesto, a la vez que con las personas del propio género. Estos adolescentes pueden estar muy asustados y sentir intensa culpa y tristeza. Se les debe recordar que son amados y aceptados en Cristo y que Él puede restaurarlos y sanarlos.

Aborto

Dios encarga a los padres, hasta adolescentes, la vida de los niños que ellos conciben. Él espera que ellos asuman la responsabilidad por el cuidado y la protección de esos niños. La mayoría de las mujeres tienen remordimientos por los abortos que se han hecho y muchas se han lamentado durante años sin consuelo.

Muchas tendrán serias luchas con los pensamientos suicidas.

Algunas adolescentes tienen que perdonar a la persona (padre, madre, amigo) que las convenció de hacerse el aborto. Perdonarse a sí mismas es casi siempre todo un tema. Una vez que lo hacen suelen sentir un tremendo alivio, y optar por confiar ese niño a Dios puede ser una experiencia significativa y llena de lágrimas.

Los muchachos adolescentes que han tenido alguna parte en un aborto tienen que decir la oración. Si pagaron el aborto o engendraron al niño sin tratar de evitar el aborto, son culpables de pecado.

Tendencias suicidas

Esto comprende los intentos de suicidio como también los pensamientos suicidas. El suicidio es la solución final del diablo para escapar al dolor de la vida pero él es un ladrón que viene a robar, matar y destruir. Los adolescentes deben tomar la decisión de optar por la vida en Cristo que dijo que Él vino a darnos vida y vida abundante (ver Juan 10:10).

Como se dijo antes en este libro, uno tiene la obligación legal de contactar a la familia inmediata del adolescente que confiese que tiene ideas o planes de suicidio en el presente. La libertad real de esas luchas puede ganarse, sin duda, durante la Cita para la Libertad, pero la libertad debe mantenerse y la vida del aconsejado debe protegerse. Involucrar a los familiares y gente de la iglesia en la vida de un joven suicida, puede servir para asegurar una completa recuperación.

Trastornos del comer o tajearse a uno mismo

La gente joven (habitualmente las muchachas) que luchan en esta área han desarrollado una fortaleza de aceptación basada en el aspecto o desempeño físico. También pueden estar tratando desesperadamente de mantener el control de un aspecto de su vida que, de otro modo, serían existencias descontroladas. Además, purgar el cuerpo del alimento o vomitar o tomar laxantes, así como tajearse intencionadamente el cuerpo, son intentos falsos de limpiarse uno mismo del mal.

Se debe afirmar a los aconsejados que son aceptados incondicionalmente en Cristo y que la limpieza viene sólo por medio de la sangre derramada del Señor Jesucristo.

Aunque pueden encontrar mucha solución durante los Pasos hacia la Libertad en Cristo, puede resultar necesaria también la consejería continua para establecerlos en su identidad en Cristo y para darles tiempo de renovar su mente.

Muchos se dan cuenta de la batalla que se libra por su mente y, luego de hallar su libertad, exclaman: "¡es increíble cuántas mentiras he creído!" Se les debe exhortar a renunciar específicamente a todas las cosas secretas escondidas que se asocian con su conducta (por ejemplo, usar pesas en los tobillos para pesar más, tirar la comida por el inodoro, darle la comida a una mascota, hacer ejercicio en forma exagerada), además de orar la oración genérica de esta sección.

Abuso de sustancias químicas

Los adolescentes recurren a menudo a consumir alcohol, tabaco, comida, drogas recetadas o de venta libre por pura curiosidad, para encontrar placer, para escapar de circunstancias dolorosas o para tratar de aguantar la vida. Cualquiera sea la razón, deben renunciar a estos usos malos y abusos de las sustancias. Ellos deben renunciar también al mal uso que dan al tiempo, dinero y energía en estas cosas.

En el caso de que haya posesión de las sustancias ilegales o de adicción, se debe exhortar a los jóvenes a que las destruyan o se libren de ellas cuando se vayan de la cita. Sin embargo, el uso de drogas recetadas no debe suspenderse sin la aprobación de un médico. Los adolescentes que han abusado de medicamentos recetados deben ser instados a contar su problema a sus médicos y padres.

Probablemente, la gente joven que ha tenido un problema grave con el alcoholismo o el abuso de drogas, necesite más consejería para seguir optando por la verdad y andando en libertad. También necesitará ayuda para volver a la sociedad aprendiendo a vivir responsablemente en la casa, escuela y trabajo. La iglesia local está llamada por Dios a ser la fuente de apoyo para los adolescentes en recuperación, de modo que la gente joven que necesite ayuda pueda ser insertada en ella.

Complacencia y perfeccionismo

A menudo los adolescentes de hoy luchan con la terrible carga de tratar desesperadamente de complacer a los demás (complacencia) o a sí mismos (perfeccionismo), por medio de sus desempeños. La gente joven que lleva estos yugos de esclavitud rara vez es capaz de descansar, relajarse o sentirse satisfecha.

A menudo, se obsesionan con la necesidad consumidora de estar ocupados, trabajar más duro o más tiempo y hacer todo "precisamente perfecto". Tienen que renunciar al mecanismo de la complacencia que va en pos de sus metas imposibles, la cual es la mentira que dice que su felicidad surge de complacer a los demás o a sí mismos por lo que hacen.

Afirmando que ya son aceptados, significativos y seguros en Cristo, pueden ser liberados de esta carga cruel y aplastante que llevan.

Luego de orar por todas las "Oraciones Especiales para Necesidades Especiales" que les correspondan, exhorte a los aconsejados a que oren:

> Ahora yo Te confieso estos pecados a Ti y reclamo mi perdón y limpieza por medio de la sangre del Señor Jesucristo. Cancelo todo terreno que los espíritus malignos puedan haber ganado por medio de mi participación voluntaria en el pecado. Pido esto en el maravilloso nombre de mi Señor y Salvador, Jesucristo. Amén.

Practicando la disciplina espiritual

No queremos dejar que la gente joven crea erróneamente que en cuanto han pasado por este Paso nunca más tendrán que luchar con esas áreas de pecado carnal. Trabajar estos asuntos dará a los adolescentes un nuevo comienzo, de modo que ya no sean más tirados hacia abajo por las cadenas de los pecados pasados.

Romper esas cadenas por medio de la confesión, el arrepentimiento y la renuncia, los libera para optar por andar en el Espíritu más que en la carne. La disciplina espirituale debe practicarse para mantener la libertad.

Algunos necesitarán ayuda continua para solidificar las ganancias que hicieron. Esto no minimiza la libertad que hayan ganado aquí. Las montañas de ira, culpa, condena y desesperanza serán reemplazadas por resolución, gozo y libertad. Una cosa es quedar libre y otra muy distinta es seguir libre. Esto es particularmente cierto en las áreas sexuales y de otras adicciones.

Si la gente joven ha tratado asuntos profundos en este Paso, usted tendrá que ponerlos en guardia hacia el hecho de que el enemigo se deleita en tentar a la gente en las áreas de debilidad, tratando de seducirlos para que vuelvan a esclavizarse de nuevo. Recuérdeles que son víctimas indefensas e impotentes para resistir las tentaciones. Son hijos del Dios vivo y cuando se someten a Él y resisten al diablo, él huirá de ellos.

Pregunte a los adolescentes si tienen un amigo a quien puedan hacer responsables de rendir cuentas y del cual puedan contar con apoyo en oración. En realidad todos necesitamos ser parte de un grupo de confraternización para darnos ánimo continuamente y apoyarnos en oración. Repetimos, necesitamos absolutamente a Dios y, desesperadamente uno al otro.

Una historia de recuperación

Cerramos este capítulo con el maravilloso testimonio de una niña de 17 años que se recobraba de la bulimia, de la ira contra un papá perfeccionista y del trauma de un intento de violación por parte de una pandilla.

Querido Rich:

¡Lo que Dios ha hecho en mi corazón es increíble! ¡Hay libertad en Jesús! Ayudarme a perdonar a esos muchachos que trataron de violarme. ¡Tener una comprensión más profunda de lo que Jesús hizo en la cruz! Ser libertada del miedo y el dolor de la culpa en que estaba.

Perdonar y ser liberada de todo rencor y resentimiento hacia papá. A veces me viene un brote de ira hacia él pero el Señor me recuerda que todo eso está pagado y que mi papá y yo hemos sido lavados por la sangre de Jesús.

Saber que tengo victoria en Jesús sobre la bulimia y saber, por fe, que en lugar de los espinos hay ciprés y en lugar de las ortigas hay mirtos, y que es un monumento al Señor, ¡una señal eterna que no será quitada!

¡Es tanta lucha y tanta guerra! A veces siento como si estuviera perdiendo pero no, no lo estoy.

¡Usted no se puede imaginar cuán limpia, perdonada, renovada y bella me siento por dentro! Tengo tanto gozo que me siento como si fuera a explotar.

¡Gracias por ser como un hermano mayor y un amigo! Es tan bello lo que Dios ha hecho en mi vida.

¡El Cordero que fue inmolado es digno de recibir poder, gloria y honor! Es como divertido porque a veces siento que podría llorar, y llorar y llorar, pero también hay un profundo gozo. Supongo que es parte del proceso de sanidad.

Capítulo trece

Asuntos de familia

Paso Siete:
Maldiciones contra bendiciones

Este Paso final hacia la libertad se enfoca en los pecados transmitidos de una generación a la otra y los ataques espirituales directos que vienen del enemigo. Éste es el punto crítico sin retorno para la gente joven que viene de familias disfuncionales o de familias metidas en las sectas y en el ocultismo.

Dando este Paso, los adolescentes podrán romper los últimos eslabones de la esclavitud que los han encadenado a su pasado. Sin embargo, esto es un proceso activo, no pasivo, de optar por aceptarse como nuevas creaciones en Cristo y tomar sus lugares en la familia de Dios.

Luego de una conferencia yo (Neil) advertí que uno de mis alumnos estaba sentado en su asiento como aturdido.

—¿Te sientes bien? —le pregunté.

—Sí —contestó.

—Te ves como perplejo. ¿Qué te pasó cuando diste este Paso? — pregunté.

—Tuve que agarrarme, literalmente, a mi silla para impedirme salir corriendo de aquí —dijo. Resultó que su madre era una espiritista ('psíquica').

Como lo ilustra ese caso, puede esperarse interferencia del enemigo en este último Paso, especialmente si ha habido experiencias con sectas o con el ocultismo en la herencia familiar del joven o la joven.

Yo (Neil) estaba ayudando a una ex mormona cuando ella se detuvo en medio de la declaración totalmente asustada.

—¿Qué está pasando por tu mente? —le pregunté.

Ella gritó: —¿Quiere decir que no lo ve ahí?

—¿A quién? — pregunté.

—A mi padre, parado ahí... —dijo ella señalando el espacio a mi lado.

No me molesté en mirar porque sabía que no vería nada. ¿Significa eso que yo dudara que lo que ella vio fuera real? No, no en absoluto. Era totalmente real, pero el problema no estaba en la sala sino en su mente.

—Cuéntame de tu padre —seguí.

—Yo soy responsable por mi padre —dijo ella.

Le dije que eso era mentira. Nosotros tenemos responsabilidad de uno *con* otro pero no de uno *por otro*. Así que ella renunció a la mentira y siguió leyendo la declaración. ¡Esta vez se apareció su "abuela"!

Era claro que ésas no eran apariciones reales de parientes muertos. Eran manifestaciones falsificadas por un demonio impostor. La historia del rico y Lázaro, de Lucas 16:19-31, enseña claramente que los espíritus de los muertos no regresan a visitar la Tierra. Los muertos están en el infierno o en la presencia de Cristo y no se permite viajar entre esos lugares de la eternidad y la tierra.

Todo cristiano es una nueva creación en Cristo, "las cosas viejas pasaron" y llegaron las cosas nuevas (2 Corintios 5:17). Se nos da todo lo que necesitamos para "la vida y la piedad" (2 Pedro 1:3) pero, a menos que optemos conscientemente por andar en la nueva vida que tenemos en Cristo, sencillamente seguiremos andando conforme a nuestra carne, atados al pasado.

Sin embargo, muchos cristianos no toman una posición activa por fe en su nueva identidad. Ellos asienten a sus antiguas posiciones en Adán más que concordar con su nueva posición en Cristo. El consentimiento es ceder pasivamente o aceptar algo tranquilamente sin protestar. El terreno que no se quita activamente del usurero control de Satanás seguirá bajo su jurisdicción.

Un caso de genética, ambiente y espiritualidad

¿Por qué la gente joven, aun la cristiana, está tan propensa a seguir en los pecados de los padres y cómo se transmiten esos pecados? Por ejemplo, el ciclo del abuso es uno de los fenómenos sociales más comprobados. ¿Se transmite genética, ambiental o espiritualmente? Creemos que la respuesta es ¡sí! a todo lo anterior.

Genética

Primero, es verdad que los adolescente pueden tener una predisposición genética a ciertas destrezas y debilidades. Por ejemplo, la habilidad atlética es una destreza que es un evidente rasgo genético. Además se acepta que algunas personas tienden más que otras a ser alcohólicas. No nacen alcohólicas pero pueden volverse adictas al alcohol con más facilidad que otros adolescentes, si optan por tomar trago como medio de divertirse o mostrar su fortaleza.

En forma similar, algunos muchachos tienen niveles más elevados de testosterona que otros, rasgo que se hereda genéticamente. Les saldrá barba alrededor de los 14 años, mientras que otros no tendrán barba hasta los 21. Tener niveles más bajos de la hormona masculina no hace que un muchacho sea homosexual, pero puede hacerlo más vulnerable a eso. Además, los muchachos que se desarrollan más tardíamente pueden experimentar más burlas, lo que podría afectar fácilmente las percepciones de sí mismo que tengan. Esa realidad nos lleva al segundo factor: nuestro ambiente.

Ambiente

El ambiente en que fuimos criados es el mayor aporte a nuestro desarrollo. Los valores y las actitudes son más captadas que enseñadas. Si un adolescente se cría en una casa donde mamá y papá miran películas pornográficas y leen revistas pornográficas, él lo considerará como parte normal de la vida. Más adelante, papá puede pasarle condones al muchacho animándolo a que "dé rienda suelda a sus caballos salvajes"; es claro que ese joven va a luchar más con la lujuria que aquel que viene de una atmósfera hogareña moral.

El ambiente en que crece la gente joven incluye a sus amistades (o falta de ellas), vecindario, escuelas, padres (padres adoptivos o tutores), iglesias (o ausencia de ellas), y ese tipo de cosas.

Espiritualidad

El tercer factor es espiritual. Dios dijo cuando dio los Diez Mandamientos:

> No te harás ídolo, ni semejanza alguna de lo que está arriba en el cielo, ni abajo en la tierra, ni en las aguas debajo de la tierra. No los adorarás ni los servirás; porque yo, el Señor tu Dios, soy Dios celoso, que castigo la iniquidad de los padres sobre los hijos hasta la tercera y cuarta generación de los que me aborrecen, y muestro misericordia a millares, a los que me aman y guardan mis mandamientos (Exodo 20:4-6).

La experiencia de una familia

Guillermo y Sara estaban por tirar la toalla con su hija Melisa. Ella vivía asustada y, como resultado, toda la casa estaba alterada y agotada. Sus padres y el hermano estaban irritados y cansados de que Melisa se fuera a acostar con ellos en la noche porque le daba miedo dormir sola.

El elocuente testimonio de Guillermo sobre lo que le pasó a Melisa es útil especialmente por venir de un padre. Los tres factores juntos, que acabamos de revisar, pueden detectarse al leer la historia.

La Escritura enseña claramente que Dios tiene un plan para la vida de cada creyente, para el bienestar de esa persona. Igualmente evidente es que el enemigo tiene un plan contrario. Teniendo esta idea presente, se puede decir con seguridad que, desde el comienzo, Melisa fue blanco de traumas y estuvo marcada para el miedo. Ella entró a este mundo luchando por su vida, habiendo nacido en la sección de urgencia. A los dos semanas dejó de comer y empezó la primera de muchas visitas al hospital.

Debido a un débil sistema de defensas y otras anormalidades, sus primeros cinco años fueron una nube de exámenes, pinchazos y cirugías. Melisa enfrentaba cada una de esas duras pruebas con tanto valor como podía esperarse, pero siempre había un miedo subterráneo.

Efectivamente, las circunstancias productoras de miedo parecían estar magnéticamente atraídas a ella. Tuvo un ataque de un perro y a la vecina que hablaba con demasiado desenfado del 'fantasma' de su casa.

La maestra del jardín de infantes de Melisa, dijo al curso, cuando les presentó el plan de salvación, que los demonios podían agarrarlos si no recibían a Jesús. Esto sólo hizo que ella asociara a Jesús con el miedo en lugar de la libertad.

Melisa tuvo un amigo imaginario durante un tiempo. Un día este "amigo" dijo a Sara, mi esposa, que Melisa estaba muerta. El amigo imaginario había hablado por la boca de Melisa. Esto asustó mucho a Sara especialmente cuando, a los pocos minutos, un columpio golpeó a Melisa en la cabeza haciéndola sangrar abundantemente. ¡Obviamente el amigo "imaginario" no era tan imaginario después de todo!

Una lista exhaustiva de las experiencias negativas de Melisa alcanzaría para toda una lectura exhaustiva, pero el efecto acumulador de ellas produjo una niña dominada por el miedo... muy notablemente el miedo de estar sola y el miedo de irse a dormir.

Sabíamos bastante como para manejar el asunto en el terreno espiritual y hasta guiamos a Melisa por los Pasos hacia la Libertad en Cristo, pero el miedo siguió atrincherado en ella. Nosotros nos desesperamos, como todos deben hacerlo antes de que ocurra un cambio significativo.

Usted discernió correctamente la necesidad de dedicar la mayor parte del tiempo de su consejería a tratar y hacernos renunciar al miedo en Sara y en mí. El pecado empezó con un árbol y donde veamos sus fruto, podemos remontar, casi siempre, sus raíces a las generaciones anteriores.

[Nota: Luego de trabajar con Guillermo y Sara y sus miedos, hicimos que Melisa renunciara a sus miedos también. Ella se mostró reacia a contarlos primero pero con un poco de sondeo suave y recordatorios de mamá y papá, finalmente ella trató este tema].

Ciertamente en nuestro caso, con las raíces destruidas, el fruto empezó prontamente a marchitarse. Cuando nos fuimos de su oficina, yo confiaba que Sara y yo habíamos dado tremendos pasos. Sin embargo, estaba menos que optimista, en realidad incrédulo, en lo tocante a Melisa. Antes que terminara nuestra semana de vacaciones, ella mostró señales de mejoría y hasta demostró interés por las cosas espirituales.

Me gustaría mucho jactarme de una victoria absoluta pero, con toda honestidad, evalúo hoy a Melisa como una fóbica en recuperación. Igual que el tiempo y los traumas la hicieron quien era, así, ahora, el tiempo y la verdad la están ayudando a ser quién ya es en Cristo.

También ha habido tiempos duros de afirmar bien los pies en la tierra como padres, dándonos cuenta que nosotros habíamos cedido demasiado. Cuando volvimos de vacaciones, hubo varias noches de puro tormento en que forzamos a Melisa a quedarse en su cuarto, pasara lo que pasara. No hay que decir lo que pensaron los vecinos de todos esos gritos. Su voluntad empezó a rendirse luego de una semana, punto en que su mente empezó a renovarse y todos empezamos a dormir algo.

Ocasionalmente, aún vemos que es necesario hacer que Melisa renuncie (de nuevo) a ciertos miedos. Oramos con ella cada noche antes de la hora de acostarse y siempre ella pide que le lean la "oración a la hora de acostarse" que está al final de los Pasos. Ella sabe que lo que está leyendo es la verdad y efectúa la opción diaria de creerla. Después de todo, ¿no es este nuestro andar en el Espíritu, condensado en una cáscara de nuez?

Gracias por tener la voluntad de desempeñar su papel en el Cuerpo de Cristo, para beneficio de una familia de desconocidos. Melisa era un rompecabezas con una pieza faltante. Dios sabía soberanamente en qué mano la había puesto.

Guía bíblica de la genética

Algunos líderes cristianos reaccionan negativamente a la enseñanza de que los creyentes pueden heredar problemas espirituales de sus antepasados.

La gente joven no es culpable de los pecados de sus padres, pero debido a los pecados de sus antepasados, son vulnerables en las mismas áreas de debilidad.

Respondamos diciendo que la gente joven no es culpable de los pecados de sus padres pero debido a los pecados de sus antepasados, son vulnerables en las mismas áreas de debilidad. Considere Jeremías 32:17,18, con el énfasis que añadimos:

> "¡Oh, Señor Jehová! He aquí que tú hiciste el cielo y la tierra con tu gran poder, y con tu brazo extendido, ni hay nada que sea difícil para ti; que haces misericordia a millares, y castigas la maldad de los padres *en* sus hijos, después de ellos; Dios grande, poderoso, Jehová de los ejércitos es su nombre".

Lo que sea transmitido entre las generaciones no se debe, evidentemente, al ambiente (conforme a Jeremías) puesto que ocurre en el seno de los hijos. Eso podría ser considerado como un factor genético por quienes insisten en una explicación natural para todo, pero nosotros no lo pensamos así.

Levítico 26:38-42 ofrece un concepto más valedero:

> Y pereceréis entre las naciones y os devorará la tierra de vuestros enemigos. Así que los que sobrevivan de vosotros se pudrirán a causa de su iniquidad en la tierra de vuestros enemigos; también a causa de las iniquidades de sus antepasados se pudrirán juntamente con ellos. Si confiesan su iniquidad y la iniquidad de sus antepasados, por las infidelidades que cometieron contra mí, y también porque procedieron con hostilidad contra mí (yo también procedí con hostilidad contra ellos para llevarlos a la tierra de sus enemigos),o si su corazón incircunciso se humilla, y reconocen sus iniquidades, ...entonces yo me acordaré de mi pacto con Jacob.

Si los problemas de la gente fueran tan solo cuestión de genes malos, confesar sus pecados no los curaría. ¡Ciertamente la confesión de los pecados de los padres no tendría efecto genético sobre la presente generación!

Un nuevo enfoque de los antepasados

Un programa de televisión que vi (Neil) hace poco es una ilustración moderna de esto. Una alumna de secundaria de una pequeña aldea del sur de Alemania decidió hacer un informe del papel que su pueblo había desempeñado en la segunda guerra mundial. Siempre le habían dicho que su pueblo había resistido a Hitler y que la iglesia católica había enseñado a su gente a ni siquiera orar por él.

Lo que descubrió en la biblioteca local fue precisamente lo opuesto. El pueblo había aceptado el régimen de Hitler. Su trabajo produjo rápidos desmentidos de los líderes del pueblo como asimismo advertencias de no seguir sacando a la luz más suciedad. Ella se sintió traicionada por sus antepasados así que decidió hacer una mayor investigación.

Todo el pueblo terminó contra ella cuando informó lo que había hallado. Su esposo la abandonó, su familia la desconoció y, finalmente, la echaron del pueblo.

¿Es de asombrarse que la supremacía de la raza blanca haya vuelto a surgir en Alemania? Nunca hubo arrepentimiento completo. Ellos lo taparon. ¡Algunos también negaron que hubiese habido un Holocausto! Verdaderamente aquellos que no encaren los pecados de los antepasados están condenados a repetirlos.

Algunos pueden protestar aun la necesidad de hacer esto porque somos nuevas criaturas en Cristo y Jesús pagó el castigo por todos nuestros pecados. Sin duda que Él lo hizo pero, cuando nacimos de nuevo... ¿nuestras mentes fueron instantáneamente transformadas? Creemos intensamente como cualquiera que nuestra nueva posición en Cristo ha tenido un efecto profundo en nuestro ser. Debido a que somos nuevas criaturas en Cristo, podemos optar activamente por confesar y renunciar los pecados de nuestros antepasados y detener el ciclo de pecado y abuso. Éste es el paso final del proceso del arrepentimiento.

El remedio para las maldiciones

Las maldiciones son declaraciones, votos o juramentos blasfemos que pretenden dañar a otra persona. Esto es más corriente en los países del Tercer Mundo pero también está presente en América del Norte debido al resurgimiento de la actividad ocultista, brujería, prácticas de la Nueva Era y el satanismo.

Un propósito importante de la adoración satánica es convocar y enviar demonios a maldecir a gente marcada. Si la gente joven que usted aconseja alguna vez ha sido despertada abruptamente a cierta hora de la noche, digamos a las 3 de la madrugada, o si ha sufrido ataques de pánico nocturnos, pueden que hayan sido marcados.

Además, las predicciones dadas por médiums o hasta cosas dichas o hechas neciamente por un padre o una madre, pueden ser *usadas* por Satanás como maldición en la vida de una persona. Un adolescente llevaba ocho años luchando con su autoestima porque, cuando tenía siete años, su papá se había divorciado de su mamá. Cuando él se estaba mudando de la casa, le gritó enojado al niño: "¡Adelante, quédate con tu mamá, de todos modos nunca te quise como hijo!"

Aunque esas odiosas palabras pueden haber sido dirigidas más a la mamá que a él, ese adolescente había sido gravemente dañado por ellas. Fue capaz de romper el asidero de esa maldición en su vida afirmando su verdadera identidad en Cristo y su nueva relación con su Padre celestial que lo ama, lo quiere y que nunca lo dejará.

Otro hombre, de mediana edad, había estado acosado toda su vida por las crueles palabras de su padre, mientras lo violaba cuando era niño. Su papá había gruñido: "¡Te voy a dejar en tal forma que nunca nadie te querrá!" Este hombre encontró una liberación maravillosa de esa espantosa maldición renunciando a ella y clamando la verdad de que Dios Padre lo quería tanto ¡que envió a Su Hijo a morir por él!

Jugar con cosas como la tabla Ouija o la Octava Bola Mágica también puede hacer que se impriman mensajes en la mente de un joven, de modo que actúen como maldición o cometido. Esa persona, consciente o inconscientemente, puede sentirse indefensamente atada a ese mensaje "profético".

Si el Señor trae maldiciones específicas a la mente durante este Paso, haga que los aconsejados renuncien a ellas específicamente. De no ser así, bastará la renuncia general. Cristo es, en definitiva, su defensa y al ponerse ellos bajo Su autoridad y protección, serán capaces de romper todo y cada enlace con la esclavitud de los pecados y maldiciones generacionales. Ellos no tienen que seguir siendo las víctimas de su pasado.

Renunciando a los pecados de los antepasados

Empiece este Paso leyendo la presentación (o parafraseándola si está familiarizado con los principios y la Escritura). Luego, pida al aconsejado que ore lo siguiente:

> Amado Padre celestial:
>
> Te pido que reveles en mi mente todos los pecados de mis antepasados que han sido transmitidos por el linaje familiar. Quiero ser libre de esas influencias y andar en mi nueva identidad como hijo de Dios. Amén.

Entonces, dé a los adolescentes que esté ayudando, un tiempo para anotar lo que el Señor les traiga a la mente. Siéntase libre para hacer que el joven que aconseja lea de nuevo la lista de prácticas no cristianas del Paso Uno, la lista de los miedos del Paso Dos y los pecados habituales y las necesidades especiales del Paso Seis. Estos elementos ayudan señalando facetas probables de pecado generacional. Si usted como exhortador piensa que, evidentemente, el aconsejado está pasando por alto algunos aspectos, siéntase libre para sugerirlos, pero deje que él decida cuáles deben ser específicamente renunciados.

Esos pecados generacionales específicos serán renunciados durante la Declaración venidera.

Antes de hacer que lean la Declaración y digan la oración que sigue, comparta la información anterior a esos ejercicios del Paso Siete.

La Declaración es como sigue:

> Yo renuncio y repudio, aquí y ahora, todos los pecados de mis antepasados. Renuncio específicamente a los pecados de (aquí nombra las áreas de pecado de la familia que el Señor le haya revelado). Como quien fue librado de los poderes de la oscuridad y trasladado al reino del Hijo de Dios, cancelo toda obra demoniaca que me haya sido pasada de mi familia. Como quien está crucificado y resucitado con Jesucristo y que se sienta con Él en los lugares celestiales, renuncio a todos

los cometidos satánicos dirigidos a mí y a mi ministerio. Cancelo toda maldición que me hayan echado Satanás y sus obreros. Anuncio a Satanás y a todas sus huestes que Cristo fue hecho maldición por mí (Gálatas 3:13) cuando murió por mis pecados en la cruz. Renuncio a todas y cada una de las maneras en que Satanás pueda reclamar posesión de mi vida.

Yo pertenezco al Señor Jesucristo que me compró con Su propia sangre. Rechazo todos los sacrificios de sangre por medio de los cuales pudiera Satanás reclamar posesión de mí. Me declaro estar eterna y completamente entregado y consagrado al Señor Jesucristo. Por toda la autoridad que tengo en Jesucristo, ahora mando a todo enemigo espiritual del Señor Jesucristo que se vaya de mi presencia. Me consagro a mi Padre celestial para hacer Su voluntad desde este día en adelante.

La oración es como sigue:

Amado Padre celestial:

Vengo a Ti como hijo Tuyo, comprado por la sangre del Señor Jesucristo. Tú eres el Señor del universo y el Señor de mi vida. Someto mi cuerpo a Ti como instrumento de justicia, sacrificio vivo, para que yo pueda glorificarte en mi cuerpo. Ahora te pido que me llenes con Tu Espíritu Santo para guiarme y darme poder para conocer y hacer Tu voluntad. Me dedico a renovar mi mente para probar que Tu voluntad es buena, perfecta y aceptable para mí. Hago todo esto en el nombre y la autoridad del Señor Jesucristo. Amén.

El joven acaba de terminar un cuestionario moral duro y completo. El efecto en algunos adolescentes es espectacular. Lucen diferentes. Son ejemplos vivos del Salmo 34:5: "Los que a Él miraron, fueron iluminados, sus rostros jamás serán avergonzados".

La paz que sobrepasa todo entendimiento es lo que Dios quiere dar a cada uno de Sus hijos. Esa paz guardará nuestro corazón y mente en Cristo Jesús.

Muchos aconsejados sienten un profundo gozo y alivio mientras que otros se sienten totalmente exhaustos. Lo común es una mezcla de júbilo y cansancio.

Habitualmente, hacemos que los adolescentes cierren los ojos y nos cuenten qué les está pasando en su mente. Muchos sienten una paz y una quietud que nunca antes habían sentido.

Una dama dijo: "Mi mente está quieta. Habitualmente hay pensamientos precipitados. ¡Efectivamente, ésta es la primera vez que puedo recordar siquiera que haya habido quietud dentro de mi cabeza!" ¡Esta mujer ya estaba bien entrada en sus cincuenta años y nunca había experimentado paz mental! Esa paz que sobrepasa todo entendimiento es lo que Dios quiere dar a cada uno de Sus hijos. Esa paz guardará nuestros corazones y mentes en Cristo Jesús (ver Filipenses 4:7).

Obteniendo la resolución completa

Para algunos, las emociones de gozo vendrán después. Un joven que yo (Rich) guié por los Pasos estaba manejando de regreso a casa, después de la Cita para la Libertad, y se le hacía largo esperar llegar a la casa. Llamó a mi pastor para decirle lo entusiasmado que estaba: "¡Mis emociones acaban de aparecer!" —gritó por el teléfono. "¡He venido manejando y cantando alabanzas a Dios y levantando mis manos a Él!" Ciertamente espero que haya mantenido una mano en el volante.

Es importante dar a los aconsejados un seguimiento inmediato para que sepan qué esperar y cómo manejarlo, al igual que darles sugerencias para la continuación del crecimiento y el mantenimiento de la libertad. Ése será el tema del próximo capítulo, y final, de este libro.

Si los adolescentes que aconseja no sienten una solución completa después de terminar el Paso Siete, anímelos a orar y pedir al Señor que les revele qué es lo que sigue manteniéndolos atados. Permítales que se queden callados unos minutos y, luego, pregunte algo así: "¿Qué es lo *primero* que se te vino a la mente?"

Frecuentemente, hemos visto que Dios trae a la mente algo específico que aún tiene que tratarse.

De vez en cuando habrá un joven que diga: "hay una quietud casi completa pero hay voces lejos, a la distancia" u "oigo como que se ríen en el trasfondo". Usted puede ayudarlo a aprender a andar en la autoridad de Cristo dirigiendo al adolescente a decir: "en el nombre del Señor Jesucristo yo te mando que te vayas de mi presencia. Yo soy un hijo de Dios y el maligno no puede tocarme".

Si los adolescentes han sido, sin duda, fieles para tratar todo lo que el Señor les ha revelado, habitualmente exclamarán: "¡se calló!" La excepción sería si usted estuviera trabajando con un caso de abuso satánico grave. Nuevamente, para obtener mayor información sobre cómo trabajar con víctimas de esa clase de abusos, consulte los libros de Neil *Helping Others Find Freedom in Christ (Ayudando a Otros a Hallar Libertad en Cristo*) y *Released from Bondage (Liberado de las Ataduras).*

Si el joven tuvo dificultades de trabajar un Paso en particular, puede que usted quiera regresar y trabajarlo de nuevo. Esto resulta particularmente cierto de la Declaración de Verdad del Paso Dos. Muchos que tienen problemas para leerlo todo la primera vez, se asombran por la facilidad con que pueden leerlo la segunda vez. Ese ejemplo concreto del cambio puede ser de mucho aliento para un adolescente que puede estar preguntándose si realmente pasó algo.

Los jóvenes que viven por sus sentimientos y que han desarrollado un estado mental pasivo (¡y hoy son muchos!) son con los que más cuesta trabajar. También son los que luchan más por mantener su libertad.

Ellos luchan con asumir responsabilidades por lo que piensan, habiendo desarrollado el hábito de ir con la corriente de lo que se les pase por la cabeza. Algunos pueden tener un ADD genuino y el medicamento apropiado los puede ayudar mucho, mientras que otros sólo tienen pereza mental.

En todo caso, desarrollar la disciplina mental para aprender cómo llevar "cautivo todo pensamiento a la obediencia a Cristo" (2 Corintios 10:5) será el factor crítico para determinar el mantenimiento de su libertad.

Manteniendo la libertad

Puede ser una gran ayuda hacer que los adolescentes lleven un diario de sus pensamientos y emociones y, luego, sentarse con ellos (como padre/madre o líder juvenil) para evaluar las anotaciones del diario. Anime a los adolescentes a que comparen sus pensamientos y sentimientos con la verdad de la Palabra de Dios. Lean juntos la Escritura y pregúnteles si es verdadero lo que piensan o sienten. En la parte de atrás de este libro hay una lista breve de versículos bíblicos que presentan verdades para contrarrestar muchas de las luchas más corrientes del adolescente. Usted puede agregarle otros pasajes bíblicos, como el Señor lo dirija.

Anímelos a renunciar a toda mentira que hayan creído. Ayúdeles a memorizar la verdad de la Palabra de Dios, pues les dará municiones contra los futuros ataques espirituales.

Muy probablemente sea necesario algo más de consejería ulterior con relación a la música, material de lectura, programas de TV, películas, videos y juegos de computadora con que estén involucrados. No sea enjuiciador sino que, más bien, dé a estos adolescentes cristianos material para leer, escuchar o ver que esté dirigido a la juventud y que fomente los valores bíblicos y les enseñe a pensar.

Hay unos devocionales para la juventud, *Extreme Faith*, *Reality Check, Ultimate Love* y *Awesome God* que han sido desarrollados por los autores de Freedom in Christ (Libertad en Cristo) para seguimiento de los Pasos hacia la Libertad en Cristo.

Además, una copia de la lista EN CRISTO debe pegarse a la parte de atrás de sus diarios. Esa lista de verdades bíblicas será de gran ayuda para los jóvenes que luchan con sentimientos de inadecuación, falta de valor, desamparo y rechazo.

Antes de terminar la Cita para la Libertad, usted puede alentar a un adolescente dubitativo diciendo algo como lo que sigue:

Sabemos que Dios contesta oraciones. Si fuiste honesto y no ocultaste nada cuando dimos los Pasos, entonces creo que Dios ha contestado tus oraciones hoy y que se han resuelto muchos de tus conflictos espirituales y personales.

Cuando te vayas hoy, no escuches tus sentimientos si te dicen que no pasó nada. Ése es uno de los trucos más corrientes de Satanás. Opta por creer que es verdad lo que dice Dios. Recuerda que la batalla es por tu mente. Mientras más llenes tu mente con la Palabra de Dios, más fuerte te volverás. Piensa en cuánto te ama Dios y cuán poderoso es Él.

No te deprimas por lo que no pasó. Has enfrentado y tratado mucho hoy. Puede que aún haya algo más que tratar, pero Dios sacará a la luz esas cosas en el momento preciso. Por ahora, lleva todo pensamiento cautivo a la obediencia de Cristo e ignora toda duda, miedo o ansiedad que surja en tu cabeza. La verdad es que lo que te ha hecho libre y la verdad es lo que te mantendrá libre.

Juan dijo que no tenía mayor gozo que oír que sus hijos andaban en la verdad (ver 3 Juan 4). Ya sea que los adolescentes a quienes usted ayuda sean sus propios hijos o sus "hijos espirituales", usted también sentirá ese gozo incomparable al verlos "someterse a Dios y resistir al diablo".

Una historia de esperanza

Cerramos este capítulo con la historia de Julia, una niña que llegó al fondo de las profundidades. Por la gracia de Dios miró hacia arriba, desde el fondo, y se agarró de la Roca. Ella ya estaba camino a recuperarse cuando vino a una de nuestras conferencias durante la cual dio los Pasos hacia la Libertad en Cristo. Dios hizo una obra enorme en su vida. Ella halló su libertad y se aferra a Jesús. Me escribió (a Rich) esta carta para que yo pudiera pasarla a los padres y adolescentes que necesitan esperanza.

Querido señor Miller:

Quería escribirle para compartir un poco de mi testimonio acerca de las grandes cosas que Dios ha hecho en mi vida.

Cuando yo tenía 12 años, empecé a "rebelarme" sin que me importara el mundo o alguien. Me metí en las drogas y luego robé a mis padres para mantener mi hábito. Durante todo ese dolor al cual sometí a mi familia, amigos y Dios, empecé a salir con un traficante de drogas.

Yo ya estaba en libertad bajo palabra por falsificación y asalto con arma mortal. Decidí seguir adelante y meterme en más problemas. Dejé la escuela y, a los dos meses, me metieron presa de nuevo. Mi amigo vino a la cárcel pocas semanas después tratando de vender cocaína. Salí de la cárcel 81 días más tarde, pero decidí irme a vivir con él y ayudarlo con el tráfico de cocaína.

A los cinco meses me arrestaron y me llevaron a una cárcel estatal de mujeres, a los 16 años. Cuando salí no estaba en libertad condicional, así que volví a vivir con mi novio.

Dios empezó a mostrarme el dolor que le estaba causando a todos y a mí misma. ¡Ahora llevo un año libre de la droga! Le dije a mi madre que quería un cambio de vida. Ella me vino a buscar a mí y todas mis cosas y me llevó a un hogar para jóvenes, a fin de aprender disciplina a través de los ojos de Dios.

Dos semanas después supe que estaba embarazada, así que me fui a un hogar para madres embarazadas.

Ahora vivo para Dios y sólo para Dios. Volví a estudiar y llegué a la lista de honor de calificaciones. Mi madre puede mirarme ahora a los ojos y decirme que se enorgullece de mí.

Yo estaba tan enojada con el mundo. Ahora Cristo me ha demostrado que era yo quien estaba reteniéndome en la esclavitud. Quiero que todos sepan que Dios los ama sin que importe lo que hayan hecho y que nunca es demasiado tarde para empezar de nuevo y llegar a ser hijo de Dios. Él los perdonará por lo que haya sucedido en el pasado pero nosotros tenemos que perdonarnos a nosotros mismos.

¡Dios es mi mejor amigo ahora y quiero que todos lo sepan!

Capítulo catorce

Concluyendo

Estela parecía una muñeca de trapo, pero sus ojos revelaban la verdad de su recién hallada libertad. Acababa de terminar una sesión maratónica por los Pasos hacia la Libertad en Cristo y estaba experimentando tremenda resolución.

—¡Estoy agotada! —dijo.

—Deberías estarlo, —respondí (Neil). —Acabas de salir de una tremenda guerra y ganaste, ¡Felicitaciones!

—Gracias, —dijo ella— pero... ¿qué haré la próxima semana si tengo un problema? ¡Usted estará fuera de la ciudad!

Muchos aconsejados piensan que ellos no pueden arreglárselas sin su exhortador o ayudador.

—¿Qué fue lo que yo hice en realidad? —le pregunté a Estela— Tú fuiste quien hizo todo el trabajo y fue Dios quien te hizo libre.

Aun el mejor de los padres o líderes juveniles tiene tiempo y recursos limitados pero Dios no. La gente joven puede llamarlo las 24 horas al día, siete días a la semana por el resto de su vida. "Dios es nuestro refugio y fortaleza, nuestro pronto auxilio en las tribulaciones. Por tanto, no temeremos" (Salmo 46:1,2). "Confiad en Él en todo tiempo, oh pueblo; derramad vuestro corazón delante de Él; Dios es nuestro refugio" (Salmo 62:8).

No queremos que los adolescentes que aconsejamos dependan de nosotros; queremos que dependan de Dios. Él es su libertador. Él es el Admirable Consejero, no nosotros. Él sólo puede hacerlos libres y darles la gracia para seguir libres. Dar los Pasos hacia la

Libertad en Cristo no sólo resuelve conflictos pasados y presentes sino que también les enseña y entrena para saber cómo situarse y resolver asuntos que surgirán más adelante.

¿Qué se puede esperar al final de la Cita para la Libertad? ¿Cómo se sentirá el joven? ¿Cuánta libertad podemos esperar, realistamente, que se obtenga? ¿Seguirá adelante andando en libertad?

Obviamente, no puede hallarse una respuesta fija para estas preguntas. El corazón humano es demasiado complicado y hay demasiadas variables para decir categóricamente qué pasará o no pasará. La gente joven que usted lleva por los Pasos tendrá diferentes experiencias de vida, problemas, personalidades, conocimiento de la Biblia, madurez espiritual y nivel de consagración. La única constante es nuestro fiel y bondadoso Dios que oye y responde oraciones.

Las posibilidades de herir emocional o espiritualmente a los adolescentes que den los Pasos, son mínimas a menos que usted pierda el control de la sesión. Siga en el rumbo, adhiérase al libreto de los Pasos hacia la Libertad y aléjese de los asuntos polémicos. Si usted deja que el joven lo meta en una discusión o deja que el diablo establezca el orden de la sesión, podrá irse por mil y un desvíos nada provechosos.

Por la gracia de Dios, toda persona joven a quien usted guíe por los Pasos habrá hecho algún progreso espiritual en caminar con Dios. Si fueron honestos y minuciosos, tendrán una casa completamente limpia. A menudo, dicen cosas como "siento que me han quitado un gran peso de encima" o "no recuerdo cuándo me sentí tan limpio por dentro".

Algunos adolescentes pueden sentirse un poco deprimidos porque no sienten cambios espectaculares como otros. Puede ser que tengan expectativas irreales pensando que todo será perfecto después que den estos Pasos.

No es buena idea hacer promesas anticipadas sobre qué pasará en la sesión. No tenemos forma de saber. Dios puede optar por esperar hasta más adelante para traer a la luz ciertos asuntos, así que nunca prometa una resolución total. Podemos dar esperanza al adolescente pero no le demos esperanzas falsas.

Momentos gozosos después de la cita

Un joven de nombre Santiago vino a una Cita para la Libertad. Estaba sumamente decepcionado de su relación con Dios. Admitió que ni siquiera estaba seguro de creer más "esta cuestión cristiana" aunque estaba dispuesto a darle una posibilidad más.

Habiendo crecido en una iglesia extremadamente legalista, Santiago no tenía un punto de vista sano de Dios, en absoluto. Su "Dios" era tan iracundo, controlador y enjuiciador que nos asombra que decidiera buscar la realidad espiritual en otra parte. Siguiendo el "espíritu libre" de su papá, Santiago buceó en el taoísmo, budismo y unos cuantos 'ismos' más en busca de respuestas. Su peregrinaje espiritual le llevó también al ámbito del ocultismo y la magia blanca.

Cuando leyó la "Declaración de la Verdad" en el Paso Dos, estuvo leyendo realmente "por fe". Sin estar seguro si todos los principios doctrinarios eran verdaderos, prosiguió adelante de todos modos. Dios bendijo su dedicación a saber la verdad.

Al final de las sesiones, Santiago no podía creer cuán limpio se sentía. Sabía que había pasado algo significativo. Lo que realmente le había pasado en su vida no se le aclaró hasta que me llamó por teléfono unos días después.

"Rich, esto es realmente loco. Estaba trabajando el otro día, preparándome para mi almuerzo cuando me encontré "dando las gracias" ¡en voz alta! No había hecho eso en años.

"Pero ahí no termina la cosa. Más tarde estaba trabajando, y de repente empecé a cantar alabanzas e himnos de adoración que ni siquiera sabía que recordaba. Y no sólo eso sino que también estaba levantando mis manos".

Me reí porque sabía dónde trabajaba Santiago. Recién había ingresado al cuerpo de marines, al salir de la escuela secundaria así que yo me hacía el cuadro humorístico de este recio y duro marine alabando humildemente a Dios.

Santiago también se rió y siguió: "en cuanto me di cuenta de lo que estaba haciendo, miré alrededor bien rápido para ver si alguien me había visto. Entonces corrí a la parte trasera del edificio y terminé ahí mi servicio de adoración.

"Pero eso no es todo. Más tarde, mi jefe estaba enfurecido conmigo por algo y yo me estaba enojando un poco. Habitualmente digo algo y luego me siento mal por eso. Esta vez mantuve cerrada mi boca. ¿Puede creer lo que me pasó?"

Mi mente relampagueó de inmediato con Efesios 5:19-21, el resultado de ser lleno con el Espíritu Santo:

> Hablando entre vosotros con salmos, himnos y cantos espirituales, cantando y alabando con vuestro corazón al Señor; dando siempre gracias por todo, en el nombre de nuestro Señor Jesucristo, a Dios, el Padre; sometiéndoos unos a otros en el temor de Cristo.

—Santiago... —dije entusiasmado— ¡acabas de darme la ilustración más maravillosa para un sermón de tres puntos sobre el estar lleno con el Espíritu Santo, que yo haya oído jamás!"

Cosas para después de los pasos

Los jóvenes que están tomando remedios pueden preguntarle si los seguirán necesitando. A menos que usted sea el médico de ese adolescente, no dé consejo médico. Si la gente joven siente que está curada de la condición que requería medicación, se les puede animar a que hablen con sus padres y el médico. Entonces, puede tomarse una decisión sabia.

Los adolescentes pueden desarrollar tolerancia a ciertas drogas recetadas y pueden tener serios efectos colaterales si se les quita muy repentinamente.

Sería útil que usted se comprara un 'libro de píldoras', que no sea costoso, en una librería. Ese libro le dará los nombres de las drogas recetadas, sus usos y los efectos laterales.

Es posible que algunos jóvenes regresen luego de dar los Pasos y digan que aún no están libres. Eso puede pasar por varias razones, entre ellas:

1. Los adolescentes que se guían a sí mismos por los Pasos pueden saltarse fácilmente puntos, racionalizando su pecado. Cuesta ser completo y objetivo haciéndolo por sí mismo, especialmente si algunos puntos importantes de su vida necesitan resolución. La faceta más corriente en que necesitamos ayuda es el perdón. Dar el Paso

Tres de nuevo con un exhortador suele ser muy útil.

No queremos, sin embargo, dar la impresión equivocada. Se pueden dar los Pasos por cuenta propia y hallar la libertad. Hemos recibido cartas de todo el mundo de gente a quienes Cristo ha libertado sólo por leer los libros y guiarse a sí mismo por los Pasos.

2. Los jóvenes puede necesitar cierta ayuda aun después de haber dado los Pasos con un exhortador y un socio de oración. Si usted conoce el asunto que sigue perturbándolos, vuelva al Paso apropiado (habitualmente el uno, tres o seis) y asegúrese que se entiendan claramente los asuntos allí involucrados. Si tiene dudas, no hará nada malo si lo guía de nuevo por todos los Pasos.

Una niña dio los Pasos hacia la Libertad en Cristo con un exhortador personal y empezó el proceso de perdonar al hombre que la había abusado sexualmente. Pero no estaba lista aún. Fue a un entrenamiento de líderes juveniles que duraba dos días (aunque estaba aún en la secundaria) pero se perdió de dar los Pasos en grupo al final del primer día. En la mañana del segundo día, durante el tiempo de compartir, ella admitió a todo el grupo que estaba oyendo voces, luchando con una terrible rabia y le costaba mucho quedarse en todas las sesiones de entrenamiento.

Misericordiosamente un grupo de mujeres santas se reunieron entorno a ella para orar para que ella hallara libertad. Más tarde, ese mismo día, ella dio los Pasos por segunda vez, esta vez con un equipo de ministerio diferente. Para ese momento ella estaba lista para arreglar cuentas con Dios. Confesó su rencor y perdonó verdaderamente de todo corazón a quienes la habían herido. Como resultado, el Señor la hizo libre de un trastorno del comer que había empezado después del ataque sexual.

Si usted experimenta dificultades al identificar un asunto específico que resolver, suele ser mejor, por lo general, volver y revisar los Pasos Uno, Tres y Seis. Esas son las facetas que más a menudo requieren quitar otra capa. Quizás necesite renunciar y perdonar algo pero, habitualmente, hay algo referido a la identidad que se asocia con uno de estos Pasos.

En alguna parte, los adolescentes pueden seguir creyendo una mentira. A menudo volveremos al concepto de la carta de identidad y trabajaremos los asuntos perturbadores con ellos, identificando las mentiras que se han creído. Repudiando las mentiras y optando por aferrarse a la verdad de la Palabra de Dios, habitualmente llega la libertad.

Una carta de agradecimiento

Luego de identificar los detalles de la identidad que debía resolverse, una persona escribió:

Gracias por guiarme ayer por los Pasos hacia la Libertad. Realmente me ayudó a ver objetivamente dónde está la línea de batalla en mi vida. Yo sabía que lo que creía de mi identidad estaba desalineado con la verdad pero no podía aplicarlo prácticamente a mi vida por mí mismo.

Cuando di los Pasos por mi cuenta hace unos años, tuve una experiencia tan radical de libertad que pensé que realmente podía mantenerla por mí mismo para siempre y eso era lo que planeaba hacer. Pero no me había dado cuenta de que aún no había tratado las emociones reales subyacentes. Ciertamente, antes tuve que ponerme en contacto con mi dolor y rabia durante el momento del perdonar pero no me había dado cuenta cómo eso había afectado el núcleo de mi identidad. Debido a que me sentía rechazado y sin valor, creía que tenía que "actuar" para ser aceptado.

Gracias por su aceptación y amor. Me ayudó a ser real y transparente con mis luchas con los demás. Fue importante para mi crecimiento pero también para mi habilidad de ayudar a otros. Tengo una compasión más honesta por los demás ahora. Asombra ver que dar los Pasos me haya permitido compartir todas mis cosas horribles en sólo pocas horas. En todos mis años de consejería cristiana sólo había empezado a enfocar el hablar de las cosas realmente dolorosas. Durante los Pasos, todo sale y se resuelve sin culpa ni remordimiento.

He empezado a leer las Escrituras para contrarrestar todas las mentiras que creía acerca de mí mismo. Gracias especialmente por ver algo de valor en mí como para dedicarme tiempo. He pasado toda mi vida tratando de actuar como si todo hubiera estado bien y tratando de imaginar cómo hacer lo correcto para no meterme en problemas o que me rechazaran. Ahora sólo quiero ser la persona que Dios quiere que yo sea y dejar que el hacer venga naturalmente.

Conciencia de dudas futuras

Muchos jóvenes habrán ganado batallas grandes dando los Pasos pero deben saber que habrá otras batallas. Ellos saldrán por la puerta con el resto de su vida para vivir. Ciertamente enfrentarán más conflictos pero estos se podrán ganar mejor, por haber roto la esclavitud de sus vidas y por haber ganado un mayor sentido de la presencia y del poder de Dios.

Nunca habrá un tiempo (en este lado del cielo) en que no tengamos que someternos a Dios, resistir al diablo y ponernos toda la armadura de Dios.

Recuerde a los adolescentes que aconseje que pueden oír una vocecita en su cabeza diciendo "¡volví!" o "¡no sirvió!" La batalla sigue y ellos tienen que estar conscientes de eso. Nunca habrá un tiempo (en este lado del cielo) en que no tengamos que someternos a Dios, resistir al diablo y ponernos toda la armadura de Dios (ver Efesios 6:10-20; Santiago 4:7). Sin embargo, al dar los Pasos, la gente joven tendrá más conciencia de quién es el enemigo, cuáles son sus armas y estrategias y cómo pueden afirmarse y resistir contra él.

Para mantener la libertad, los adolescentes deben continuar haciendo lo que empezaron al dar los Pasos: renunciar a las mentiras, optar por la verdad, confesar pecados, perdonar a los que los ofendan, y cosas por el estilo. Ellos deben pasar sus pensamientos, su material de lectura, la música, sus entretenimientos y conversaciones por el filtro de Filipenses 4:8, enfocando su mente sólo en las cosas que son verdaderas, buenas, puras y agradables para Dios.

Trabajando los "asuntos viejos" y los "asuntos nuevos"

Una niña se acercó a uno de los miembros de nuestro personal en una conferencia para jóvenes y preguntó si podía dar los Pasos hacia la Libertad en Cristo. Al empezar la cita, ella dijo que había dado los Pasos un año y medio atrás con otro miembro del personal de Libertad en Cristo.

Aunque las cosas estuvieron bien durante un año, recientemente había estado luchando con pesadillas y oyendo voces. En una hora y media pudo resolver las asuntos de su vida y volver a regocijarse en su libertad en Cristo.

Resultó que esta niña tenía "asuntos viejos" a la vez que "asuntos nuevos" que resolver. Durante su primera Cita para la Libertad, su amiga había estado presente como socia de oración. Por tanto, se tocaron superficialmente algunos asuntos de perdón entre ellas. En la segunda ocasión en que dio los Pasos, ella perdonó a su amiga. Eso eran los "asuntos viejos".

Los "asuntos nuevos" abarcaban andar con sus antiguas amistades de nuevo y permitir que tuvieran influencia negativa en sus pensamientos y acciones. Esa participación pareció precipitar el regreso de las pesadillas y las voces.

Los adolescentes deben asumir la responsabilidad por su mente y su vida y optar por

llevar "cautivo todo pensamiento a la obediencia a Cristo" (2 Corintios 10:5). La mayoría de los aconsejados podrán hacer esto si desean sinceramente andar con Cristo. Si su compromiso con Dios es tibio, probablemente recaigan en la misma esclavitud.

Anímelos a buscar amistades que los amen, que entiendan los conflictos espirituales y que oren por ellos cuando la batalla se ponga dura. Estos pueden ser parientes, buenos amigos o líderes de la iglesia. Todo adolescente cristiano debe tener por lo menos un amigo que esté a su lado de esta manera.

Prepare al aconsejado para el tratamiento ulterior

El seguimiento comienza en la misma cita, al preparar usted al aconsejado para lo que viene. Lea al aconsejado las secciones tituladas "Algo que Recordar" y "Manteniendo Su Libertad" (ubicadas justo después del Paso Siete), destacando cualquiera de los puntos que le parezca que se le aplican al joven en particular.

Además, he aquí unas cuántas sugerencias claves que han ayudado a los jóvenes. Tenga cuidado de no aplastar a los adolescentes que aconseja con una tremenda lista de "para hacer" cuando se van a casa; ellos sólo necesitan unos cuantos datos útiles para empezar.

1. Anímelos a leer los Pasos de nuevo cuando vayan a casa. Sugiera que lean en voz alta la "Declaración de la Verdad" del Paso Dos y la lista EN CRISTO durante las dos semanas que siguen, como asimismo la "Oración Diaria" (en la mañana) y la "Oración a la Hora de Acostarse" (en la noche). Esas oraciones están al final de los Pasos. Todas estas herramientas les ayudarán a seguir renovando su mente y elegir la verdad.
2. Anímelos a identificar una persona con la que puedan reunirse regularmente para orar. Si hay un grupo de jóvenes que esté estudiando *Busting Free*, *Emergiendo de la Oscuridad* o *The Bondage Breaker, edición juvenil*, ayúdelos a juntarse con ese grupo. De lo contrario, asegúrese de que tengan un ejemplar de E*mergiendo de la Oscuridad* o *The Bondage Breaker, edición juvenil*, y aliéntelos a leer esos libros por cuenta propia, si no lo han hecho.
3. Anímelos en las áreas en que son débiles y déjeles saber que usted orará por ellos. Ore por ellos antes de terminar la Cita para la Libertad, elevando esas áreas débiles al Señor. Recuérdeles que pueden presentarse otros aspectos de su vida pero no tienen que asustarse de la verdad. Dígales que está bien volver por los Pasos para recordar cómo manejar conflictos futuros. Los Pasos hacia la Libertad en Cristo son un recurso que pueden usar toda su vida para ayudarse a sí mismos y a los demás a encontrar y mantener su libertad espiritual.

4. En algunos casos, los jóvenes que aconseje necesitarán más ayuda de la que usted puede darles. Los padres pueden buscarla en profesionales apropiados consultando al pastor de ellos. Una palabra de advertencia: los consejeros profesionales deben ser cristianos sabios que crean la Biblia, que no se rían de lo que se logró en la Cita para la Libertad y que no traten de deshacerlo. Los padres deben discernir en oración cuando elijan ayuda profesional para sus hijos y deben evitar esos grupos de autoayuda que ven a los adolescentes como un mero producto de su pasado en lugar de mirarlos como nuevas criaturas en Cristo.
5. Antes de terminar la sesión con oración, pida al adolescente que está aconsejando que lea en voz alta la lista EN CRISTO que está al final de los Pasos. Antes de hacerlo, sin embargo, fíjese que éste es un momento excelente para explicar la lista que pueda haber hecho cuando estaban orando la lista del perdón en el Paso Tres.

Durante el proceso de perdonar, usted puede haber escrito una lista de palabras que usaron para describir el dolor de su vida. Pueden haber usado palabras como: "víctima", "rechazado", "no querido" y cosas semejantes, para describirse a sí mismo, y esas palabras pueden haberse vuelto etiquetas de una falsa identidad y percepción de sí mismos.

Antes de leer la lista de las declaraciones de la verdad EN CRISTO, páseles la lista de calificativos negativos compilada de sus declaraciones sobre ellos mismos. Usted podría titularla la lista del "VIEJO YO". Luego pídales que hagan la siguiente renuncia, llenando los blancos con todos los puntos de la lista del "VIEJO YO":

> Yo renuncio a la mentira de que yo soy (lista del "VIEJO YO"). Estos calificativos representan etiquetas falsa acerca de cómo me veía a mí mismo o cómo me veían los demás. Ahora rechazo esas mentiras y escojo creer solamente la verdad sobre mí acerca de cómo me ve Dios.

Inmediatamente siga leyendo la lista EN CRISTO. Que contraste tan grande será cuando los adolescentes, quizá por primera vez en su vida, entiendan cómo los ve su Padre celestial todopoderoso, que todo lo sabe y que los ama.

Este puede ser un momento particularmente emocionante para los adolescentes que son adoptados. Debido a la búsqueda de identidad ordenada por Dios por la cual pasan los adolescentes, los años de la adolescencia son, a menudo, el tiempo en que los hijos adoptados anhelan conocer a sus padres de nacimiento. La intensidad de este anhelo varía de joven a joven.

Sin embargo, a veces, el deseo de unirse con sus padres de nacimiento es una prueba de una identidad mal situada por parte de los niños adoptados.

Hallando una nueva identidad

Uno de los miembros de nuestro personal tuvo una Cita para la Libertad con una señorita de la secundaria que estaba decidida a hallar a sus padres de nacimiento. Era evidente que su anhelo iba más allá de la curiosidad natural que cualquier joven podría sentir en su situación ¡Ella estaba decidida a conocer a sus padres de nacimiento y hacer esa conexión o de lo contrario !

No podemos destacar lo suficiente el poder liberador y transformador de vidas que tiene conocer y creer la identidad propia en Cristo.

Al progresar la cita fue quedando claro que su búsqueda de su mamá y papá reales era una búsqueda de identidad. Ella había llegado a creer la mentira de que nunca podría saber quién era ella hasta que los conociera. Siempre se había sentido no querida en la vida. Aunque sabía que sus padres adoptivos la querían mucho, ella sentía como que sólo la habían adoptado porque no podían tener hijos propios.

De alguna forma había hallado maneras de pagar a funcionarios de gobierno para tener acceso a información privilegiada sobre sus padres reales. Afortunadamente llegó a entender que no era bueno hacer eso.

Ella renunció a las mentiras de que nadie la quería y que era una "doña nadie" hasta que hallara a sus padres de nacimiento. Luego, escogió creer las verdades de su nueva identidad en Cristo. Entonces pudo relajarse. La compulsión desapareció. Pudo regocijarse por ser, primero y principal, una hija de Dios, parte de Su familia y por poder decirle 'papito' a su Padre celestial.

Aún tenía el deseo de conocer a sus padres de nacimiento pero ya no era esa meta que consumía toda su vida. Ya no sería más dirigida por la inseguridad; podía ser *guiada* por el Espíritu de Dios.

Discipulado posterior al tratamiento

No podemos destacar lo suficiente el poder liberador y transformador de vidas que tiene conocer y creer la identidad propia en Cristo. Esto es verdad para toda la gente pero es particularmente poderoso para los adolescentes que andan buscando respuestas sólidas para la pregunta: "¿quién soy yo?"

Antes de terminar la Cita para la Libertad orando, haga que los aconsejados cierren los ojos y se relajen. Luego pregúnteles: "¿qué está pasando en este momento por tu cabeza?"

Éste suele ser un momento profundamente conmovedor. Puede que oiga comentarios como "estoy tranquilo, y se fueron las voces", "está en silencio y siento como que mi mente es mía" o "estoy liviano y me siento libre".

Algunos estarán cansados y eso es perfectamente correcto. Es probable que después sus emociones vuelvan y sientan el gozo del Señor.

Muchos cristianos han dicho que luego de dar los Pasos hacia la Libertad en Cristo. Se sintieron como cuando recibieron a Cristo por primera vez. ¿Podría ser porque volvieron a su primer amor? Naturalmente, un deseo fuerte de parte de los seguidores sinceros de Cristo será querer mantener esa libertad. Como pasa con los nuevos creyentes, estos adolescentes cristianos renovados necesitan un lugar donde puedan ser espiritualmente nutridos. No podemos destacar lo suficiente el valor que tiene un discipulado en un pequeño grupo para estabilizar a los jóvenes en la verdad y la libertad.

Los adolescentes son normalmente criaturas sociales y gregarias que disfrutan de ser parte de un grupo. Muchos que han luchado con sentimientos de indignidad e inadecuación pueden haberse sentido siempre como inadaptados que no pertenecían a nada.

Los pequeños grupos adecuadamente dirigidos ofrecen entornos seguros donde la juventud siente amor y aceptación, recibe alimento y ánimo y puede madurar en su fe. La madurez del líder y la voluntad de los participantes para crecer espiritualmente son factores claves del valor de tal clase de grupo.

Nuestro ministerio ha preparado materiales que pueden usarse para esta clase de grupos de jóvenes.

Las guías de estudio de *Emergiendo de la Oscuridad* y *The Bondage Breaker, edición juvenil* ofrecen un formato de preguntas y respuestas en que cada adolescente del grupo tiene un cuaderno de trabajo y viene a la sesión del pequeños grupos listo para discutir los conceptos ganados.

Busting Free es una guía programática para el líder de jóvenes de un estudio en pequeño grupo, clase de escuela dominical o grupo de jóvenes. Este programa repasa el contenido de *Emergiendo de la Oscuridad* y *The Bondage Breaker, edición juvenil* y puede usarse fácilmente en un formato de 13 ó 26 semanas.

Como es una guía para líderes, sólo se necesita un ejemplar de *Busting Free*. El libro tiene páginas que pueden copiarse y repartirse a cada miembro del grupo. Sin embargo, tiene beneficio óptimo que cada miembro tenga una copia de *Emergiendo de la Oscuridad* y *The Bondage Breaker, edición juvenil*. Entonces, los adolescentes pueden leer por anticipado en la semana y estar mejor preparados para la hora de la discusión.

La sola magnitud de las necesidades de nuestra juventud cristiana abrumaría a cualquier persona de la iglesia o comunidad promedio. Si el Señor pone en su corazón el deseo de empezar un ministerio de libertad para jóvenes, lo animamos a que compre Helping Others Find Freedom in Christ Training Manual & Study Guide de Tom McGee y Neil. Una gran parte de ese libro muestra cómo desarrollar tal ministerio a la comunidad basado en la iglesia. Está basado en gran parte en las experiencias de la Iglesia Evangélica Libre Crystal de la zona de Minneapolis y St. Paul, estado de Minnesotta, y dará principios y guías importantes para un "ministerio de libertad" efectivo en la zona donde usted viva.

Sea que usted esté empezando a entender su propia libertad en Cristo o tratando de ayudar a los jóvenes a hacer lo mismo, sepa que los altibajos serán siempre parte de la vida. Proverbios 24:16 dice "porque el justo cae siete veces; y vuelve a levantarse". Caer es inevitable en este lado del cielo pero la cuestión es ¿se levantará cada vez que caiga?

La carrera

Compartimos la siguiente historia poética como conclusión de este libro. Esta obra conceptuosa está ligeramente adaptadad de *The Race* (La Carrera) de Dee Groberg. Que sirva para darle la fuerza para pelear la buena batalla, terminar la carrera y mantener la fe, sabiendo que en el futuro le aguarda la corona de justicia que el Señor, el Juez justo, le otorgará (ver 2 Timoteo 4:7,8).

—¡Abandona! Ríndete, estás vencido, —gritan y ruegan.
—Hay demasiado contra ti ahora; esta vez no puedes triunfar.
Y cuando comienzo a doblar mi cabeza frente a la cara del fracaso,
el recuerdo de una carrera interrumpe mi caída;
y la esperanza llena mi voluntad debilitada al recordar esa escena.
Pues el solo pensar en esa corta carrera rejuvenece mi ser.
Una carrera de niños, muchachos, jóvenes; ahora recuerdo bien.
Entusiasmo, cierto, pero también miedo; no costaba darse cuenta.
Todos alineados, tan llenos de esperanza; cada uno pensaba ganar esa carrera o llegar empatado en el primer puesto o, por lo menos, en el segundo lugar.
Y los padres miraban desde afuera, cada uno vitoreando a su hijo.
Y cada niño esperaba mostrar a su papá que él sería el ganador.
El silbato sonó y allá salieron, corazones jóvenes y esperanzas de fuego.
Ganar, ser el héroe ahí, era el deseo de cada muchacho.
Y un niño en particular, su papá estaba entre la gente,
Estaba corriendo cerca de la punta y pensó: "¡mi papá estará tan orgulloso!"
Pero al acelerar por la pista cruzando un leve desnivel,
el niñito que pensaba ganar, perdió el paso y se cayó.

Tratando de sostenerse, sus manos volaron a detener la caída
y en medio de la risotada de la gente cayó de bruces.
Tanto cayó y con él, la esperanza: no podía ganar ahora.
Avergonzado, triste, sólo deseaba desaparecer de alguna manera.
Pero al caer su papá se paró y mostró su cara ansiosa,
que dijo claramente al niño: "¡párate y gana la carrera!"
Él se levantó rápido, ileso, un poco atrás, eso era todo.
Y corrió con toda su mente y fuerza para recuperar el terreno perdido por la caída.
Tan ansioso de recuperarse para ponerse a la altura y ganar,
Su mente fue más rápida que sus piernas, se resbaló y cayó de nuevo.
Deseó haberse salido antes con tan solo una desgracia.
"Soy un caso perdido como corredor, no debo seguir en esta carrera".
Pero en medio de la gente que reía, buscó y halló la cara de su padre,
Esa mirada firme que le dijo de nuevo: "¡Párate y gana la carrera!"
Así que, saltó a probar de nuevo, diez yardas detrás del último.
"Si voy a recuperar ese terreno perdido," —pensó— "¡tengo que correr muy rápido!"
Excediendo todo lo que tenía, recuperó ocho o diez,
pero trató tanto de obtener la punta que se resbaló y cayó... de nuevo.
¡Derrota! Tirado ahí, yació en silencio, una lágrima cayendo de sus ojos.
No tiene sentido correr más, tres veces me caí, ¿por qué tratar?
La voluntad de levantarse desapareció, toda esperanza se había ido.
Tan lejos atrás, tan proclive a errar, perdedor total.
"Perdí, así ¿para qué?" —pensó— "viviré con mi desgracia".
Pero entonces pensó en su papá, a quien pronto tendría que ver.
"Arriba" —sonó suave un eco —, "¡Arriba y toma tu lugar!
No estás aquí para fallar, ¡arriba y gana la carrera!"
Con voluntad prestada "Arriba" —dijo— "No perdiste nada,
Pues ganar no es más que eso: levantarte cada vez que te caes".
Así que se levantó a ganar una vez más, y con nuevo compromiso.

Resolvió que ganara o perdiera, por lo menos no se rendiría.
Tan lejos ahora de los demás, lo más lejos que estuvo,
Aun dio todo lo que tenía y corrió como para ganar.
Tres veces cayó por resbalar, tres veces se volvió a parar
Demasiado lejos para tener la esperanza de ganar, siguió corriendo hasta el final.
La gente vitoreó al ganador cuando cruzó en el primer lugar,
con la cabeza en alto, orgulloso y feliz; sin caer, sin vergüenza.
Pero cuando el menor caído cruzó la meta, en el último lugar,
la gente le dio el mayor vitoreo por terminar la carrera,
Y aunque llegó en el último lugar, con la cabeza bien inclinada hacia abajo,
sin orgullo,
se hubiera creído que él ganó la carrera al oír a la gente.
Y a su papá le dijo con pena: "no estuve tan bien".
"Para mí tú ganaste" —dijo su padre— "te paraste cada vez que caíste".
Y ahora cuando las cosas parecen negras y duras y difíciles de enfrentar
el recuerdo de ese niñito me ayuda en mi propia carrera.
Pues toda la vida es como esa carrera con altibajos y todo,
y todo lo que uno tiene que hacer para ganar es pararse cada vez que se cae.
"¡Abandona! Ríndete, estás vencido" aún me gritan en la cara.
Pero otra voz me dice por dentro: "¡Párate y gana la carrera!"

Tenemos el gozo y el privilegio de correr juntos la carrera sin competir uno contra otra sino estrechando filas y armaduras para que podamos cruzar la meta y ganar: *juntos*

> Por tanto, puesto que tenemos en derredor nuestro tan gran nube de testigos, despojémonos también de todo peso y del pecado que tan fácilmente nos envuelve, y corramos con paciencia la carrera que tenemos por delante, puestos los ojos en Jesús, el autor y consumador de la fe, quien por el gozo puesto delante de Él soportó la cruz, menospreciando la vergüenza, y se ha sentado a la diestra del trono de Dios (Hebreos 12:1,2).

Notas al pie

Introducción

1. "Adolescent Chemical Use", *Search Institute Source* II, No. 1 (enero 1986): 1. (Como está citado en el libro de Walt Mueller, *Understanding Today's Youth Culture*, pág. 284).
2. L. D. Johnston, citado por Lawrence Wallack y Kitty Corbett in "Illicit Drug, Tobacco and Alcohol Use Among Youth: Trends and Promising Approaches in Prevention" en *Youth and Drugs: Society's Mixed Message*. (Rockville, Md.: Office for Substance Abuse Prevention, 1990), pág. 7. (Como está citado en Mueller, pág. 277).
3. "More Teens Turning to Cigarettes, Drugs" *Los Angeles Times* (diciembre 15, 1995).
4. "Drug Use Down, Suicide Up for High Achievers", *Group* (febrero 1989): 15. (Como está citado en Mueller, pág. 301).
5. Neil T. Anderson y Steve Russo*La Seducción de Nuestros Hijos* (Eugene, Oreg.: Harvest House Publishers, 1991), p.35.
6. Ibid.

Capítulo Uno

1. Walt Mueller, *Understanding Today's Youth Culture* (Wheaton, Ill.: Tyndale House Publishers, Inc. 1994), pág. 15.
2. Les Parrott III, *Helping the Struggling Adolescent* (Grand Rapids: Zondervan Publishing House, 1993), pág. 15.
3. Ibid.

Capítulo Dos

1. "What Parents Don't Know", *Parents & Teenaagers* (febrero/marzo 1989):2. (Como es citado por Mueller, pág. 47).
2. Robert Laurent, *Keeping Your Teen in Touch with God* (Colorado Springs:

David C. Cook, 1988), pág. 86. (Como está citado en Mueller, pág. 188).
3. Ibid. (Como está citado en Mueller, pág. 189).
4. "Keeping kids safe or scaring them to death?" *USA Today* (agosto 21, 1995).
5. Ibid.
6. Ibid.
7. Anderson y Russo, *La Seducción de Nuestros Hijos*, pág. 130.
8. Adaptado de "Raising Healthy Teenagers", taller para padres patrocinado por Young Life, pág. 9.
9. Ibid.
10. Fred Green, "What Parents Could Have Done" *Pulpit Helps* (noviembre 1987): 19. (Como está citado en Mueller, pág. 343).
11. Anderson y Russo, *La Seducción de Nuestros Hijos* pág. 171.
12. Adaptado de *Raising Healthy Teenagers*, pág. 29.

Capítulo Cuatro

1. *Spiritual Conflicts and Counseling Youth*, manual del seminario Freedom in Christ Youth Ministries, págs. 13,14.

Capítulo Siete

1. Diccionario de la Real Academia Española, 1997, Madrid, España.
2. W. E. Vine, *Vine's Expository Dictionary of Old and New Testament Words, Reference Library Edition*, vol. 3 (Iowa Falls, Iowa: World Bible Publishers, 1981), pág. 279.

IMPORTANTE

En el punto 5 de las referencias de la Introducción, se hace referencia al libro "The Seduction of Our Children", cuyo título fue colocado en español directamente por la traductora. Supongo que debe tratarse de una publicación de Spanish House en español. En ese caso, deben completarse fehacientemente los datos. Lo mismo sucede con las citas Nº 7 y 11 del capítulo 2. (Prestar atención especialmente a los Nº de páginas a los cuales se hace referencia).

En el punto 1 de las referencias del capítulo 7, he decidido cambiar la cita pues, en el caso de la traducción española, se ha utilizado el diccionario de la Real Academia Española.

Apéndices

Apéndice A: Edición Juvenil de los Pasos hacia la Libertad en Cristo
Apéndice B: Pedir Perdón a Quienes Hemos Herido
Apéndice C: Formulario de Permiso de los Padres
Apéndice D: Declaración de Entendimiento (para Menores de Edad)
Apéndice E: Cuestionario Juvenil Personal y Confidencial (versión abreviada)
Apéndice F: Cuestionario Juvenil Personal y Confidencial (versión completa)
Apéndice G: Glosario de Verdad Bíblica para las Luchas de los Adolescentes

Por Favor, fíjese que: se da permiso para copiar los Apéndices A al G únicamente para su uso en consejería individual y en la Iglesia.

Apéndice A

Edición juvenil de los pasos hacia la libertad en Cristo

Prefacio

Estamos profundamente convencidos de que la obra consumada de Cristo y la presencia de Dios en nuestra vida son los únicos medios por los cuales podemos resolver nuestros conflictos personales y espirituales. Cristo en nosotros es nuestra única esperanza (ver Colosenses 1:27) y solo Él puede satisfacer nuestras necesidades más profundas de la vida: aceptación, identidad, seguridad y significado. Estos Pasos no se basan en otra técnica más de consejería. Son un encuentro con Dios. Él es el Admirable Consejero. Él es Aquel que nos ayuda a ver nuestro pecado, confesarlo y darle la espalda. Él da este arrepentimiento que lleva a un conocimiento de la verdad que nos libera (ver 2 Timoteo 2:24-26).

Los Pasos hacia la Libertad en Cristo no te liberan. *Quien* te libera es Cristo y lo *que* te libera es tu respuesta a Él en arrepentimiento y fe. Estos Pasos no son más que una herramienta que te ayuda a someterte a Dios y resistir al diablo (ver Santiago 4:7). Entonces puedes empezar a vivir una vida fructífera reconociendo quién eres en Cristo, pasando tiempo con Él y llegando a ser la persona que Él creó para ser. Muchos cristianos podrán dar estos Pasos por cuenta propia y descubrir la libertad maravillosa que Cristo compró para ellos en la cruz. Entonces experimentarán la paz de Dios que sobrepasa todo entendimiento y que guardará su corazón y su mente (ver Filipenses 4:7).

Las posibilidades de que suceda eso y de mantener esa libertad se verán muy aumentadas si primero lees Stomping Out the Darkness (Emergiendo de las Tinieblas) y The Bondage Breaker (El que Rompe las Ataduras) —Edición Juvenil. Muchos cristianos de nuestro mundo occidental tienen que entender la realidad del mundo espiritual y nuestra relación con éste. Algunos no pueden leer, entendiendo, estos libros, ni siquiera la Biblia, debido a la batalla que se está librando por su mente. Ellos necesitarán la ayuda de alguien que esté preparado para guiarlos por los Pasos hacia la Libertad en Cristo. El proceso teológico y práctico para guiar a otras personas a dar los Pasos hacia la Libertad en Cristo se encuentran explicados en el libro Helping Others Find Freedom in Christ (Ayudando a Otros a Encontrar Libertad en Cristo) y la Guía de Estudio que lo acompaña.

Idealmente, sería óptimo si cada cual tuviera un amigo, pastor o consejero de toda su confianza que lo guiara por este proceso porque justamente aplica la sabiduría de Santiago 5:16: "Confesaos vuestras ofensas unos a otros, y orad unos por otros, para que seáis sanados. La oración eficaz del justo puede mucho". Otra persona puede apoyarlo en oración.

La libertad espiritual es para todo cristiano, joven o viejo. Ser "libre en Cristo" es tener el deseo y el poder para adorar a Dios y hacer Su voluntad. Es conocer la verdad de Dios, creer la verdad de Dios y vivir conforme a la verdad de Dios. Es andar con Dios en el poder del Espíritu Santo y experimentar una vida de amor, gozo y paz. ¡No es una vida perfecta sino de progreso! Todas estas cualidades pueden no ser suyas ahora pero están concebidas para todo el que esté en Cristo.

Si recibió a Cristo como Salvador suyo, Él ya lo hizo libre por Su victoria en la cruz sobre el pecado y la muerte. Sin embargo, experimentar nuestra libertad en Cristo por medio del arrepentimiento y la fe, y mantener nuestra vida de libertad en Cristo son dos cosas diferentes. Fue para libertad que Cristo nos liberó, pero se nos advierte que no regresemos al yugo de esclavitud que es el legalismo en este contexto (ver Gálatas 5:1) o que no hagamos de nuestra libertad una oportunidad para la carne (ver Gálatas 5:13). Afirmar a la gente su libertad en Cristo, les posibilita que caminen por fe de acuerdo con lo que Dios dice que es verdad y que vivan por el poder del Espíritu Santo y no lleven a cabo los deseos de la carne (ver Gálatas 5:16). La vida cristiana verdadera evita el legalismo y el libertinaje a la vez.

Si la libertad no es una realidad constante para ti, puede ser porque no entiendes cómo Cristo puede ayudarte a tratar el dolor del pasado o los problemas de la vida actual. Como todo aquel que conoce a Cristo, tu responsabilidad es hacer lo necesario para mantener una relación recta con Dios y los demás. Tu vida eterna no está en juego; estás a salvo y seguro en Cristo pero la victoria diaria está en juego si no entiendes quién eres en Cristo y vives conforme a esa verdad.

¡Te tenemos buenas noticias! No eres una víctima indefensa agarrada entre dos superpotencias celestiales casi iguales pero opuestas. Satanás es un engañador. Solamente Dios es todopoderoso, siempre presente y lo sabe todo. A veces la presencia y el poder del pecado y del mal en nuestra vida pueden parecer más reales que la presencia de Dios pero eso es parte de la mentira engañadora de Satanás. Satanás es un engañador y quiere que pienses que él es más poderoso de lo que realmente es. También es un enemigo derrotado y tú estás en Cristo, el triunfador.

Entender quién es Dios y quién eres tú en Cristo son los dos factores más importantes que determinan tu victoria diaria sobre el pecado y Satanás. Las causas más grandes de derrota espiritual son las creencias falsas sobre Dios, no entender quién eres tú como hijo de Dios y hacer de Satanás alguien tan poderoso y presente como Dios.

La batalla es por tu mente. Puede que tengas pensamientos molestos como esto no va a funcionar o Dios no me ama. Estos pensamientos son mentiras, plantadas en tu mente por espíritus engañadores. Si las crees, realmente tendrás que luchar fuerte al ir dando estos pasos. Estos pensamientos que se oponen pueden controlarte sólo si los crees.

Si estás dando estos Pasos solo, no prestes atención a ninguno de estos pensamientos mentirosos o amenazadores de tu mente. Si estás dando los Pasos guiado por un pastor de jóvenes, un pastor o un consejero (cosa que recomendamos), entonces, cuéntale todos los pensamientos molestos que tengas. Cada vez que dejas al descubierto una mentira se rompe el poder de Satanás.

La única manera en que puedes perder el control de este proceso es si prestas atención a un espíritu engañador y crees una mentira.

Tienes que cooperar con la persona que trata de ayudarte. Hazlo diciéndole lo que pasa por tu mente. Si sientes algún malestar físico (por ejemplo, dolor de cabeza, náusea, se te aprieta la garganta, etc.) no te alarmes. Sólo dilo a quien esté contigo para que pueda orar por ti.

Como creyentes en Cristo podemos orar con autoridad para detener cualquier proceso de interferencia de parte de Satanás. La oración y la declaración que siguen te pondrán en camino. Todas las oraciones y las declaraciones de los Pasos deben leerse en voz alta.

Oración

Querido Padre Celestial:

Sabemos que Tú siempre estás aquí presente en nuestra vida. Tú eres el único Dios que todo lo sabe, todopoderoso y siempre presente. Te necesitamos desesperadamente puesto que sin Jesús nada podemos hacer. Creemos a la Biblia porque nos dice lo que es realmente verdadero. Renunciamos a creer las mentiras de Satanás. Nos afirmamos en la verdad de que toda autoridad en el cielo y en la tierra ha sido dada al Cristo resurrecto. Porque estamos en Cristo, participamos de Su autoridad para hacer seguidores de Jesús y libertar cautivos. Te pedimos que protejas nuestros pensamientos y mente y que nos conduzcas a toda verdad. Optamos por someternos al Espíritu Santo. Por favor, revélanos todo lo que quieres que tratemos hoy. Te pedimos Tu sabiduría en la que confiamos. Rogamos Tu protección completa sobre nosotros. En el nombre de Jesús. Amén.

Declaración

En el nombre y autoridad del Señor Jesucristo mandamos a Satanás y a todos los espíritus malignos

> que suelten a (nombre) para que (nombre) sea libre para conocer y hacer la voluntad de Dios. Como hijos de Dios sentados con Cristo en los lugares celestiales, estamos de acuerdo en que todo enemigo del Señor Jesucristo sea mandado callarse. Decimos a Satanás y a todos sus obreros malignos que no pueden infligir ningún dolor ni evitar en forma alguna que la voluntad de Dios sea cumplida hoy en la vida de (nombre).

Los siete Pasos que siguen están concebidos para ayudarte a librarte de tu pasado. Tratarás las áreas en que Satanás corrientemente nos saca ventaja y donde se han construido fortalezas. Cristo adquirió tu victoria cuando derramó Su sangre en la cruz por ti. Darte cuenta de tu libertad será el resultado de que optes por creer, confesar, perdonar, renunciar y abandonar. Nadie puede hacer eso por ti. La batalla por tu mente puede ser ganada solamente en la medida en que personalmente elijas la verdad.

Al ir dando estos Pasos hacia la Libertad, recuerda que Satanás no puede leer tu mente así que no está obligado a obedecer tus pensamientos. Solamente Dios sabe lo que piensas. Al dar cada paso es importante que te sometas a Dios internamente y resistas al diablo leyendo en voz alta cada oración: renunciando, perdonando, confesando, etc., en forma verbal.

Vas a dar una buena mirada a tu vida para ponerte radicalmente bien con Dios. Si resulta que tienes otra clase de problemas (no cubiertos en estos Pasos) que te afectan negativamente la vida, no pierdes nada con hacer esto. Si eres sincero en este momento, de todos modos te beneficiarás mucho al ponerte bien con Dios y acercarte otra vez a Él.

Qué el Señor toque grandemente tu vida durante este tiempo. Él te dará la fuerza para terminar esto. Es importante que des *todos* los Pasos, así que no te permitas descorazonarte ni rendirte. ¡Recuerda que la libertad para todos los creyentes que Cristo compró en la cruz está concebida para ti también!

Paso 1
Falso contra real

El primer paso hacia la libertad en Cristo es renunciar (rechazar y darle la espalda a toda relación pasada, presente o futura) a toda participación en prácticas ocultistas de inspiración satánica, cosas hechas en secreto y religiones no cristianas. Debes renunciar a toda actividad o grupo que niegue a Jesucristo, que ofrezca guía por medio de cualquier otra fuente que no sea la autoridad absoluta de la Palabra de Dios escrita, o que exija iniciaciones, ceremonias o pactos (acuerdos, convenios) secretos. Empieza con la siguiente oración:

> Querido Padre celestial:
>
> Te pido que guardes mi corazón y mi mente y me reveles todo lo que yo haya hecho o me haya sido hecho que sea malo espiritualmente. Revélame toda y cualquier participación que yo haya tenido, a sabiendas o no, con prácticas sectarias u ocultistas, y/o maestros falsos. Yo pido esto en el nombre de Jesús. Amén.

Aunque hayas participado en algo como un juego o broma, tienes que renunciar. Satanás tratará de aprovecharse de todo lo que pueda en nuestra vida. Aunque hayas estado ahí, de pie, mirando a los demás que lo hacían, tienes que renunciar a eso. Tú tienes que eliminar todo asidero posible de Satanás en tu vida.

Cuestionario de experiencias espirituales no-cristianas

(Por favor, marca todas las que se te apliquen)

- ☐ Sensación de estar fuera del cuerpo (Proyección astral)
- ☐ María Sanguinaria (Bloody Mary)
- ☐ Levantar mesas o cuerpos (livianos como plumas)
- ☐ La octava bola mágica
- ☐ Usar conjuros o maldiciones
- ☐ Control mental de los demás
- ☐ Escritura automática
- ☐ Guía(s) espiritual(es)
- ☐ Adivinar la suerte
- ☐ Cartas del Tarot
- ☐ Lectura de las manos y/o de las hojas del té
- ☐ Astrología/horóscopos
- ☐ Hipnosis
- ☐ Sesiones [de espiritismo]
- ☐ Magia negra o blanca
- ☐ (Fosos y Dragones [Dungeons and Dragons] u otros juegos en que se desempeñan papeles fantásticos como "Magic", etc.)
- ☐ Juegos de video o computadora que comprendan poderes ocultos o violencia cruel.
- ☐ Pactos de sangre o tajearte a ti mismo
- ☐ Objetos de adoración/amuletos para la buena suerte
- ☐ Supersticiones
- ☐ Espíritus sexuales
- ☐ Mormonismo (Santos de los Últimos Días)
- ☐ Nueva Era
- ☐ Medicina estilo Nueva Era (uso de cristales)
- ☐ Masones
- ☐ Ciencia Cristiana
- ☐ Ciencia de la Mente
- ☐ Ciencia de la inteligencia creadora
- ☐ El Camino Internacional
- ☐ La Iglesia de la unificación (Moonies)
- ☐ El Foro (EST)
- ☐ Iglesia de la Palabra Viva
- ☐ Niños de Dios (Niños del Amor)
- ☐ Cientificismo
- ☐ Unitarianismo
- ☐ Roy Masters
- ☐ Control Mental Silva
- ☐ Meditación Trascendental
- ☐ Yoga
- ☐ Cánticos/Mantras
- ☐ Hare Krishna
- ☐ Fe B'hai o bahaísmo
- ☐ Adoración de espíritus
- ☐ Ídolos: estrellas de rock; actores/actrices. Héroes deportistas, etc.
- ☐ Islam
- ☐ Musulmanes/Musulmanes negros
- ☐ Artes Marciales (abarcando el misticismo oriental, la meditación o la devoción al sensei [maestro])
- ☐ Budismo (incluyendo el Zen)
- ☐ Rosacruces
- ☐ Hinduismo
- ☐ Otros ______________________
  ____

(Nota: Esta lista no es completa. Si tienes dudas sobre una actividad no incluida aquí, renuncia a tu participación en eso. Si se te vino a la mente aquí, ten la seguridad de que el Señor quiere que renuncies a eso).

(Anota en especial aquellas que glorifican a Satanás, las que te produjeron miedo o pesadillas o fueron groseramente violentas).

Películas Anticristianas	Música Anticristiana
__________	__________
__________	__________
Programas Anticristianos de laTV o Juegos de Video Anticristianos	**Libros, Revistas e Historietas Anticristianos**
__________	__________
__________	__________

1. ¿Alguna vez has oído o visto o sentido un ser espiritual malo en tu cuarto?
2. ¿Tienes o tuviste un amigo imaginario o guía espiritual o ángel que te ofreciera guía o compañía?
3. ¿Has oído voces en tu cabeza o has tenido pensamientos negativos, repetidos y molestos como: *soy tonto, soy feo, nadie me ama, no puedo hacer nada bueno,* etc., como si hubiera una conversación en tu cabeza? Explica.
4. ¿Alguna vez has consultado con un médium, espiritista o canalizador?
5. ¿Qué otras experiencias espirituales has tenido que fueran consideradas como extraordinarias (contacto con extraterrestres, etc.)?
6. ¿Has participado alguna vez en ritos de adoración satánicos de cualquier clase o has ido a conciertos donde Satanás era el centro?
7. ¿Alguna vez hiciste un voto o un pacto?

Una vez que hayas completado la lista, confiesa y renuncia a cada cosa en que estuviste involucrado, orando en voz alta la oración que sigue (repitiéndola por separado para cada punto de tu lista):

> Señor, yo confieso que he participado en________. Yo renuncio a________.y a toda clase de influencia y participación en________, y te agradezco que en Cristo yo estoy perdonado/a.

Si has estado metido en cualquier clase de rituales satánicos o intensa actividad ocultista, tienes que decir en voz alta las siguientes renuncias y afirmaciones especiales que correspondan. Lee la página entera, renunciando al primer ítem de la columna del Reino de las Tinieblas y, luego, afirmando la primera verdad de la columna del Reino de la Luz. Sigue hacia abajo de la página en esa forma.

Reino de las tinieblas	Reino de la luz
1. Yo renuncio a haber cedido mi nombre a Satanás o a haber dejado que alguien haya cedido mi nombre a Satanás.	1. Yo proclamo que mi nombre está ahora escrito en el Libro de la Vida del Cordero.
2. Yo renuncio a toda ceremonia donde yo haya sido casado con Satanás.	2. Yo proclamo que yo soy la esposa de Cristo.
3. Yo renuncio a todos los pactos, acuerdos o promesas que hice con Satanás.	3. Yo proclamo que soy partícipe del Nuevo Pacto con Jesucristo solamente.
4. Yo renuncio a todos los cometidos satánicos para mi vida, incluyendo deberes, matrimonio e hijos.	4. Yo proclamo, y me comprometo a conocer y hacer solamente la voluntad de Dios y aceptar solamente Su guía para mi vida.
5. Yo renuncio a todos los guías espirituales asignados a mí.	5. Yo proclamo y acepto solamente la dirección del Espíritu Santo.
6. Yo renuncio a haber dado mi sangre en el servicio a Satanás.	6. Yo confío solamente en la sangre derramada de mi Señor Jesucristo.
7. Yo renuncio a haber comido carne o bebido sangre en adoración satánica.	7. Por fe participo en la Comunión que representa la carne y la sangre del Señor Jesús.
8. Yo renuncio a todos los guardianes y padres satanistas que me asignaron.	8. Yo proclamo que Dios es mi Padre celestial y que el Espíritu Santo es mi guardián por el cual soy sellado.
9. Yo renuncio a todo bautismo por el cual yo soy identificado con Satanás.	9. Yo proclamo que fui bautizado en Cristo Jesús y mi identidad ahora está en Él.
10. Yo renuncio a todos los sacrificios hechos por mi cuenta y por los cuales Satanás puede reclamarme como de su propiedad.	10. Yo proclamo que solamente el sacrificio de Cristo tiene derecho sobre mí. Yo le pertenezco a Él. Fui comprado por la sangre del Cordero.

Todos los rituales, pactos (promesas) y cometidos satánicos deben ser específicamente renunciados a medida que el Señor te los recuerde. Algunas personas que fueron sometidas a abuso ritual satánico (ARS) pueden haber desarrollado personalidad múltiple (otras personalidades alternativas) para tolerar el dolor. En tal caso, necesitas a alguien que entienda de conflictos espirituales para que te ayude a mantener el control y no ser engañado por recuerdos falsos. Puedes continuar dando los Pasos hacia la Libertad en Cristo para resolver todo aquello de que te das cuenta. Solamente Jesús puede sanar a los quebrantados de corazón, liberar a los cautivos y hacernos íntegros.

Paso 2
Engaño contra verdad

La Palabra de Dios es verdadera, y tenemos que aceptar la verdad profunda en nuestro corazón (ver Salmo 51:6) ¡Lo que Dios dice es verdadero sea que sintamos que es verdad o no!

Jesús es la verdad (ver Juan 14:6), el Espíritu Santo es el Espíritu de verdad (ver Juan 16:13) y la Palabra de Dios es verdad (ver Juan 17:11). Tenemos que hablar la verdad con amor (ver Efesios 4:15). El que cree en Cristo no tiene por qué engañar a los demás en ninguna forma, sea mintiendo, exagerando, diciendo mentirillas o estirando la verdad. Satanás es el padre de mentira (ver Juan 8:44) y trata de mantener a la gente esclavizada por medio del engaño (ver 2 Timoteo 2:26; Apocalipsis 12:9), pero es la verdad en Jesús lo que nos hace libres (ver Juan 8:32-36).

Encontraremos gozo y libertad reales cuando dejemos de vivir una mentira y andemos abiertamente en la verdad. El rey David escribió después de confesar su pecado: "Bienaventurado el hombre... en cuyo espíritu no hay engaño" (Salmo 32:2).

¿Cómo hallar la fuerza para andar en la luz (ver 1 Juan 1:7-9)? Cuando estemos seguros de que Dios nos ama y acepta, podemos ser libres para admitir nuestro pecado, enfrentar la realidad y no salir corriendo a escondernos de las circunstancias dolorosas.

Empieza este paso crucial diciendo en voz alta la siguiente oración. No dejes que ningún pensamiento contradictorio como *esto es una pérdida de tiempo* o *desearía creer esto pero no puedo*, te impidan orar y elegir la verdad. Creer es una opción. Si optas por creer lo que sientes, entonces Satanás, "el padre de mentira", te mantendrá esclavizado. Debemos optar por creer lo que dice Dios independientemente de lo que puedan decir nuestros sentimientos. Aunque te cueste hacerlo, di la siguiente oración:

> Amado Padre celestial:
>
> Sé que Tú deseas que yo enfrente la verdad y que sea honesto Contigo. Sé que optar por la verdad me hará libre. He sido engañado por Satanás y me he engañado a mí mismo. Pensé que podía esconderme de

Ti pero Tú ves todo y aún me amas. Yo oro en el nombre del Señor Jesucristo pidiéndote que Tú reprendas a todos los demonios de Satanás que me están engañando. Por fe te he recibido en mi vida y ahora estoy sentado en los lugares celestiales con Cristo (Efesios 2:6). Admito tener la responsabilidad de someterme a Ti y la autoridad para resistir al diablo y cuando lo haga, él huirá de mí (Santiago 4:7).

Yo he confiado sólo en Jesús para que me salve, así que yo soy tu hijo perdonado. Porque me aceptas tal como soy en Cristo, puedo ser libre para enfrentar mi pecado. Te pido que el Espíritu Santo me guíe a toda la verdad. Te pido: "Examíname, oh Dios, y conoce mi corazón; pruébame y conoce mis pensamientos; y ve si hay en mí camino de perversidad, y guíame en el camino eterno" (Salmo 139:23,24). Oro en el nombre de Jesús. Amén.

Satanás, "el dios de este mundo" (2 Corintios 4:4), trata de engañarnos en muchas formas. Al igual que como hizo con Eva, el diablo trata de convencernos para que confiemos en nosotros mismo y tratemos de satisfacer nuestras necesidades por medio del mundo que nos rodea, antes que confiar en la providencia de nuestro Padre celestial.

Maneras en que puedes ser engañado por el mundo:

△ Creyendo que acumular dinero y posesiones trae felicidad (ver Mateo 13:22; 1 Timoteo 6:10).

△ Creyendo que comer y tomar alcohol sin freno me hará feliz (ver Proverbios 20:1; 23:19-21).

△ Creyendo que un cuerpo y personalidad atractivos y sensuales me conseguirán lo que quiero o necesito (ver Proverbios 31:10; 1 Pedro 3:3,4).

△ Creyendo que la satisfacción de la lujuria sexual me traerá verdadera realización (ver Efesios 4:22; 1 Pedro 2:11).

△ Creyendo que puedo pecar y salirme con la mía en esto sin que mi corazón y mi carácter sean afectados (ver Hebreos 3:12,13).

- △ Creyendo que mis necesidades no pueden ser totalmente satisfechas por Dios (ver 2 Corintios 11:2-4,13-15).
- △ Creyendo que soy importante y fuerte y que puedo hacer lo que quiera y que ¡nadie puede tocarme! (ver Proverbios 16:18; Abdías 1:3; 1 Pedro 5:5).

Usa la siguiente oración de confesión por cada punto de la lista anterior que hayas creído. Ora por cada punto en forma separada.

> Señor, confieso que he sido engañado por________. Te agradezco por Tu perdón y me comprometo a creer solamente Tu verdad. Amén.

Además, es importante que sepas que aparte de ser engañado por el mundo, los falsos maestros y los espíritus engañadores, tú mismo puedes engañarte también. Ahora que estás vivo en Cristo, perdonado y totalmente aceptado, no debes vivir una mentira ni defenderte como acostumbrabas antes. Ahora Cristo es tu verdad y defensa.

Maneras en que puedes engañarte a ti mismo:

- □ Oyendo la Palabra de Dios sin hacerla (ver Santiago 1:22; 4:17).
- □ Diciendo que no tengo pecado (ver 1 Juan 1:8).
- □ Pensando que soy algo que no soy (ver Gálatas 6:3).
- □ Pensando que soy sabio en las cosas de este mundo (ver 1 Corintios 3:18,19).
- □ Pensando que puedo ser un buen cristiano y seguir hiriendo a los demás por lo que digo (ver Santiago 1:22).
- □ Pensando que mi pecado secreto sólo me herirá a mí pero no a los demás (como pornografía, voyeurismo, odio) (ver Éxodo 20:4,5).

Usa la siguiente oración de confesión por cada punto de la lista anterior que hayas creído. Ora por cada punto en forma separada.

> Señor, confieso que me he engañado por________. Te agradezco por Tu perdón y me comprometo a creer Tu verdad.

Malas maneras de defenderte a ti mismo:

- ☐ Rechazando enfrentarme con las cosas malas que me han pasado (negación de la realidad).
- ☐ Escapando del mundo real fantaseando, viendo películas en la TV, jugando los juegos de la computadora o video, oyendo música, etc., (fantasía).
- ☐ Apartándome de la gente para evitar el rechazo (aislamiento emocional).
- ☐ Revirtiéndome a épocas pasadas de mi vida menos amenazadoras (regresión).
- ☐ Desquitándome de mis frustraciones en otras personas (desplazamiento del enojo).
- ☐ Culpando a otras personas de mis problemas (proyección).
- ☐ Fabricando disculpas por mi mala conducta (racionalización).

Usa la siguiente oración de confesión por cada punto de la lista anterior que hayas creído. Ora por cada punto en forma separada.

> Señor, confieso que me he defendido malamente por________. Te agradezco por perdonarme. Me comprometo a confiar en Ti para que me defiendas y protejas.

A veces nos estorba muchísimo nuestro andar por fe en nuestro Padre Dios debido a las mentiras sobre Él que hemos creído. Tenemos que tener un sano temor de Dios (respeto asombrado de Su santidad, poder y presencia) pero no asustarnos de Él. Romanos 8:15 dice: "pues no habéis recibido un espíritu de esclavitud para volver otra vez al temor, sino que habéis recibido un espíritu de adopción como hijos, por el cual clamamos ¡Abba, Padre!" El siguiente ejercicio te ayudará a romper las cadenas con esas mentiras y te capacitará para empezar a experimentar esa íntima relación de "Abba, Padre" con Él.

Revisa la siguiente lista, de a uno por uno, de izquierda a derecha. Empieza cada punto con la declaración que está al comienzo de la lista. Lee en voz alta toda la lista.

Renuncio a la mentira que dice que mi Padre celestial es

1. distante o desinteresado.
2. insensible o indiferente.
3. severo o exigente.
4. pasivo o frío.
5. ausente o demasiado ocupado como para atenderme a mí.
6. nunca satisfecho con lo que hago, impaciente o enojado.
7. malo, cruel o abusador.
8. trata de quitarme toda la diversión de la vida.
9. dominante o manipulador.
10. condenador y que no perdona.
11. detallista, fastidioso o perfeccionista.

Acepto la verdad que dice que mi Padre celestial es...

1. íntimo e interesado (Salmos 139.1-18).
2. bueno y compasivo (Salmo 103:8-14).
3. aceptador y está lleno de gozo y amor (Sofonías 3:17; Romanos 15:7).
4. tierno y afectuoso (Isaías 40:11; Oseas 11:3,4).
5. siempre conmigo y ansioso de pasar tiempo conmigo (Jeremías 31:20; Ezequiel 34:11-16; Hebreos 13:5).
6. paciente, lento para la ira y complacido conmigo en Cristo (Éxodo 34:6; 2 Pedro 3:9).
7. amoroso, amable y protector para conmigo (Salmo 18:2; Isaías 42:3; Jeremías 31:3).
8. confiable. Él quiere darme una vida abundante. Su voluntad es buena, perfecta y aceptable para mí (Lamentaciones 3:22,23; Juan 10:10; Romanos 12:1,2).
9. misericordioso, está lleno de gracia y me da la libertad para fallar (Lucas 15:11-16; Hebreos 4:15,16).
10. de corazón tierno y perdonador. Su corazón y sus brazos siempre están abiertos para mí (Salmo 130:1-4; Lucas 15:17-24).
11. Quien está comprometido con mi crecimiento y orgulloso de mí como Su hijo que crece (Romanos 8:28,29; 2 Corintios 7:4; Hebreos 12:5-11).

Parte central de andar en la verdad y rechazar el engaño es tratar los miedos que minan nuestra vida. Primera de Pedro 5:8 dice que nuestro enemigo, el diablo, anda dando vueltas rugiendo como león y buscando a quién devorar. Al igual que el rugido del león aterroriza el corazón de quienes lo escuchan, así Satanás usa el miedo para tratar de paralizar a los cristianos. Sus tácticas de intimidación están pensadas para robarnos la fe en Dios y empujarnos a que satisfagamos nuestras necesidades por medio del mundo o la carne.

El miedo nos debilita, nos pone egocéntricos y nubla nuestra mente de modo que lo único en que podemos pensar es en lo que nos asusta, pero el miedo puede dominarnos solamente si lo dejamos.

No obstante, Dios no quiere que seamos controlados por nada, ni siquiera por el miedo (ver 1 Corintios 6:12). Jesucristo tiene que ser nuestro único Amo (ver Juan 13:13; 2 Timoteo 2:21). Para empezar a experimentar la libertad de la esclavitud del temor y poder andar por fe en Dios, di en voz alta la siguiente oración de todo corazón:

> Amado Padre celestial:
>
> Te confieso que he escuchado el rugido del diablo y he permitido que el miedo me domine. No siempre he andado por fe en Ti sino que me he enfocado en mis sentimientos y circunstancias (2 Corintios 4:16-18; 5:7). Te agradezco por perdonarme por mi incredulidad.
>
> Ahora mismo renuncio al espíritu de temor y afirmo la verdad que dice que Tú no me has dado espíritu de temor sino de poder, amor y dominio propio (2 Timoteo 1:7).
>
> Señor, por favor, revélame ahora todos los miedos que me han estado controlando para que pueda renunciar a ellos y ser libre para andar por fe en Ti
> Te agradezco la libertad que me das para andar por fe y no por temor. Oro en el poderoso nombre de Jesús. Amén

La siguiente lista puede servirte para que reconozcas algunos de los miedos que el diablo ha usado para impedirte andar por fe. Marca los que se apliquen a tu vida. Anota otros que el Espíritu de Dios te haga recordar. Entonces renuncia a esos temores también, de a uno por uno, en voz alta, usando la renuncia sugerida que sigue a la lista.

- ☐ Miedo a la muerte
- ☐ Miedo al diablo
- ☐ Miedo al fracaso
- ☐ Miedo al rechazo de la gente
- ☐ Miedo a no ser aprobado
- ☐ Miedo a tener problemas financieros
- ☐ Miedo de no casarse nunca
- ☐ Miedo de volverse homosexual
- ☐ Miedo de que un ser querido se muera
- ☐ Miedo de ser un caso perdido
- ☐ Miedo de perder mi salvación
- ☐ Miedo de haber cometido el pecado imperdonable
- ☐ Miedo de no ser amado por Dios
- ☐ Miedo de no poder ser capaz de amar o ser amado por alguien
- ☐ Miedo a la vergüenza
- ☐ Miedo a ser engañado
- ☐ Miedo al matrimonio
- ☐ Miedo al divorcio
- ☐ Miedo a enloquecerse
- ☐ Miedo al dolor
- ☐ Otros miedos específicos que ahora me vienen a la mente

Renuncio al miedo de/a (nombrar el temor) porque Dios no me ha dado espíritu de temor. Opto por vivir por fe en Dios que ha prometido protegerme y satisfacer todas mis necesidades al andar por fe en Él (Salmo 27:1; Mateo 6:33,34).

Luego que hayas terminado de renunciar a todos los miedos específicos que habías permitido que te dominen, di la siguiente oración de todo corazón:

Amado Padre celestial:

Te agradezco porque Tú eres confiable. Opto por creerte aunque mis sentimientos y circunstancias me digan que tema. Me has dicho que no tema pues Tú estás conmigo; que no ande cuidándome ansiosamente pues Tú eres mi Dios. Tú me fortalecerás, me ayudarás y ciertamente me sostendrás con Tu diestra de justicia (Isaías 41:10). Yo oro esto con fe en el nombre de Jesús, mi Señor.

Optar por la verdad puede ser difícil si has estado viviendo una mentira y has sido engañado por un cierto tiempo. Los cristianos sólo necesitan una defensa, Jesús. Saber que estás completamente perdonado y aceptado como hijo de Dios, te liberta para enfrentar la realidad y declarar tu total dependencia de Él.

La fe es la respuesta bíblica a la verdad; creer la verdad es una opción que todos podemos elegir. Si tú dices: "Yo quiero creerle a Dios, pero simplemente no puedo", estás siendo engañado. ¡Claro que puedes creerle a Dios porque lo que dice Dios siempre es verdad!

La fe es algo que decides hacer, sientas o no ganas de hacerlo. Creer la verdad no la hace verdadera sino que **es verdad y, por tanto, la creemos.**

El movimiento de la Nueva Era distorsiona la verdad diciendo que creamos realidad por medio de lo que creemos. No podemos crear realidad con nuestra mente; nosotros enfrentamos la realidad con nuestra mente. Aquí la clave no es "tener fe". La clave es lo que crees o a quién crees. Mira, todos creen en algo y todos viven por fe de acuerdo a lo que creen. La pregunta es ¿el objeto de tu fe... es confiable? Si lo que crees no es verdadero, entonces, tu manera de vivir no será buena.

Por siglos los cristianos han sabido que es importante decir a los demás lo que creen. Lee en voz alta la siguiente Declaración de Verdad, pensando las palabras a medida que las lees. Léelas cada día durante varias semanas. Esto te servirá para renovar tu mente y reemplazar con la verdad todas las mentiras que has creído.

Declaración de la verdad

1. Creo que hay un solo Dios verdadero y vivo (Éxodo 20:2-3), que es el Padre, Hijo y Espíritu Santo. Él es digno de todo honor, alabanza y gloria. Creo que Él hizo todas las cosas y las sostiene (Colosenses 1:16,17).
2. Reconozco a Jesucristo como el Mesías, el Verbo que se hizo carne y habitó entre nosotros (Juan 1:1,14). Creo que Él vino para destruir las obras de Satanás (1 Juan 3:8), que Él despojó a los principados y a las potestades, exhibiéndolos públicamente, habiendo triunfado sobre ellos (Colosenses 2:15).
3. Creo que Dios ha mostrado Su amor por mí, porque aun cuando yo era pecador, Cristo murió por mí (Romanos 5:8). Creo que Él me salvó del dominio del poder tenebroso de Satanás y me trasladó al reino de Su hijo, que perdona mis pecados y me hace libre (Colosenses 1:13-14).
4. Creo que soy espiritualmente fuerte porque Jesús es mi fortaleza. Tengo autoridad para resistir a Satanás porque soy hijo de Dios (1 Juan 3:1-3). Creo que fui salvo por la gracia de Dios por medio de la fe, y que fue un regalo y no resultado de alguna obra de mi parte (Efesios 2:8,9).
5. Decido ser fuerte en el Señor y en el poder de Su fuerza (Efesios 6:10). No tengo confianza alguna en la carne (Filipenses 3:3) porque las armas de mi lucha no son carnales, sino poderosas en Dios para la destrucción de fortalezas (2 Corintios 10:4). Me visto con toda la armadura de Dios (Efesios 6:10-20) y estoy decidido a estar firme en mi fe y a resistir al maligno (1 Pedro 5:8,9).
6. Creo que separado de Cristo nada puedo hacer (Juan 15:5) pero todo lo puedo por medio de Aquel que me fortalece (Filipenses 4:13). Por tanto, elijo confiar totalmente en Cristo. Escojo permanecer en Cristo para llevar mucho fruto y glorificar al Señor (Juan 15:8). Proclamo a Satanás que Jesús es mi Señor (1 Corintios

12:3) y rechazo todos los dones u obras falsificadas de Satanás en mi vida.

7. Creo que la verdad me hará libre (Juan 8:32). Me resisto firmemente contra las mentiras de Satanás, llevando cada pensamiento cautivo a la obediencia a Cristo (2 Corintios 10:5). Creo que la Biblia es la única guía confiable para mi vida (2 Timoteo 3:15-16). Escojo hablar la verdad en amor (Efesios 4:15).
8. Opto por presentar mi cuerpo como instrumento de justicia, en sacrificio vivo y santo, y renovar mi mente con la Palabra de Dios (Romanos 6:13; 12:1,2). Me despojo del viejo hombre con sus malas costumbres y me visto con el nuevo hombre (Colosenses 3:9-10). Soy una nueva criatura en Cristo (2 Corintios 5:17).
9. Confío en mi Padre celestial para que dirija mi vida y que me dé el poder de vivir por el Espíritu Santo (Efesios 5:18), a fin de ser guiado a toda la verdad (Juan 6:13). Creo que Él me dará la fuerza para vivir sin pecado y no satisfacer el deseo de mi carne. Crucifico la carne optando por ser guiado por el Espíritu Santo y obedecerle (Gálatas 5:16,24).
10. Renuncio a todas las metas egoístas y escojo la meta más grandiosa del amor (1 Timoteo 1:5). Decido obedecer los dos mandamientos más grandes: amar al Señor, mi Dios, con todo mi corazón, alma y mente, y amar a mi prójimo como a mí mismo (Mateo 22:37-39).
11. Creo que Jesús tiene toda autoridad en el cielo y en la tierra (Mateo 28:18) y que Él gobierna sobre todo (Colosenses 2:10). Creo que Satanás y sus demonios fueron derrotados por Cristo y están sujetos a mí porque soy un miembro del Cuerpo de Cristo (Efesios 1:19,20; 2:6). Así que, obedezco el mandamiento de someterme a Dios y resistir al diablo (Santiago 4:7) y le mando a Satanás, por el poder y la autoridad del Señor Jesucristo, que se vaya de mi presencia.

Paso 3
Rencor contra perdón

Cuando no perdonas a los que te hieren, te vuelves un blanco bien visible para Satanás. Dios nos manda perdonar a los demás como hemos sido perdonados (Efesios 4:32). Tienes que obedecer este mandamiento para que Satanás no pueda sacarte ventaja (2 Corintios 2:10,11). Los cristianos tienen que perdonarse unos a otros y ser misericordiosos porque nuestro Padre celestial ha sido misericordioso con nosotros (Lucas 6:36).

Pídele a Dios que te haga recordar los nombres de aquellas personas a quienes tienes que perdonar diciendo en voz alta la siguiente oración. (¡Recuerda dejar que esta oración salga de tu corazón como asimismo de tu boca!)

> Amado Padre celestial:
>
> Te agradezco por Tu gran bondad y paciencia, que me han conducido a arrepentirrme de mis pecados (Romanos 2:4). Sé que no siempre he sido completamente bueno, paciente y amoroso con los que me han ofendido. He tenido malos pensamientos y sentimientos para con ellos. Te pido que me hagas recordar a toda la gente que tengo que perdonar (Mateo 18:35). También te pido que saques a la superficie todos mis recuerdos dolorosos para que pueda escoger perdonar a esa gente con todo mi corazón. Oro esto en el precioso nombre de Jesús que me ha perdonado y que me sanará de mis heridas. Amén.

En un papel haz una lista de toda la gente que te venga a la mente. En este punto no cuestiones si tienes que perdonar o no a cierta persona. Si se te ocurre un nombre, anótalo.

Por último, escribe "yo mismo" al final de la lista. Perdonarte significa aceptar la limpieza y el perdón de Dios. También escribe "pensamientos contra Dios". A veces, abrigamos pensamientos enojados contra Dios.

Podemos esperar o hasta exigir que Dios actúe de cierto modo en nuestra vida, y cuando no hace lo que queremos en la forma que queremos, nos podemos enojar. Esos sentimientos pueden volverse como una pared entre nosotros y Dios y, aunque, en realidad, no tenemos que perdonar a Dios porque Él es perfecto, tenemos que soltar esos sentimientos.

Antes que empieces a trabajar el proceso de perdonar a la gente de tu lista, detente a pensar qué es y qué no es el perdón de verdad.

Perdonar no es olvidar. La gente que quiere olvidar todo su dolor antes de ponerse a perdonar, encuentra frecuentemente que no puede. Dios nos manda personar ahora. A veces surge confusión porque la Escritura dice que Dios no recordará más nuestros pecados (Hebreos 10:17). Pero Dios conoce todo y no puede "olvidar" como si no tuviera memoria de nuestro pecado. Su promesa es que Él nunca usará el pasado contra nosotros (Salmo 103:10). La clave aquí es ésta: Puede que nosotros no seamos capaces de olvidar nuestro pasado pero podemos liberarnos de eso perdonando a los demás. Cuando les echamos en cara el pasado a otras personas, demostramos que aún no los hemos perdonado (ver Marcos 11:25).

El perdón es una opción, una decisión de la voluntad. Puesto que Dios nos manda perdonar, es algo que sí podemos hacer. Perdonar parece difícil porque va en contra de nuestro sentido de lo que es justo y equitativo. Naturalmente queremos la venganza por las ofensas sufridas pero Dios nos dice que nunca nos venguemos por nuestra propia cuenta (Romanos 12:19). Quizás estés pensando *¿Por qué debería dejarlo libre?* ¡Precisamente ésa es la cuestión! En la medida en que no perdones, ¡sigues enganchado con los que te hirieron! Sigues encadenado al pasado. Perdonando, los sueltas de tu gancho pero no del gancho de Dios. Debemos confiar que Él tratará con justicia, equidad y misericordia a la otra persona, cosa que nosotros no podemos hacer.

Tú dirás: "¡pero usted no sabe cuánto me ha herido esta persona!" Pero ellos seguirán siendo capaces de herirte hasta que tú no sueltes tu odio y rabia. Tú detienes finalmente el dolor perdonándolos. Perdonas por ti mismo, para poder liberarte. El perdón es principalmente cuestión de obediencia entre tú y Dios. Él quiere que tú seas libre; ésta es la única manera.

Perdonar es decidir vivir con las consecuencias del pecado de otra persona. Perdonar cuesta caro. Tú optas por pagar el precio de la maldad que perdonas. Pero de todos modos vas a vivir con esas consecuencias, quieras o no. Tu única opción es decidir si vivirás amargado en la esclavitud del rencor o con la libertad del perdón. Por supuesto que Jesús asumió las consecuencias eternas de todo pecado sobre Sí mismo. "Al que no conoció pecado, por nosotros lo hizo pecado, para que nosotros fuésemos hechos justicia de Dios en Él" (2 Corintios 5:21). Sin embargo, tenemos que aceptar las consecuencias temporales de lo que se nos hizo porque nadie perdona realmente sin sufrir las consecuencias del pecado ajeno. Eso puede parecer injusto y nos preguntamos: *¿dónde está la justicia?* Se halla en la cruz, que hace al perdón legal y moralmente correcto. Cuando los que crucificaron a Jesús se burlaban y se reían, Jesús oraba: "Padre, perdónalos porque no saben lo que hacen" (Lucas 23:34).

¿Cómo se perdona de corazón? Permite que Dios saque a la superficie toda la agonía mental, el dolor emocional y los sentimientos de odio para con quienes te hirieron. Si tu perdón no abarca el núcleo emocional de tu vida, será incompleto. Con demasiada frecuencia tratamos de enterrar el dolor dentro de nosotros, dificultando mucho el contacto con lo que sentimos en realidad. Aunque puede que no sepamos cómo o ni siquiera querramos traer a la superficie nuestros sentimientos, Dios sí sabe y quiere. Deja que Dios saque a la superficie el dolor para que Él pueda tratarlo. Ahí es donde empieza el bondadoso proceso de sanidad de Dios.

El perdón es la decisión de no usar la ofensa de ellos contra ellos. No es raro que recordemos un hecho doloroso del pasado y veamos que vuelven la rabia y el odio. Es tentador volver a poner sobre el tapete el asunto con aquellos que nos hirieron para hacerlos sentirse mal. Pero debemos optar por llevar ese pensamiento de venganza cautivo a la obediencia de Cristo y escoger mantener el perdón

Esto no significa que sigas tolerando el pecado ajeno futuro. Dios no tolera el pecado y tampoco tú. Ni te pongas en la posición de ser continuamente maltratado y herido por los pecados de los demás. Tienes que adoptar una postura en contra del pecado mientras que sigues perdonando a los que te hieren.

No esperes para perdonar hasta que sientas deseos de hacerlo. Nunca los sentirás. Tus emociones empezarán a sanar una vez que hayas obedecido el mandamiento de Dios de perdonar. Satanás habrá perdido su poder sobre ti en ese aspecto y el toque sanador de

Dios tomará lugar. Por ahora, ganarás libertad pero no necesariamente un sentimiento.

Mientras oras, puede que Dios te haga recordar cosas dolorosas que habías olvidado totalmente. Deja que haga eso aunque duela. Dios quiere que seas libre; perdonar a esas personas es la única forma. No trates de disculpar la conducta del ofensor aunque sea alguien cercano a ti.

Recuerda que el perdón es tratar tu propio dolor y dejar a la otra persona para que se las arregle con Dios. Los sentimientos buenos seguirán a su tiempo. Liberarte del pasado es lo importante ahora.

No digas: "Señor, ayúdame a perdonar" pues Él ya te está ayudando y estará contigo todo el tiempo a través del proceso. No digas: "Señor, yo quiero perdonar" porque con eso pasas de largo la difícil decisión que debemos hacer. Di: "Señor, yo perdono". Al ir recorriendo la lista, quédate con cada persona hasta estar seguro de que trataste todo el dolor recordado, todo lo que hizo la persona que te hirió y cómo te hizo sentir (rechazado, no querido, indigno, sucio, etc.). Ya es hora de empezar. Por cada persona de la lista ora en voz alta:

Comienzo:

> Señor, yo perdono a (nombre) por (di lo que te hicieron que te dolió) aunque eso me hizo sentir (aquí hablas de los recuerdos o sentimientos dolorosos).

Una vez que hayas tratado cada ofensa que haya venido a tu mente y que hayas expresado honestamente cómo te hirió esa persona, termina orando:

Final:

> Señor, opto por no retener más ninguna de estas cosas contra (nombre). Te agradezco por libertarme de la esclavitud de mi rencor para con ellos. Ahora escojo pedirte que bendigas a (nombre). En el nombre de Jesús. Amén.

Paso 4
Rebelión contra sumisión

Vivimos en tiempos rebeldes. A menudo la gente joven de hoy no respeta a la gente que Dios ha puesto en autoridad sobre ellos. Puede que tengas problemas para vivir sometido a la autoridad. Puedes ser fácilmente engañado para que pienses que aquellos en autoridad te roban tu libertad. En realidad, Dios los ha puesto ahí para tu protección.

Rebelarse contra Dios y Sus autoridades es cosa grave. Da a Satanás una oportunidad para atacarte. La sumisión es la única solución. Sin embargo, Dios exige más de ti que la apariencia externa de sometimiento. Él quiere que te sometas sinceramente a tus autoridades, (especialmente a tus padres), de todo corazón. Tu comandante en jefe, el Señor Jesucristo, te dice "¡alístate y sígueme!" Él promete que no te guiará a la tentación; sino que te librará del mal (Mateo 6:13).

La Biblia deja muy en claro que tenemos dos responsabilidades para con los que están en autoridad sobre nosotros: orar por ellos y someternos a ellos. Di la siguiente oración en voz alta con todo tu corazón:

> Amado Padre celestial:
>
> Tú has dicho en la Biblia que la rebelión es lo mismo que la brujería y que ser obstinado es como servir a falsos dioses (1 Samuel 15:23). Sé que he desobedecido y me he rebelado en mi corazón contra Ti y los que has puesto en autoridad sobre mí. Te agradezco por perdonarme por mi rebelión. Por la sangre derramada del Señor Jesucristo te ruego que ahora cierres todas las puertas que yo abrí a los espíritus malignos por mi rebeldía. Oro que Tú me muestres todas las maneras en que fui rebelde. Ahora opto por adoptar un espíritu sumiso y un corazón de siervo. En el nombre precioso de Jesús. Amén.

Estar bajo autoridad es un acto de fe. Sometiéndonos, estamos confiando en que Dios obre a través de Sus líneas de autoridad.

A veces los padres, profesores, empleadores y otros abusan de su autoridad y rompen las leyes ordenadas por Dios para protección de la gente inocente. En esos casos tienes que buscar ayuda de una *autoridad superior* para tu protección. Puede ser que las leyes del país donde vives exijan que informes ese maltrato a la policía y otras agencias protectoras. Si hay abuso continuo (físico, mental, emocional o sexual) en tu casa o en otra parte, puede necesitarse consejería para cambiar la situación. Si alguien abusa de su autoridad pidiéndote que violes la ley de Dios o comprometiéndote a ti mismo, tienes que obedecer a Dios antes que a los hombres (Hechos 4:19,20).

Se nos dice que nos sometamos unos a otros como iguales en Cristo (Efesios 5:21). Sin embargo, Dios usa además líneas específicas de autoridad para protegernos y dar orden a nuestras vidas diarias.

- ☐ Gobierno civil (es decir, leyes del tránsito, leyes del consumo de bebidas alcohólicas, etc.) (ver Romanos 13:1-7; 1 Timoteo 2:1-4; 1 Pedro 2;13-17).
- ☐ Padres, padres adoptivos o tutores legales (ver Efesios 6:1-3).
- ☐ Profesores, entrenadores y funcionarios de la escuela (ver Romanos 13:1-4).
- ☐ Tu jefe o empleador (1 Pedro 2:18-23).
- ☐ Marido (1 Pedro 3:1-4) o esposa (ver Efesios 5:21; 1 Pedro 3:7).
- ☐ Líderes de la Iglesia (pastor, pastor de jóvenes, maestro de escuela dominical) (ver Hebreos 13:17).
- ☐ Dios mismo (ver Daniel 9:5,9).

Examina cada una de las siete áreas de autoridad de la lista de arriba y confiesa al Señor aquellas ocasiones en que no has respetado esas posiciones o no te sometiste a ellas, orando:

> Señor, estoy de acuerdo Contigo en que he sido rebelde con________. Te agradezco por perdonar mi rebelión. Opto por ser sumiso y obediente a Tu Palabra. En el nombre de Jesús. Amén.

Paso 5
Orgullo contra humildad

El orgullo es un asesino. El orgullo dice: "¡Yo puedo hacerlo! Puedo salir de este problema sin la ayuda de Dios ni de nadie más". ¡Oh, no, no podemos! Necesitamos absolutamente a Dios y nos necesitamos desesperadamente unos a otros. Pablo escribió: "Porque nosotros somos la circuncisión, los que en espíritu servimos a Dios y nos gloriamos en Cristo Jesús, no teniendo confianza en la carne" (Filipenses 3:3).

La humildad es la confianza debidamente puesta en Dios. Tenemos que ser fuertes en el Señor y en el poder de Su fuerza (Efesios 6:10). Santiago 4:6-10 y 1 Pedro 5:1-10 nos dicen que vendrán problemas espirituales cuando somos orgullosos. Usa la siguiente oración para manifestar tu compromiso de vivir humildemente ante Dios:

> Amado Padre Celestial:
>
> Tú has dicho que el orgullo va delante de la destrucción y el espíritu arrogante antes de la caída (Proverbios 16:18). Confieso que he estado pensando principalmente en mí mismo y no en los demás. No me he negado a mí mismo ni he tomado mi cruz diariamente para seguirte (Mateo 16:24). Como resultado, le he dado lugar al enemigo en mi vida. Yo he creído que podía tener éxito viviendo por mis propias fuerzas y recursos.
>
> Ahora confieso que he pecado contra Ti anteponiendo mi voluntad a la Tuya y centrando mi vida en mí mismo en vez de centrarla en Ti. Renuncio a mi orgullo y a mi egoísmo y cierro todas las puertas que abrí en mi vida o cuerpo físico a los enemigos del Señor Jesucristo. Escojo descansar en el poder y la guía del Espíritu Santo para poder hacer Tu voluntad. Te doy mi corazón a Ti y me resisto a todos los ataques de Satanás. Te pido que me muestres cómo vivir para los demás. Ahora opto por dar más importancia a los demás que a mí y hacer de Ti la Persona más importante de toda mi vida (Mateo 6:33; Romanos 12:10). Por

favor, ahora muéstrame específicamente las maneras en que he vivido con orgullo. Esto lo pido en el nombre de mi Señor Jesucristo. Amén.

Habiendo hecho el compromiso en oración, permite ahora que Dios te muestre áreas específicas de tu vida en que has sido orgulloso, como:

- ☐ He tenido un deseo más fuerte de hacer mi voluntad que la de Dios.
- ☐ Me apoyo en mis propias fuerzas y habilidades más que en Dios.
- ☐ Muy a menudo pienso que mis ideas son mejores que las de otras personas.
- ☐ Quiero controlar cómo actúan los demás en lugar de desarrollar el dominio propio.
- ☐ A veces me considero más importante que los demás.
- ☐ Tiendo a pensar que no necesito de los demás.
- ☐ Me cuesta mucho admitir cuando me equivoco.
- ☐ Es más probable que yo quiera agradar a la gente que a Dios.
- ☐ Me preocupa mucho que me den el mérito por hacer cosas buenas.
- ☐ A menudo pienso que soy más humilde que los demás.
- ☐ A menudo pienso que soy más inteligente que mis padres.
- ☐ A menudo pienso que mis necesidades son más importantes que las de otras personas.
- ☐ Me considero mejor que los demás debido a mis habilidades y logros académicos, artísticos o atléticos.
- ☐ Otras ________________________________.

Por cada una de las áreas que hayan sido verdad en tu vida, ora en voz alta:

Señor, estoy de acuerdo en que he sido orgulloso en________.Te agradezco por perdonarme por este orgullo. Opto por humillarme y poner mi confianza en Ti. Amén.

Paso 6
Esclavitud contra libertad

El siguiente paso hacia la libertad tiene que ver con los pecados que se han hecho costumbre en tu vida. Si fuiste atrapado en el círculo vicioso de "pecar-confesar-pecar-confesar", date cuenta de que el camino a la victoria es "pecar-confesar-**resistir**" (ver Santiago 4:7). El pecado habitual suele exigir ayuda de un hermano o hermana en Cristo que sea de tu confianza. Santiago 5:16 dice: "Confesaos vuestras ofensas unos a otros, y orad unos por otros, para que seáis perdonados. La oración eficaz del justo puede mucho". Busca un cristiano más fuerte que te eleve en oración y que te mantenga responsable de rendir cuentas en tus áreas de debilidad.

A veces basta con la seguridad de 1 Juan 1:9: "Si confesamos nuestros pecados, Él es fiel y justo para perdonar nuestros pecados y limpiarnos de toda maldad".

Recuerda que la confesión no es decir "lo lamento" o "lo siento"; sino que es admitir abiertamente "yo lo hice". Sea que necesites la ayuda de otras personas o sólo la responsabilidad de rendir cuentas a Dios, di en voz alta la siguiente oración

> Amado Padre celestial:
>
> Nos has dicho que nos vistamos del Señor Jesucristo sin proveer para los deseos de la carne (Romanos 13:14). Reconozco que he cedido a los deseos pecaminosos que están en guerra contra mi alma (1 Pedro 2:11).
>
> Te doy las gracias porque en Cristo mis pecados son perdonados, pero he roto Tu santa ley y di oportunidad al diablo de luchar en mi cuerpo (Romanos 6:12,13; Santiago 4:1; 1 Pedro 5:8).
>
> Ahora vengo delante de Tu presencia para confesar estos pecados y buscar Tu limpieza (1 Juan 1:9) para que sea liberado de la esclavitud del pecado. Ahora Te pido que me reveles las maneras en que he roto Tu ley moral y entristecido al Espíritu Santo. En el precioso nombre de Jesús oro. Amén.

Pueden dominarnos muchas clases de pecados habituales. La lista que sigue contiene algunos de los pecados de la carne más corrientes. Revisa la lista y pide al Espíritu Santo que te revele cuáles tienes que confesar, sean pasados o presentes. Él puede hacerte recordar otros que no están aquí. Por cada uno que te revele Dios, di de todo corazón la siguiente oración de confesión. Nota: los pecados sexuales, los trastornos del comer, el abuso de drogas, el aborto, las tendencias suicidas y el perfeccionismo serán tratados más adelante.

- ☐ robar (en las tiendas)
- ☐ mentir
- ☐ pelear
- ☐ discutir/alegar
- ☐ odio
- ☐ celos, envidia
- ☐ rabia
- ☐ quejarse y criticar
- ☐ pensamientos impuros
- ☐ ansias de placer lujurioso
- ☐ engañar
- ☐ andar con chismes/calumniar
- ☐ postergación (dejar las cosas para después)
- ☐ maldecir
- ☐ Ambición/materialismo
- ☐ apatía/pereza
- ☐ otro______________

> Señor, admito que he cometido el pecado de________________ Te agradezco que me perdones y me limpies. Le doy la espalda a este pecado y me vuelvo a Ti, Señor. Fortaléceme por Tu Espíritu Santo para obedecerte. En el nombre de Jesús. Amén.

Nuestra responsabilidad es dominar el pecado en nuestros cuerpos. No debemos usar nuestros cuerpos o el de otra persona como instrumentos de injusticia (Romanos 6:12,13). Si has estado luchando con pecados sexuales (como pornografía, masturbación, caricias licenciosas, besos muy apasionados, sexo oral, relaciones con el mismo sexo, voyeurismo, sexo por teléfono o relaciones sexuales), ora lo que sigue:

> Señor, te ruego que me reveles todo uso sexual de mi cuerpo como instrumento de impiedad. Oro en el precioso nombre de Jesús. Amén.

A medida que el Señor te recuerde todo uso sexual de tu cuerpo, te lo hayan hecho (violación, incesto u otro abuso sexual) o haya sido voluntario por tu parte, renuncia a cada ocasión:

> Señor, renuncio a (especifica el uso de tu cuerpo) con (nombrar a la persona) y te pido que rompas esa atadura con (nombre).

Después de terminar este ejercicio, consagra tu cuerpo al Señor orando en voz alta con todo tu corazón:

> Señor, yo renuncio a todos esos usos de mi cuerpo como instrumento de impiedad y, así, te ruego que rompas todas las ataduras que Satanás ha puesto en mi vida por medio de actos. Confieso mi participación. Señor, ahora te presento mis ojos, mi boca, mi mente, mis manos y mis pies, todo mi cuerpo a Ti como instrumentos de justicia. Ahora te presento mi cuerpo en sacrificio vivo, santo y aceptable para Ti, y reservo el uso sexual de mi cuerpo solamente para el matrimonio. Rechazo la mentira de Satanás que dice que mi cuerpo no está limpio o que está sucio o, de alguna manera, inaceptable para Ti, debido a mis experiencias sexuales del pasado. Señor, te agradezco que me hayas limpiado y perdonado totalmente, que me ames tal como soy. Por tanto, puedo aceptarme a mí mismo y a mi cuerpo como limpios ante Tus ojos. En el nombre de Jesús. Amén.

Oraciones específicas para necesidades específicas

Homosexualidad

Señor, yo renuncio a la mentira que dice que Tú me creaste a mí, o a cualquier otra persona, para ser homosexual. Estoy de acuerdo con que Tú prohibes claramente la conducta homosexual. Me acepto como hijo de Dios y declaro que Tú me creaste varón (o mujer). Renuncio a todos los pensamientos, impulsos o tendencias homosexuales, como asimismo a todas las ataduras de Satanás, que han pervertido mis relaciones con los demás. Proclamo que soy libre para relacionarme con el sexo opuesto y con mi mismo sexo en la manera concebida por Ti. En el nombre de Jesús. Amén.

Aborto

Nota para los varones: Al igual que las madres, ustedes son responsables por la vida que Dios les ha confiado así que, también los padres comparten esta responsabilidad. Si has fallado en cumplir tu rol de padre, di la siguiente oración:

Señor, confieso que no fui el guardián adecuado de la vida que me confiaste y admito que eso es pecado. Escojo aceptar Tu perdón y ahora te encomiendo ese niño a Ti para que lo cuides por la eternidad. En el nombre de Jesús. Amén.

Tendencias suicidas

Señor, renuncio a los pensamientos suicidas y a todos los intentos que he hecho para quitarme la vida o dañarme en alguna forma. Renuncio a la mentira que dice que la vida no tiene sentido y que puedo encontrar paz y libertad quitándome la vida. Satanás es un ladrón y viene a robar, matar y destruir. Elijo la vida en Cristo, quien dijo que vino a darme vida y a dármela en abundancia. Escojo aceptar Tu perdón y creer que siempre hay esperanza en Cristo. Oro en el nombre de Jesús. Amén.

Trastornos del comer o cortarte a ti mismo

Señor, renuncio a la mentira que dice que mi valor como persona depende de mi belleza física, mi peso o estatura. Renuncio a cortarme, vomitar, usar laxantes o padecer hambre como medio de limpiarme de lo malo o cambiar mi aspecto. Proclamo que solamente la sangre del Señor Jesucristo me limpia de pecado.
Acepto la realidad de que en este momento haya pecado en mí debido a las mentiras que he creído y al mal uso de mi cuerpo, pero renuncio a la mentira que dice que yo soy malo o que una parte de mi cuerpo es mala. Mi cuerpo es el templo del Espíritu Santo y yo pertenezco a Dios. Soy totalmente aceptado por Dios tal como soy en Cristo. En el nombre de Jesús. Amén.

Adicción a drogas

Señor, confieso haber usado drogas o sustancias (alcohol, tabaco, comida, drogas de venta bajo receta o libre) con el propósito de encontrar placer, huir de la realidad o encarar situaciones difíciles. Confieso que he maltratado mi cuerpo, y programado mi mente de una manera maliciosa. No he dejado que el Espíritu Santo me guíe. Pido Tu perdón, y renuncio a toda conexión o influencia satánica en mi vida por medio del mal uso de drogas o comida. Echo mis afanes en Cristo, quien me ama, y me comprometo a no rendirme más al abuso de drogas y otras sustancias sino a dejar que el Espíritu Santo me guíe y me dé poder. Te pido Padre celestial que me llenes con Tu Espíritu Santo. En el nombre de Jesús. Amén

Impulsos y perfeccionismo

Señor, renuncio a la mentira que dice que mi dignidad depende de mi habilidad para desempeñarme. Proclamo la verdad de que mi identidad y sentido de dignidad se hallan en quien soy yo como hijo tuyo. Renuncio a andar buscando la aprobación y aceptación de los demás y opto por creer que ya estoy aprobado y aceptado en Cristo debido a Su muerte y resurrección por mí. Escojo creer la verdad de que he sido salvado, no por obras que yo haya hecho sino conforme a Tu misericordia. Opto por creer que ya no estoy bajo la maldición de la ley porque Cristo se hizo maldición por mí. Recibo el regalo de la vida en Cristo y elijo permanecer en Él. Renuncio a esforzarme por la perfección viviendo bajo la ley. Por Tu gracia, Padre celestial, de hoy en adelante opto por caminar por fe, conforme a lo que Tú dijiste que es verdad, por el poder de Tu Espíritu Santo. En el nombre de Jesús. Amén.

Después de que hayas confesado todo pecado conocido, ora:

Ahora confieso estos pecados a Ti y proclamo mi perdón y limpieza por medio de la sangre del Señor Jesucristo. Anulo toda ventaja que los espíritus malignos hayan ganado por medio de mi participación voluntaria en el pecado. Pido esto en el maravilloso nombre de Jesucristo, mi Señor y Salvador. Amén.

Paso 7
Maldiciones contra bendiciones

El último Paso hacia la Libertad es renunciar a los pecados de sus antepasados junto con todas las maldiciones que te pudieron haber sido echadas. Al dar los Diez Mandamientos, Dios dijo: "No te harás imagen, ni ninguna semejanza de lo que esté arriba en el cielo, ni abajo en la tierra, ni en las aguas debajo de la tierra. No te inclinarás a ellas, ni las honrarás; porque yo soy Jehová tu Dios, fuerte, celoso, que visito la maldad de los padres sobre los hijos hasta la tercera y cuarta generación de los que me aborrecen (Éxodo 20:4-5).

Pide al Señor que te muestre los pecados característicos de tu familia diciendo la siguiente oración. Luego haz la lista de esos pecados en el espacio provisto a continuación de la oración:

> Amado Padre celestial:
>
> Te pido que me reveles todos los pecados de mis ancestros que han sido pasados por el linaje familiar. Quiero ser libre de esas influencias y andar en mi nueva identidad de hijo de Dios. Amén.

A medida que el Señor te haga recordar esos aspectos de los pecados de tu familia, anótalos en el espacio provisto. Más adelante en este Paso renunciarás específicamente a ellos.

1. ______________________________
2. ______________________________
3. ______________________________
4. ______________________________

Hay espíritus demoniacos o familiares que pueden ser pasados de una generación a otra si no renuncias a los pecados de tus ancestros y reclamas tu nueva herencia espiritual en Cristo. *Tú no eres culpable del pecado de algún antepasado* sino que, debido a ese pecado, Satanás puede haber ganado acceso a tu familia.

Naturalmente hay algunos problemas que son hereditarios o adquiridos en un entorno inmoral, pero hay otros problemas que pueden ser resultado del pecado generacional. Las tres condiciones pueden contribuir a hacer que alguien tenga que luchar con un pecado en particular.

Además, la gente engañada y mala puede tratar de maldecirte o puede haber grupos satánicos que traten de ponerte en su mira. Tú tienes toda la autoridad y protección que necesitas en Cristo para resistir contra esas maldiciones. Para andar libre de los pecados de tus antepasados y de toda influencia demoniaca, lee en voz alta la siguiente declaración y di la siguiente oración. Deja que las palabras salgan de tu corazón al recordar la autoridad que tienes en Cristo Jesús.

Declaración

Aquí y ahora renuncio y repudio todos los pecados de mis ancestros. Renuncio específicamente a los pecados de (aquí nombra las áreas de pecado familiar que el Señor te haya revelado). Como quien fue librado de los poderes de la oscuridad y trasladado al reino del Hijo de Dios, anulo toda obra demoniaca que me haya sido pasada por mi familia. Como quien está crucificado y resucitado con Jesucristo y que se sienta con Él en los lugares celestiales, renuncio a todos los cometidos satánicos dirigidos hacia mí y mi ministerio. Anulo toda maldición que me hayan echado Satanás y sus obreros. Proclamo a Satanás y a todas sus huestes que Cristo fue hecho maldición por mí (Gálatas 3:13) cuando murió por mis pecados en la cruz. Renuncio a todas y cada una de las maneras en que Satanás pueda reclamar posesión de mí.

Yo pertenezco al Señor Jesucristo que me compró con Su propia sangre. Rechazo todos los sacrificios de sangre por medio de los cuales Satanás pudiera reclamar posesión de mí. Me declaro estar eterna y completamente entregado y consagrado al Señor Jesucristo. Por toda la autoridad que tengo en Jesucristo, ahora mando a todo enemigo espiritual del Señor Jesucristo que se vaya de mi presencia. Me consagro a mi Padre celestial para hacer Su voluntad desde este día en adelante.

Oración

Amado Padre celestial:

Vengo a Ti como hijo Tuyo, comprado por la sangre del Señor Jesucristo. Tú eres el Señor del universo y el Señor de mi vida. Someto mi cuerpo a Ti como instrumento de justicia, como sacrificio vivo, para que yo pueda glorificarte en mi cuerpo. Ahora te pido que me llenes con Tu Espíritu Santo para guiarme y darme poder para conocer y hacer Tu voluntad. Me dedico a renovar mi mente para probar que Tu voluntad es buena, perfecta y aceptable para mí. Hago todo esto en el nombre y la autoridad del Señor Jesucristo. Amén.

Algo para recordar

Una vez que hayas asegurado tu libertad dando estos siete Pasos, puede suceder que notes que las influencias demoniacas intentan volver a controlar tu mente, días o hasta meses después. Una persona me comentó que escuchó que un espíritu le dijo en su mente: "¡Estoy de vuelta!" dos días después de haber quedado libre. "¡No! No lo estás", proclamó ella en voz alta. El ataque cesó de inmediato.

El diablo es atraído al pecado igual que las moscas a la basura. Tira la basura y las moscas se irán en busca de lugares más hediondos. De igual forma, anda en la verdad, confesando todo pecado y perdonando a los que te hieren, y el diablo no tendrá lugar para instalarse en tu vida.

Date cuenta de que una victoria no significa que se terminaron las batallas. La libertad debe ser mantenida. Después de haber dado estos Pasos, una muchacha muy feliz preguntó: "¿Siempre estaré así?" Le dije que estaría libre mientras permaneciera en la relación correcta con Dios. "Aunque si resbalas y caes", la animé, "ya sabes cómo arreglar las cuentas con Dios".

Una víctima de increíbles atrocidades compartió esta ilustración: "es como ser forzada a participar en un juego con un tipo extraño y desagradable que entró en mi casa. Yo seguía perdiendo y quería dejar de jugar pero este tipo extraño no me dejaba. Al fin llamé a la policía (una autoridad superior) y ellos vinieron a sacar al extraño. Cuando éste tocó la puerta intentando regresar, yo reconocí su voz y no lo dejé pasar".

Hermosa ilustración acerca de ganar libertad en Cristo. Acudimos a Jesús, la autoridad final y más poderosa, y Él saca a las potestades de las tinieblas de nuestra vida.

Manteniendo tu libertad

La libertad debe mantenerse. No podemos enfatizar este punto lo suficiente. Ganaste una batalla muy importante de una guerra continua. La libertad seguirá siendo tuya mientras sigas optando por la verdad y afirmándote en la fortaleza del Señor. Si surgen nuevos recuerdos o si te das cuenta de "mentiras" que creíste o de otras experiencias no-cristianas que tuviste, renuncia a ellas y escoge la verdad. Si te das cuenta de que hay otras personas a las cuales tienes que perdonar, el Paso Tres te recordará lo que tienes que hacer. La mayoría de la gente encuentra útil volver a dar los Pasos hacia la Libertad en Cristo. Mientras lo haces, lee las instrucciones con mucho cuidado.

Te recomendamos que te leas el libro *Stomping Out the Darkness (Emergiendo de la Oscuridad)* para reforzar lo que entiendes de tu identidad en Cristo. *The Bondage Breaker, Youth Edition (Rompiendo las Cadenas, edición juvenil)* te servirá para superar problemas espirituales. Si estás luchando contra la esclavitud sexual o si quieres aprender más de las amistades y las citas, te recomendamos *Purity Under Pressure (Pureza Bajo Presión).* Para mantener tu libertad también te sugerimos lo que sigue:

1. Trata de meterte en un grupo de jóvenes de una iglesia o en un estudio bíblico donde puedas abrirte y ser honesto con otros creyentes de tu edad.
2. Estudia diariamente tu Biblia. Tienes a disposición muchas Biblias para jóvenes. Empieza a estudiar la

Palabra de Dios y aprende de memoria los versículos clave. Recuerda que es ¡la verdad la que te hace libre y que es la verdad la que te mantiene libre! Puede que quieras repetir en voz alta y a diario la Declaración de Verdad, y estudiar los versículos. Además, se han hecho especialmente para ti unos Devocionales para la juventud *Extreme Faith*, *Reality Check* y *Ultimate Love*.

3. Aprende a llevar cautivo todo pensamiento a la obediencia de Cristo. Asume la responsabilidad por lo que piensas. No dejes que tu mente se quede en blanco. Rechaza todas las mentiras, elige enfocarte en la verdad y afírmate en tu identidad en Cristo.
4. ¡No te dejes arrastrar por la corriente! Es muy fácil ponerse perezoso para pensar y regresar a las antiguas maneras de pensar. Comparte abiertamente tus luchas con un amigo o amiga de tu confianza que ore por ti.
5. No esperes que los demás luchen por ti. No pueden ni quieren. Los demás pueden darte ánimo pero no pueden pensar, orar, leer la Biblia o escoger la verdad por ti.
6. Comprométete a orar diariamente. La oración es depender de Dios. Puedes orar las oraciones sugeridas a continuación con frecuencia y confianza:

Oración diaria

Amado Padre celestial:

Te honro como mi Señor. Sé que Tú siempre estás presente conmigo. Tú eres el único Dios que todo lo puede y todo lo sabe. Eres bueno y amante en todos Tus caminos. Te amo y te agradezco que yo esté unido con Cristo y espiritualmente vivo en Él. Opto por no amar al mundo y crucifico la carne y todas sus pasiones. Te agradezco por la vida que ahora tengo en Cristo y te pido que me llenes y guíes con Tu Espíritu Santo para que pueda vivir libre del pecado. Declaro mi dependencia de Ti y tomo mi posición contra Satanás y todas sus mentiras. Escojo creer la verdad y rehuso descorazonarme. Tú eres el Dios de toda esperanza y yo confío que Tú saciarás mis necesidades, mientras yo trato de vivir conforme a Tu Palabra. Expreso confiadamente que puedo llevar una vida responsable por medio de Cristo que me fortalece.

Ahora tomo mi posición contra Satanás y mando que él y todos sus espíritus malos se vayan de mí. Me pongo toda la armadura de Dios. Someto mi cuerpo como sacrificio vivo y renuevo mi mente con la Palabra viva de Dios para que pueda comprobar que la voluntad de Dios es buena, aceptable y perfecta. Pido estas cosas en el precioso nombre de mi Señor y Salvador Jesucristo. Amén.

Oración para la hora de acostarse

Gracias Señor por haberme puesto en Tu familia y bendecido con toda bendición espiritual en Cristo en los lugares celestiales. Gracias por darme este momento de renovación por medio del sueño. Yo lo acepto como parte de Tu plan perfecto para Tus hijos y confío que Tú guardarás mi mente y mi cuerpo durante mi sueño. Como medité en Ti y Tu verdad durante este día, escojo dejar que estos pensamientos sigan en mi mente mientras duermo. Me encomiendo a Ti mientras duermo para que me protejas de todo intento de ataque por parte de Satanás o de sus demonios durante la noche. Me encomiendo a Ti como mi roca, mi fortaleza y mi lugar de descanso. Oro en el poderoso nombre del Señor Jesucristo. Amén.

Oración para el hogar/departamento/habitación

Luego de destruir todos los artículos de adoración falsa, (cristales, amuletos de buena suerte, objetos y juegos ocultistas, etc.) que tengas en tu cuarto, ora en voz alta en la zona donde duermes:

Padre celestial, te agradezco por este lugar para vivir y ser renovado por medio del sueño. Te pido que apartes

mi habitación (o parte de ella) como lugar seguro para mí. Renuncio a toda adoración rendida a dioses o espíritus falsos por otros ocupantes de este lugar y renuncio a todo reclamo que Satanás pueda tener sobre esta habitación (espacio) basado en lo que otra gente, o yo mismo, haya hecho aquí.
Basado en mi posición de hijo de Dios, y coheredero con Cristo que tiene toda la autoridad en el cielo y en la tierra, mando a todos los espíritus malos que se vayan de este lugar y que nunca vuelvan. Padre celestial, te pido que nombres ángeles guardianes que me protejan mientras yo viva aquí. Oro esto en el nombre del Señor Jesucristo. Amén.

Sigue buscando tu identidad y sentido de valor a través de quién eres en Cristo. Renueva tu mente con la verdad de que *tu aceptación, seguridad y significado* están en Cristo solamente. Reflexiona las siguientes verdades leyendo toda la lista en voz alta, mañana y noche, durante las próximas semanas.

En Cristo...

Soy aceptado

Juan 1:12	Soy hijo de Dios.
Juan 15:15	Soy amigo de Cristo.
Romanos 5:1	He sido justificado.
1 Corintios 3:16	Estoy unido con el Señor y soy uno con Él en el Espíritu.
1 Corintios 6:19,20	Fui comprado por precio; pertenezco a Dios.
1 Corintios 12:27	Soy miembro del cuerpo de Cristo, parte de Su familia.
Efesios 1:1	Soy un santo.
Efesios 1:5	He sido adoptado como hijo de Dios.
Colosenses 1:14	He sido redimido y perdonado de todos mis pecados.
Colosenses 2:10	Estoy completo en Cristo.

Estoy seguro

Romanos 8:1,2	Estoy libre de condenación por siempre.
Romanos 8:28	Estoy seguro de que todas las cosas obran para bien.
Romanos 8:31	y subsiguientes Estoy libre de toda acusación condenatoria.
Romanos 8:35	y subsiguientes No puedo ser separado del amor de Dios.
Colosenses 3:3	Estoy escondido con Cristo en Dios.
Filipenses 1:6	Confío en que la buena obra que Dios empezó en mí será perfeccionada.
Efesios 2:19	Soy ciudadano del cielo con el resto de la familia de Dios.
Hebreos 4:16	Puedo alcanzar gracia y misericordia en tiempo de necesidad
1 Juan 5:18	Soy nacido de Dios y el maligno no puede tocarme.

Soy importante

Mateo 5:13,14	Soy la sal y la luz de la tierra.
Juan 15:1,5	Soy pámpano de la verdadera vid, unido a Cristo y capaz de producir mucho fruto.
Juan 15:16	He sido elegido y puesto para llevar fruto.
Hechos 1:8	Soy testigo de Cristo infundado con poder del Espíritu.
1 Corintios 3:16; 6:19	Soy un templo donde habita el Espíritu Santo.
2 Corintios 5:17	y subsiguientes Estoy en paz con Dios y Él me encargó la obra de hacer la paz entre Él y la gente.
2 Corintios 6:1	Soy colaborador de Dios.
Efesios 2:6	Estoy sentado con Cristo en el cielo.
Efesios 2:10	Soy obra de edificación de Dios, hechura Suya creado para hacer Su obra.
Filipenses 4:13	¡Todo lo puedo en Cristo que me fortalece!

Apéndice B

Pedir perdón a la gente que hemos ofendido

El Paso Tres de los Pasos hacia la Libertad en Cristo trata el tema de cómo perdonar a quienes me han ofendido. Salvo en casos de adolescentes que han sido víctimas y son inocentes de toda cosa mala, habitualmente el pecado es una vía de doble sentido. En otras palabras, la gente joven tiene que pedir perdón a las personas a quienes hayan ofendido. El pasaje clave de la Biblia que explica este proceso se halla en Mateo 5:23,24:

> "Por tanto, si estás presentando tu ofrenda en el altar, y allí te acuerdas que tu hermano tiene algo contra ti, deja tu ofrenda allí delante del altar, y ve, reconcíliate primero con tu hermano, y entonces ven y presenta tu ofrenda".

Varios puntos de estos versículos precisan ser destacados.

Primero, el adorador comparece ante Dios para ofrendar una dádiva y "recuerda" que alguien tiene algo contra él o ella. En este caso, el adorador es el ofensor. Esto no significa que el adorador tenga que realizar un examen introspectivo de su alma para "sacar basura" que confesar. Más bien, cuando la gente joven se presenta ante Dios en adoración y oración, ellos deben pedir al Señor que les haga acordarse de cualquier persona que hayan ofendido. El Señor es quien hace recordar estos incidentes.

Segundo, los adolescentes tienen la responsabilidad de ir adonde está la persona ofendida a buscar reconciliación solamente en los casos en que la otra persona esté consciente de la ofensa. Si el joven ha tenido pensamientos de celos, lujuria o rabia respecto de otra persona, los cuales ignora esta otra persona, tienen que ser confesados solamente a Dios.

Una excepción de esta regla sería el caso en que deba hacerse restitución (por ejemplo, devolver algo robado, pagar algo que se rompió, restaurar la reputación de alguien). En esos casos, la parte ofendida puede ignorar quién hizo el daño. Los adolescentes culpables de esa clase de ofensas tienen que presentarse ante la parte ofendida, pedir perdón y estar preparado para restituir el daño hecho.

Tercero, Jesús dijo que en cuanto el adorador recuerda su ofensa, debe ir y ser reconciliado. Esto es un requisito previo a la adoración aceptable de Dios. Evidentemente, a Dios no le interesa oír nuestras oraciones ni recibir nuestra adoración hasta que estemos reconciliados con nuestros hermanos.

Así, pues, ¿cómo deben los adolescentes hacer para pedir perdón y reconciliación a aquellos contra los cuales pecaron? He aquí algunos principios básicos:

1. En relación a la gente a quien el joven debe pedir perdón, deben identificar claramente las ofensas cometidas. Deben escribirlas, incluyendo la mala actitud detrás de la mala acción.
2. Los adolescentes que se estén preparando para pedir perdón deben asegurarse de que ya han perdonado a la otra persona por cualquier daño que le haya hecho (si corresponde).
3. Deben pensar, entonces, acerca de la manera precisa de hablar cuando pidan perdón. Deben:
   a. Rotular su acción de “mala”.
   b. Entrar en tanto detalle sólo como sea necesario para que la persona ofendida entienda qué es lo que están confesando.
   c. No defenderse, justificarse o disculparse; no proyectar la culpa en otra persona.

   d. No usar su confesión como herramienta de manipulación pensada para producir una confesión recíproca.
   e. Terminar su confesión con la pregunta: "¿me perdonas?" y esperar la respuesta.
4. Buscar el lugar y el momento apropiados para acercarse a la persona ofendida. Pídanle a Dios que les dé sabiduría y consulten a otros creyentes maduros en caso de duda.
5. Los adolescentes deben hacer su pedido de perdón en persona con los familiares o personas con quienes pueden hablar cara a cara, salvo la siguiente excepción. En los casos en que hubo abuso o acción de naturaleza inmoral, la gente joven NUNCA debe tratar de arreglar esto a solas, cara a cara. Si hubo incesto, que un ministro o consejero esté con ellos durante la confesión cara a cara.
6. NO escribas una carta, salvo en el caso de que no haya otro medio de comunicación posible.
   a. La carta puede entenderse o leerse mal con toda facilidad.
   b. La carta puede ser leída por gente que no tiene relación con la ofensa o la confesión.
   c. La carta puede guardarse en vez de destruirse como es debido.
7. El adolescente está libre una vez que ha pedido perdón sinceramente.
8. Si le rehusan el perdón, sin que parezca posible una esperanza de cambio de parte de la persona ofendida, entonces el joven someterá su caso humildemente y en oración a "el Juez" (Dios, nuestro Padre celestial) y lo dejará ahí (ver Mateo 5:25; 1 Pedro 2:21-23).
9. Después del perdón, ten comunión con Dios en adoración (ver Mateo 5:24).

Apéndice C

Formulario de permiso de los padres

Yo,_______________, padre, madre, padre/madre adoptivo/a o tutor legal de, menor de edad, por medio de la presente doy mi permiso a mi hijo/a para que sea exhortado en una "Cita para la Libertad". Entiendo que, y considero que, las personas que dirigen esta cita son exhortadores de la fe cristiana, que están ayudando a mi hijo/a para que asuma sus responsabilidades de hallar libertad en Cristo. Además, entiendo, y estoy de acuerdo con que mi hijo va voluntariamente a la "Cita para la Libertad", no estando bajo ninguna obligación financiera y que es libre de irse en cualquier momento. Entiendo que ninguno de los que participan en este proceso, lo hace como profesional y los libero completamente de toda responsabilidad.

(Por favor, escribir con letra de imprenta)

Nombre del menor___________________________ sexo_______

Nombre del padre/madre/padres adoptivos/tutor legal _________

____

Dirección_______________________________________

Ciudad_______________ Estado________ Código Postal_______

Teléfono particular___________ Teléfono del trabajo__________

Firma____________________ Fecha____________________

Apéndice D

Declaración de entendimiento

(Para jóvenes menores de edad)

Yo entiendo que los socios de exhortación y oración de esta cita para la libertad no son consejeros, terapeutas, psicólogos o médicos profesionales.

Yo entiendo que los socios de exhortación y oración de esta cita para la libertad están para ayudarme a asumir mis responsabilidades de hallar libertad en Cristo. También me doy cuenta de que mis socios de exhortación u oración pueden intervenir si sospechan que un niño (yo mismo u otros menores de edad) o un anciano (mayor de 65 años) están actualmente en peligro por el maltrato o si yo soy un peligro para mí mismo u otras personas.

Entiendo que tengo la libertad para irme en cualquier momento, que estoy aquí voluntariamente, y que no tengo ninguna obligación financiera.

(Por favor, escribir con letra de imprenta)

Nombre ____

Dirección ______________________________________

Ciudad ______________ Estado _________ Código Postal ________

Teléfono particular ____________ Teléfono del trabajo __________

Firma ____________________ Fecha ____________________

Apéndice E

Cuestionario juvenil personal y confidencial

(Versión abreviada)

Nombre____

Dirección____

Ciudad_______________ Estado________ Código Postal_______

Teléfono ( )_________________

Edad ___________

Sexo: Femenino________ Masculino_______

Educación: Curso Más Alto completado__________________

Soltero__________ Casado__________

Asiste o es Miembro de la iglesia________________________

1. ¿Te consideras cristiano?No___ Sí___ No estoy seguro___
2. ¿Cómo llegaste a ser cristiano?_____________________

   ____

   ____

   Nunca Una vez cada tanto

   Frecuentemente Todo el Tiempo

3. ¿Luchas con malos pensamientos acerca de Dios (por ejemplo, pensamientos enojados o de odio o de maldición)?

4. ¿Te cuesta concentrarte cuando oras (te distraes fácilmente)?
5. ¿Tienes problemas para prestar atención a los sermones y lecturas de la Biblia?
6. ¿Piensas que la vida cristiana sirve para algunos pero no para ti?
7. ¿Has luchado con pensamientos realmente malos (lujuriosos, dañinos, enojados, etc.) de los cuales te parece que jamás te librarás?
8. ¿Has oído "voces" en tu cabeza o has tenido pensamientos negativos molestos y persistentes que te han hecho sentir mal?
9. ¿Tienes el problema de dormir muy poco o demasiado?
10. ¿Tienes pesadillas?
11. ¿Has sentido una presencia sobrenatural en tu cuarto (visto, oído o sentido) que te haya asustado?
12. ¿Has tenido un amigo imaginario que te hablaba?

Apéndice F

Cuestionario juvenil personal y confidencial

(Versión completa)

Información personal

Nombre ____________________

Teléfono ____________________

Dirección ____________________

Afiliación a la Iglesia:

Presente ____________________

Pasada ____________________

Escuela ____________ Curso ____________

Historia familiar (religiosa)

1. ¿Sabes si alguno de tus padres, hermanos, abuelos o bisabuelos ha estado metido en ocultismo, sectas u otras costumbres religiosas que no son cristianas? ¿Cuáles?

2. Explica brevemente la experiencia cristiana de tus padres (es decir, ¿son cristianos y profesan y viven su cristianismo?)

Historia familiar (general)

1. ¿Tus padres están casados o divorciados en la actualidad?

2. ¿Con quién vives actualmente?

3. ¿Cuántos hermanos y hermanas tienes? ¿de qué edad?

4. ¿Cómo te parece que te llevas con tus padres?

5. ¿Cómo te parece que te llevas con tus hermanos y hermanas?

6. ¿Trabajan tus padres fuera de la casa?

7. ¿Tu papá es el jefe del hogar o, al revés, es tu mamá la que manda en casa? Explica.

8. ¿Cómo trata tu papá a tu mamá?

9. ¿Sabes si tu papá o tu mamá han sido infieles alguna vez?

10. ¿Sabes si ha habido maltrato o abuso sexual en tu familia?

11. ¿Eres adoptado? Si es así, ¿qué te parece ser adoptado?

Salud (familia)

1. ¿Hay problemas de adicción en la historia de tu familia (alcoholismo, drogas, etc)?

2. ¿Hay antecedentes de enfermedad mental?

3. Tu familia se preocupa/interesa por:

   Tener una dieta adecuada

Realizar ejercicio

Tener el descanso adecuado

Clima moral

¿Cómo calificarías la atmósfera o ambiente en que estás siendo criado?

Marca con una X lo que mejor se adecúe a tu experiencia

- ☐ Siempre me dejan hacer lo que quiero
- ☐ Habitualmente me dejan hacer lo que quiero
- ☐ A veces me dejan hacer lo que quiero
- ☐ Rara vez me dejan hacer lo que quiero
- ☐ Nunca me dejan hacer lo que quiero
- ☐ Ropa
- ☐ Citas
- ☐ Películas/TV
- ☐ Música
- ☐ Libros
- ☐ Decisiones
- ☐ Beber (alcohol)
- ☐ Fumar
- ☐ Asistencia a la Iglesia
- ☐ Sexo

1. ¿Hablas con tus padres sobre tus amistades?

2. ¿Hablas con tus padres acerca de tus relaciones con el sexo opuesto?

3. ¿Has hablado alguna vez con tus padres sobre el sexo? ¿Te sientes con la libertad de conversar el tema del sexo con ellos?

4. ¿Cuán lejos crees que una pareja cristiana no casada puede llegar en lo físico, antes de que sea malo? (Marca con una X).
    - ☐ Conocerse/mirarse
    - ☐ Tomarse de las manos, abrazarse
    - ☐ Besarse

- ☐ Besuquearse (en el cuello) y hacerse mimos
- ☐ Levantarse la camisa/blusa/caricias suaves
- ☐ Bajarse los pantalones/caricias intensas
- ☐ Hasta las últimas consecuencias/relación sexual

5. ¿Hasta dónde es lo más lejos que has llegado, físicamente, en una relación con el sexo opuesto (Marca con una X)
   - ☐ Conocerse/Mirarse
   - ☐ Tomarse de las manos, abrazarse
   - ☐ Besarse
   - ☐ Besuquearse (en el cuello) y hacerse mimos
   - ☐ Levantarse la camisa/blusa/caricias suaves
   - ☐ Bajarse los pantalones/caricias intensas
   - ☐ Hasta las últimas consecuencias/relación sexual

Físico

1. Describe tus costumbres habituales de comer (o sea, eres adicto a la comida rápida que es basura, comes en forma regular o esporádica, tu dieta es equilibrada, etc.)

2. ¿Tienes alguna adicción o deseo intenso que te cuesta mucho controlar (dulces, drogas, alcohol, comida en general, etc.)?

3. ¿Has tenido problemas con la bulimia o la anorexia? Explica.

4. ¿Actualmente estás tomando alguna medicina o remedio por razones físicas o psicológicas?

5. ¿Tienes problemas para dormir? ¿Tienes pesadillas u otros trastornos que se repiten?

6. ¿Tu horario de actividades actuales te permite tener períodos regulares de descanso y relajación?

7. ¿Alguna vez te han golpeado o te han atacado sexualmente? Explica.

Mental

1. ¿Con cuáles de las cosas que siguen has estado o aún estás luchando? (Marca con una X todas las que se te apliquen).
   - ☐ Soñar despierto
   - ☐ Inferioridad
   - ☐ Preocupación
   - ☐ Fantasías
   - ☐ Inseguridad
   - ☐ Pensamientos compulsivos
   - ☐ Mentir
   - ☐ Pensamientos lujuriosos
   - ☐ Inadecuación
   - ☐ Dudas
   - ☐ Pensamientos obsesivos
   - ☐ Malos pensamientos acerca de Dios
   - ☐ Mareos
   - ☐ Malas palabras, lenguaje obsceno

2. ¿Te pasas mucho tiempo deseando ser otra persona o fantaseando que eres una persona diferente o, posiblemente, imaginándote que vives en un tiempo, lugar o circunstancias diferentes? Explica.

3. ¿Cuántas horas semanales pasas mirando TV?
   Escribe los nombres de tus tres programas preferidos:

4. ¿Cuántas horas semanales pasas leyendo?
   ¿Qué cosas prefieres leer?

5. ¿Te considerarías optimista o pesimista (esto es, tiendes a ver lo bueno de la gente y la vida o lo malo?)

6. ¿Alguna vez se te ocurrió que quizá te "estabas volviendo loco" y actualmente temes esa posibilidad? Explica.

7. ¿Dedicas tiempo a leer la Biblia? ¿Cuándo y hasta dónde?

8. ¿Encuentras que la oración es mentalmente difícil? Explícate.

9. Cuando vas a la Iglesia o a otras actividades cristianas, ¿te hallas lleno de pensamiento sucios, celos u otros problemas mentales? Explica.

10. ¿Escuchas mucha música y qué tipo de música disfrutas más?

11. ¿Has pensado suicidarte alguna vez? Explica.

12. ¿Has intentado suicidarte alguna vez? Si es así, ¿cuándo y por qué?

13. ¿Te gusta la escuela?

14. ¿Cómo te llevas con tus profesores y otras autoridades de la escuela?

Emocional

1. ¿Cuáles de las siguientes emociones te costaba o te cuesta controlar? (Marca con una X todas las que correspondan).
   - ☐ Frustración
   - ☐ Enojo
   - ☐ Ansiedad
   - ☐ Soledad
   - ☐ Sentirte sin valor alguno
   - ☐ Depresión
   - ☐ Odio
   - ☐ Rencor, amargura
   - ☐ Miedo a la muerte
   - ☐ Miedo de volverte loco
   - ☐ Miedo de suicidarte
   - ☐ Miedo de herir a los seres queridos
   - ☐ Miedo de tener una enfermedad terminal
   - ☐ Miedo de irte al infierno
   - ☐ Miedo de________________
   - ☐ Miedo de________________

2. ¿Cuáles de las emociones de la lista de arriba te parecen que son pecado? ¿por qué?

3. Con relación a tus emociones, sean positivas o negativas, ¿cuál de las siguientes te describe? (Marca con una X la que te describa mejor).
   - ☐ Las expresas libremente a los demás
   - ☐ Reconoces tus emociones como existentes pero dudas en compartirlas con los demás
   - ☐ Tiendes a esconder tus emociones
   - ☐ Hallas que es más seguro no decir cómo te sientes
   - ☐ Tiendes a ignorar tus emociones porque no puedes confiar que tus sentimientos sean verdaderos
   - ☐ Consciente o inconscientemente las niegas o entierras; te duele demasiado tratarlas.

4. ¿Hay alguien en tu vida con quién sabes que puedes ser emocionalmente honesto ahora mismo (esto es, que puedes decir a esta persona exactamente cómo te sientes en relación contigo mismo, la vida y la gente)?

5. ¿Cuánta importancia tiene para ti que seamos emocionalmente honestos ante Dios y cómo te parece que eres en este sentido? Explica.

Historia espiritual

1. Si murieras esta noche... ¿sabes dónde pasarás la eternidad?

2. Imagínate que te mueres esta noche y compareces ante Dios en el cielo y Él te pregunta: "¿Por qué tengo que dejarte entrar al cielo?" ¿Qué le responderías?

3. Primera de Juan 5:11,12 dice: "Dios nos ha dado vida eterna, y esta vida está en Su Hijo. El que tiene al Hijo tiene la vida, y el que no tiene al Hijo de Dios, no tiene la vida".
   ¿Tienes al Hijo de Dios en ti?

4. ¿Cuándo lo recibiste?

5. ¿Cómo sabes que lo recibiste?

6. ¿Tienes dudas acerca de tu salvación constantemente?

7. ¿Pasas tiempo con otros cristianos, y de ser así, dónde y cuándo?

8. ¿Estás yendo a una iglesia local donde se enseñe la Biblia y aportas tu servicio a la iglesia?

Cuestionario de experiencias espirituales no cristianas

(Por favor, marca todas las que te correspondan)

- ☐ Experiencia de salirse del cuerpo (proyección astral)
- ☐ Tablero Ouija
- ☐ María Sanguinaria (*Bloody Mary*)
- ☐ Liviano como pluma (u otros juegos ocultistas)
- ☐ Levantar mesas o cuerpos
- ☐ La Octava Bola Mágica
- ☐ Usar conjuros o maldiciones
- ☐ Tratar de dominar a los demás metiéndoles ideas en susabezas
- ☐ Escritura automática
- ☐ Guías espirituales
- ☐ Adivinar la suerte
- ☐ Cartas de Tarot
- ☐ Lectura de las manos
- ☐ Astrología/horóscopos
- ☐ Hipnosis
- ☐ Sesiones de espiritismo
- ☐ Magia blanca o negra
- ☐ Fosos y Dragones (u otros juegos de asumir personajes fantásticos)
- ☐ Juegos de video y/o computadora que implican poderes ocultos o violencia cruel
- ☐ Pactos de sangre o cortarte intencionalmente a ti mismo
- ☐ Objetos de adoración/cristales/amuletos de buena suerte
- ☐ Espíritus sexuales
- ☐ Artes marciales (que involucran misticismo oriental, meditación o devoción al sensei [maestro])
- ☐ Budismo (incluyendo el Zen)
- ☐ Rosacruces
- ☐ Hinduísmo
- ☐ Mormones (Iglesia de los Santos de los Ultimos Días)
- ☐ Testigos de Jehová
- ☐ Nueva Era
- ☐ Medicina estilo Nueva Era
- ☐ Masones
- ☐ Ciencia Cristiana
- ☐ Ciencia de la Mente
- ☐ Ciencia de la Inteligencia Creadora
- ☐ El Camino Internacional
- ☐ La Iglesia de la Unificación (Moonies)
- ☐ El Foro (EST)
- ☐ Iglesia de la Palabra Viva
- ☐ Niños de Dios (Niños del Amor)
- ☐ Iglesia Mundial de Dios (Armstrong)
- ☐ Cientología
- ☐ Unitarianismo
- ☐ Roy Masters
- ☐ Control mental Silva
- ☐ Meditación Transcendental
- ☐ Yoga
- ☐ Hare Krishna
- ☐ Bahaísmo
- ☐ Adoración de espíritus nativos de los Estados Unidos de Norteamérica
- ☐ Ídolos de estrellas de la música rock, actores y actrices, héroes deportistas, etc.
- ☐ Islam
- ☐ Musulmanes negros

Apéndice G

Glosario de verdad Bíblica para las luchas de los adolescentes

(25 Problemas corrientes)

Activismo
Salmo 46:10; Mateo 11:28-30; Lucas 10:38-42
Apatía, Pereza
Proverbios 6:6-11; Romanos 12:9-13; Gálatas 6:9,10
Codicia/Materialismo
1 Timoteo 6:8-12; Hebreos 13:5
Culpa
Romanos 8:1; 1 Juan 1:9
Depresión
Salmo 42:11; Romanos 15:13; 2 Tesalonicenses 2:16,17
Ebriedad/Drogas
Proverbios 23:25-29; Efesios 5:18
Egoísmo
Filipenses 2:3,4; Santiago 3:13-18; 4:1-4
Espíritu de crítica/Chisme
Efesios 4:29,30; Santiago 4:11,12
Falta de Guía/Confusión
Salmo 119:105; Proverbios 3:5-7; Santiago 1:5-8
Falta de Perdón/Rencor/Amargura
Efesios 4:31,32; Hebreos 12:14,15

Inmoralidad Sexual
1 Corintios 6:18-20; 1 Tesalonicenses 4:3-8; 2 Timoteo 2:22
Ira
Efesios 4:26,27; Santiago 1:19,20
Mala Imagen de Sí mismo
1 Samuel 16:7; Salmo 139:13-18
Miedo, Temor
Josué 1:8,9; Isaías 41:10; 2 Timoteo 1:7
Orgullo
Romanos 12:3; Santiago 4:6,7; 1 Pedro 5:5,6
Perfeccionismo
Romanos 15:7; Colosenses 3:23,24
Prácticas Ocultistas
Deuteronomio 18:9-13; Isaías 8:19,20
Preocupación/Afán
Filipenses 4:6,7; 1 Pedro 5:6-10
Presión de los Iguales
Proverbios 13:20; Romanos 12:1,2; 1 Corintios 15:33
Rebeldía
Romanos 13:1-7; Efesios 6:1-3; 1 Pedro 2:13-15
Relaciones Rotas
Salmo 63:1-8; Romanos 8:28,29
Seguridad de Salvación
Juan 10:27-30; Hebreos 13:5; 1 Juan 5:11-13
Soledad
Romanos 8:38,39; Hebreos 3:12,13
Tentación
Salmo 119:9-11; 1 Corintios 10:12,13
Trastornos del Comer
1 Corintios 6:19,20; 1 Timoteo 4:1-5